LE FILS PRODIGUE

DU MÊME AUTEUR CHEZ LE MÊME ÉDITEUR

Album de famille
La Fin de l'été
Il était une fois l'amour
Au nom du cœur
Secrets
Une autre vie
La Maison des jours heureux
La Ronde des souvenirs
Traversées
Les Promesses de la passion
La Vagabonde
Loving
La Belle Vie
Kaléidoscope
Star
Cher Daddy
Souvenirs du Vietnam
Coups de cœur
Un si grand amour
Joyaux
Naissances
Le Cadeau
Accident
Plein Ciel
L'Anneau de Cassandra
Cinq Jours à Paris
Palomino
La Foudre
Malveillance
Souvenirs d'amour
Honneur et Courage
Le Ranch
Renaissance
Le Fantôme
Un rayon de lumière
Un monde de rêve
Le Klone et moi
Un si long chemin
Une saison de passion
Double Reflet
Douce-Amère
Maintenant et pour toujours
Forces irrésistibles
Le Mariage
Mamie Dan
Voyage
Le Baiser
Rue de l'Espoir
L'Aigle solitaire
Le Cottage
Courage
Vœux secrets
Coucher de soleil à Saint-Tropez
Rendez-vous
À bon port
L'Ange gardien
Rançon
Les Échos du passé
Seconde Chance
Impossible
Éternels Célibataires
La Clé du bonheur
Miracle
Princesse
Sœurs et amies
Le Bal
Villa numéro 2
Une grâce infinie
Paris retrouvé
Irrésistible
Une femme libre
Au jour le jour
Offrir l'espoir
Affaire de cœur
Les Lueurs du Sud
Une grande fille
Liens familiaux
Colocataires
En héritage
Disparu
Joyeux Anniversaire
Hôtel Vendôme
Trahie
Zoya
Des amis si proches
Le Pardon
Jusqu'à la fin des temps
Un pur bonheur
Victoires
Coup de foudre
Ambitions
Une vie parfaite
Bravoure
Un parfait inconnu

Danielle Steel

LE FILS PRODIGUE

Roman

Traduit de l'anglais (États-Unis)
par Hélène Colombeau

Titre original : *Prodigal Son*

L'édition originale de cet ouvrage a paru en 2015 aux États-Unis chez Delacorte Press, Penguin Random House, New York.

ISBN 978-2-258-10809-7

Presses de la Cité | un département **place des éditeurs**

place des éditeurs

À mes enfants chéris,
Beatie, Trevor, Todd, Nick, Sam,
Victoria, Vanessa, Maxx, et Zara :

Hélas, le mal existe,
invisible, imperceptible, souvent indécelable,
et pourtant bien présent,
une force puissante dont il faut tenir compte.

Puissiez-vous être protégés du danger
sous toutes ses formes. Puissiez-vous être sages,
et à l'abri de ceux qui vous veulent du mal.
Que la bonté et la gentillesse soient votre lot quotidien
et règnent sur vos vies. Le bien est plus fort que le mal.

Et que mon amour pour vous, dans les mauvais jours,
vous réchauffe au-delà de toute mesure.

Avec tout mon amour,
Maman/d.s.

« … parce que ton frère que voici était mort et qu'il est revenu à la vie, parce qu'il était perdu et qu'il est retrouvé. »

Luc 15 : 32

1

Depuis un mois, c'était un vrai cauchemar. Peter McDowell, assis dans son bureau envahi de cartons, regardait fixement l'écran de son ordinateur. Il avait passé les cinq derniers jours ainsi. Et aujourd'hui, en ce vendredi 10 octobre 2008, le cours des actions continuait de dégringoler. C'était le pire krach boursier que Wall Street ait connu depuis la Grande Dépression.

Plusieurs événements avaient précipité l'effondrement du château de cartes. Vingt-six jours plus tôt, Lehman Brothers, une des banques d'investissement les plus anciennes et les plus respectées des États-Unis, avait déposé le bilan, laissant le monde de la finance abasourdi. Plus étonnant encore, le gouvernement avait refusé de la renflouer, ce qu'il avait pourtant fait six mois auparavant pour la banque Bear Stearns au moment où celle-ci était absorbée par JPMorgan Chase. Juste avant la mise en liquidation de Lehman Brothers, la Bank of America avait annoncé l'achat de Merrill Lynch, concurrente tout aussi vénérable et respectée. Les sociétés d'investissement et autres institutions financières titubaient comme des ivrognes à Wall Street, tandis que certains établissements de taille plus modeste avaient déjà fermé. Le lendemain de la faillite de Lehman Brothers, le premier assureur des États-Unis avait perdu quatre-vingt-quinze pour cent de sa valeur ; une semaine plus tard, il ne figurait plus dans l'indice Dow Jones.

Alors que les annonces alarmantes se succédaient jour après jour, Whitman Broadbank, la société d'investissement qui employait Peter McDowell, avait fait savoir qu'elle mettait à son tour la clé sous la porte. Peter en avait été informé trois jours plus tôt et peinait encore à y croire. À dix-huit heures ce soir, sa glorieuse carrière s'achèverait brutalement ; ses investissements à haut risque, qui l'avaient rendu célèbre et avaient donné de si bons résultats, tomberaient dans l'oubli. Tout le reste tenait dans les cartons autour de lui.

Il avait attendu plusieurs jours avant d'annoncer la nouvelle à sa femme, Alana, et à leurs deux fils, Ryan et Ben.

— Qu'est-ce que ça veut dire, papa ? avait demandé Ryan, quatorze ans, d'un air paniqué.

Peter n'avait pas osé dresser la liste de ce qui allait changer pour eux. Tout devait être vendu. L'entreprise était endettée jusqu'au cou. Les actions qu'il avait si souvent acquises en lieu et place d'un salaire – et ce de son plein gré –, et qui avaient constitué la plus grosse part de sa fortune personnelle, ne valaient à présent plus rien. Ils pouvaient dire adieu aux écoles privées, aux cartes de crédit, à leur maison dans les Hamptons, à l'avion qu'ils possédaient en copropriété, à leur appartement-terrasse sur la Cinquième Avenue, à la Ferrari que Peter sortait le week-end pour la plus grande joie des enfants, à la Bentley d'Alana, et à la Rolls flambant neuve – des jouets inutiles et hors de prix qui avaient été les symboles de son succès. Adieu à leur mode de vie, mais adieu surtout à leur sécurité. Peter avait investi presque exclusivement dans Whitman

Broadbank, et ce qu'il avait placé ailleurs s'était évaporé de la même manière. Toutes les valeurs s'étaient effondrées. Il n'avait plus rien, ou si peu que cela ne comptait pas. Son existence tout entière allait être affectée par cette crise économique, hormis peut-être son mariage. Alana avait gardé le silence lorsqu'il avait tenté de leur expliquer une situation qu'il ne comprenait pas lui-même. Personne ne comprenait. La veille, l'Islande s'était déclarée en faillite nationale et avait fermé ses marchés financiers, tandis que les autres pays assistaient avec horreur à l'implosion de la Bourse de New York.

Peter réussit enfin à détacher son regard de l'écran qui l'avait hypnotisé toute la semaine. Sa secrétaire était partie dans la matinée ; les couloirs étaient déserts. Les quelques employés encore présents étaient occupés comme lui à rassembler leurs affaires. Tous assistaient, impuissants, à la fin de leur carrière et de la vie telle qu'ils l'avaient connue.

Peter transporta un carton jusqu'à l'entrée de son bureau. Il lui était difficile d'envisager son avenir professionnel alors que partout on licenciait à tour de bras et que des centaines de candidats surqualifiés s'arrachaient les quelques postes restants. Au jeu des chaises musicales de la finance, ils étaient des milliers à avoir perdu leur siège. Et cette fois-ci, Peter n'avait pas été épargné. Depuis le jour où, fraîchement diplômé d'une école de commerce, il avait accroché son wagon à la locomotive Whitman Broadbank, la chance et le succès n'avaient cessé de lui sourire. Vingt et un ans plus tard, à quarante-six ans, il se retrouvait au chômage et fauché, comme la majorité de ses collègues. Très peu avaient survécu au tsunami de ce dernier mois.

Ce n'était pas comme ça que Peter avait imaginé partir… Mais il n'avait pas dit son dernier mot. Pas question de baisser les bras. Il ferait le nécessaire pour se tirer d'affaire, quitte à se serrer la ceinture. Tôt ou tard, il reviendrait dans la course. Restait à savoir quand, et comment. En attendant, les choses n'allaient pas être faciles – Alana et les garçons avaient été prévenus. Dès ce week-end, ils mettraient en vente la maison des Hamptons et leur appartement de New York. Le marché de l'immobilier subissait déjà le contrecoup de la crise boursière, mais dans leur position ils ne pouvaient pas faire la fine bouche. Il leur faudrait ensuite trouver un nouveau logement… Tant qu'ils resteraient unis, tout irait bien, Peter en était convaincu.

Ils devaient surmonter cette épreuve ensemble et prendre des décisions pour l'avenir. Peter avait passé plusieurs nuits à y réfléchir. Ayant grandi dans une bourgade du Massachusetts, il envisageait de quitter New York pendant quelque temps. Peut-être trouverait-il une place dans une petite banque, en attendant que l'économie reparte ?

Un peu plus tôt dans la semaine, il avait insisté auprès d'Alana pour qu'elle se sépare de leur couple de domestiques. Ils n'avaient plus les moyens de s'offrir leurs services. Ces derniers s'étaient montrés compréhensifs ; plusieurs de leurs amis avaient été licenciés pour les mêmes raisons. De leur côté, ils avaient eu la prudence de garder leurs économies sur des comptes courants. Peter ne put réprimer un sourire en songeant qu'à l'heure actuelle ils étaient sans doute plus riches que lui. Il avait bien tenté de les convaincre d'investir, mais ils se méfiaient des institutions financières. Pour eux, il n'y avait rien de plus sûr que les liquidités. Et aujourd'hui, l'argent disponible était roi.

Les bras chargés de cartons, Peter prit l'ascenseur en compagnie de deux associés, dont l'un semblait au bord des larmes. Comme tant d'autres, qui dominaient encore le monde quelques mois plus tôt, il revenait à la case départ. Le jeu de l'Oie, version réalité. On grimpe toujours plus haut, jusqu'à la stratosphère, et un coup de dés suffit à vous envoyer plus bas que terre.

— Courage, Marshall, dit-il à son collègue. On remontera la pente.

— Merci, Peter, mais j'abandonne la partie. Je rentre dans l'Ohio pour travailler dans l'usine de mon père, expliqua le jeune homme, déprimé. Je n'avais que des actions chez Broadbank.

— Oui... je crois qu'on est tous dans le même bateau...

Mais Peter tenait à rester positif, quand bien même il lui était arrivé plusieurs fois de céder à la panique au cours de cette dernière semaine – surtout en plein cœur de la nuit. Il n'avait pas l'intention de se laisser abattre. La lumière finirait bien par apparaître au bout du tunnel.

Il salua ses collègues et alla déposer ses cartons dans le coffre de sa voiture, qu'il avait garée devant l'immeuble. C'était la Volvo break que leurs domestiques utilisaient pour faire les courses. Ce week-end, Peter conduirait leurs autres véhicules chez un revendeur de voitures haut de gamme. Celles-ci allaient sans nul doute affluer sur le marché dans les prochaines semaines, mais tout ce qu'il pourrait en tirer serait bon à prendre. Alana avait pleuré en apprenant qu'elle serait obligée de se séparer de sa Bentley. Le luxe n'avait plus sa place dans leur vie.

Peter remonta chercher quatre autres cartons et jeta un dernier regard sur son bureau, se demandant s'il retrouverait un jour un espace de travail aussi grandiose.

Rien de moins sûr. Peut-être ne reviendrait-il pas à Wall Street. Peut-être était-ce vraiment la fin, comme on le répétait partout autour de lui… Sentant une bouffée d'angoisse l'envahir, il tourna les talons et quitta la pièce. Il aurait voulu dire au revoir à ses associés, mais ils étaient déjà partis. Ils se retrouveraient bientôt pour lancer la procédure de faillite, mais en attendant tout le monde quittait le navire. C'était chacun pour soi.

Peter prit l'ascenseur une dernière fois, la mine sombre. Grand et athlétique, il paraissait plus jeune que son âge. Tous les week-ends, il jouait au tennis et son coach personnel venait l'entraîner dans la salle de sport qu'il avait fait installer chez lui. Quelques mèches grises parsemaient sa chevelure blond-roux, qui lui donnait l'allure du gendre idéal. Ces dernières années, il avait été l'incarnation du golden boy, le succès personnifié, alors qu'il avait eu pendant toute son enfance le sentiment d'être un raté – et d'avoir été considéré comme tel.

À l'inverse de son frère jumeau, fils parfait et adoré, Peter occupait la place du mouton noir dans sa famille. Petit, il avait été le cauchemar de ses parents. Beau garçon, éveillé, mais terriblement mauvais à l'école. Il était sans cesse puni, menacé de redoublement ou temporairement exclu, du fait de son comportement ou de ses résultats déplorables. Une dyslexie diagnostiquée très tardivement avait failli détruire sa jeunesse. Ses camarades le traitaient d'idiot, ses professeurs perdaient patience et finissaient par renoncer. Personne ne s'expliquait les difficultés qu'il rencontrait à l'école. Ses parents étaient pourtant des gens instruits, et Peter semblait lui-même intelligent. Alors on l'accusait d'être paresseux, quand en réalité les mots et les consignes n'avaient aucun sens pour lui. Ceux qui se moquaient de lui, Peter les punissait à coups de poing. Il n'était pas rare qu'il revienne de l'école, le tee-shirt déchiré, avec un œil au beurre noir – et ses adversaires faisaient encore plus peine à voir. Au lycée, il préféra adopter une attitude d'indifférence hostile et arrogante, attitude qui ne servait qu'à masquer son profond sentiment d'incompétence.

Son frère Michael, à l'inverse, était exemplaire à tous points de vue. Certes, il n'était pas aussi beau que Peter : plus petit, plus trapu, et peut-être moins éblouissant par certains côtés. Mais c'était un garçon sérieux, poli et travailleur, qui ne rapportait jamais de mauvaises notes à la maison. Seul Peter causait du souci à ses parents et leur brisait le cœur à chaque nouvel échec. Sa mère assurait qu'il aurait pu devenir une star si seulement il avait appris ses leçons et s'était mieux comporté. Michael, pour sa part, ne ratait pas une occasion de souligner à quel point son frère était incapable de contrôler ses humeurs ou de faire ce qu'on attendait de lui. Dès que les autres avaient le dos tourné, il prenait un malin plaisir à l'énerver. Et les rares fois où il faisait lui-même une bêtise, il en rejetait systématiquement la responsabilité sur son frère. Que ce soit à l'école ou à la maison, tout le monde était disposé à croire Peter coupable et Michael innocent.

À la fin du lycée, Peter était une cause perdue aux yeux de ses parents. Du fait de l'intolérable frustration qu'il accumulait depuis dix-huit ans, ses caprices d'enfant s'étaient transformés en colères d'adolescent. Incompris et mal-aimé, Peter avait renoncé à fournir le moindre effort. Quant à son frère, il était devenu son ennemi juré, la source de presque tous ses malheurs. Pour Peter, impossible de rivaliser avec lui.

Tout le monde fut surpris lorsqu'il intégra une université. Si incroyable que cela puisse paraître, un professeur du lycée lui avait écrit une lettre de recommandation, dans laquelle il assurait que, derrière les mauvaises notes et la scolarité en dents de scie, se cachait un jeune homme d'une intelligence et d'une créativité sans pareilles, et qu'il finirait un jour par surmonter ses problèmes. Selon lui, Peter était de ceux qui s'épanouissent sur le tard (c'était la chose la plus gentille qu'on eût jamais dite à son propos). L'université n'aurait pas à regretter de l'avoir accepté.

Ce fut un tournant majeur dans la vie de Peter. Un professeur d'anglais s'intéressa à son cas et comprit que ses mauvaises notes n'étaient pas dues à une quelconque paresse. Il l'envoya passer des tests approfondis ; tel un spectre que nul n'avait vu ni soupçonné, la dyslexie qui l'avait tant fait souffrir émergea du brouillard. Le professeur devint son mentor, et, grâce aux cours de soutien qu'il lui dispensa pendant quatre ans, Peter fit des progrès spectaculaires. Jamais il n'aurait cru accomplir un jour de telles choses.

Ce qu'il désirait par-dessus tout, c'était gagner la considération de ses parents. Ceux-ci, cependant, ne voulurent pas admettre que sa dyslexie ait pu le handicaper à ce point dans son enfance. Et Michael, se sentant menacé par la toute récente réussite de son jumeau, s'empressa d'observer qu'elle ne faisait que confirmer sa fainéantise antérieure. S'il était capable d'obtenir de bonnes notes à l'université, pourquoi n'en avait-il pas fait autant au lycée ? Les réconciliations chaleureuses que Peter avait espérées n'eurent pas lieu ; son attitude agressive et ses crises de colère répétées avaient irrémédiablement sapé ses relations avec ses parents. Toutefois, leur manque de confiance à son égard ne fit que renforcer son envie de les impressionner. Il brûlait soudain de devenir une « star » et d'exaucer ainsi le vœu que sa mère avait formulé à l'époque où elle croyait encore en lui.

Sa réussite à l'école de commerce, puis à Wall Street, ne surprit aucun de ses anciens professeurs d'université, qui l'avaient connu extrêmement dynamique et motivé. En revanche, elle étonna beaucoup son frère et ses parents. Rien ne semblait pouvoir ébranler l'image négative qu'ils avaient de lui. Peter était convaincu que Michael exacerbait les craintes de leurs parents en prenant soin de leur rappeler régulièrement combien son frère leur avait causé du souci. « Les gens ne changent pas », répétait-il souvent. Et ils le croyaient. Comment aurait-il pu en être autrement ? Tout avait été tellement plus simple avec Michael ! Et ce, depuis sa naissance… Il avait toujours été le petit garçon sage et parfait qui faisait ce qu'on lui demandait de faire. Peter, à l'inverse, était celui qui rentrait à la maison avec des heures de retenue et le nez en sang : il serait à jamais synonyme de problèmes.

Michael, par ailleurs, ressemblait beaucoup à ses parents. Comme son père, il suivit des études de médecine, ce qui les rapprocha encore davantage. Après une brève carrière d'anesthésiste à Boston, Michael abandonna ses rêves de gloire et rejoignit le cabinet de généraliste de son père. Dans leur petite ville du Massachusetts, « Dr Pat » était adoré de tous. Lorsque Michael lui succéda, il fut tout aussi apprécié, sinon plus. Finalement, ce rôle de médecin de campagne lui convenait parfaitement. Il faisait preuve d'une patience, d'une générosité et d'une compassion infinies avec tout le monde, en particulier les enfants et les personnes âgées.

À l'époque où Michael retourna travailler avec son père, Peter avait déjà atteint des sommets à Wall Street et ne rentrait que rarement à la maison. Il avait renoncé à convaincre ses parents qu'il avait changé. Quant à ses relations avec son jumeau, elles n'avaient pas résisté à l'attitude hostile de Michael. Le fossé entre sa famille et lui paraissant infranchissable, Peter préféra employer son énergie à atteindre l'objectif qu'il s'était fixé : devenir une légende à Wall Street. Ce que ses parents pensaient de lui ne lui importait plus. L'indifférence et la distance étaient les meilleurs remèdes à la souffrance qu'il avait éprouvée des années durant. De toute façon, les rares fois où Peter leur rendait visite, Michael réécrivait l'histoire en laissant entendre qu'il avait été le plus à plaindre.

Un incident avait particulièrement affecté Peter l'année de leurs douze ans. À l'époque, les garçons avaient un chien qu'ils adoraient, un bâtard hirsute né d'un croisement entre un husky et un golden retriever. Presque entièrement blanc, Scout ressemblait à un loup et adorait Peter. Cet été-là, ils étaient partis camper au bord d'une rivière avec des amis de la famille. En les suivant dans l'eau, Scout fut surpris par le courant. Peter cria à Michael, qui se trouvait plus près du chien à bord d'un petit bateau gonflable, de le saisir par le collier. Mais son frère le laissa passer devant lui sans faire le moindre geste pour le sauver. Malgré les efforts désespérés de Peter pour le rattraper, Scout fut emporté vers une cascade et périt. De retour chez eux, Michael eut la perversité de raconter à leurs parents que le chien s'était noyé à cause de Peter. Celui-ci était trop effondré pour se défendre. Et ils ne l'auraient pas cru s'il avait accusé son frère, lui, l'incarnation du diable… Pour eux, c'était une bêtise de plus à mettre à son actif. Peter ne pardonna pas à Michael d'avoir laissé mourir Scout. Plus jamais il ne voulut de chien après cela.

Les mauvaises expériences de son enfance encouragèrent Peter à tracer sa voie sans l'aide de personne. Et il y parvint remarquablement bien, jusqu'à ce que le monde de la finance s'écroule autour de lui. Pendant deux décennies, il avait été un vrai leader dans son domaine et avait amassé plus d'argent qu'il n'avait jamais rêvé d'en gagner. Sa mère, qui avait suivi ses progrès dans la presse économique, était heureuse pour lui, même si elle avait eu parfois du mal à croire ce qu'elle lisait.

Comme Peter avait fait fortune, ses parents décidèrent qu'il serait absurde de lui léguer leurs maigres économies. C'est ce que son père lui expliqua dans une longue lettre qu'il écrivit peu avant sa mort. À l'époque, Peter n'était pas encore marié, et il roulait sur l'or. C'était tellement plus logique que l'argent revienne à Michael, lui qui parvenait à peine à joindre les deux bouts avec sa femme et ses deux enfants ! Michael hériterait donc de la maison de Ware, du cabinet médical et de tout ce qu'ils avaient mis de côté. Dans la lettre, Pat se disait fier que Peter n'ait pas besoin de leur soutien financier. En geste symbolique, ils lui laissaient tout de même le cottage au bord du lac, en espérant que cette preuve d'amour lui ferait plaisir.

Il y eut quelques vifs échanges entre les deux frères à la mort de leur père, puis à celle de leur mère un an plus tard. Peter accusait son jumeau de les avoir montés contre lui jusqu'à la fin. À force de mensonges et de manipulations, Michael avait réussi à le couper de sa famille. Peter n'était allé voir qu'une seule fois sa mère sur son lit de mort… Il regrettait aujourd'hui de ne pas avoir fourni plus d'efforts pour se réconcilier avec ses parents. Michael ne lui en aurait pas laissé la chance, de toute façon, lui qui s'était donné tant de mal pour le voir exclu de leur testament et, plus grave, de leur cœur. Peter n'avait jamais pu regagner leur confiance après les échecs de sa jeunesse. Sa mère s'était fait trop de souci pour lui. Quant à son père, il n'avait fait aucun effort pour le comprendre. Peter n'avait été pour lui qu'une source d'ennuis et de déceptions.

Depuis qu'il en avait hérité, Peter n'était pas retourné dans la résidence secondaire au bord du lac, où il avait passé tant de vacances d'été. N'ayant pas le cœur de la vendre, il payait de modestes honoraires à une agence immobilière locale qui s'occupait de l'entretenir. De toute façon, elle ne lui aurait pas rapporté grand-chose : sa valeur était surtout sentimentale. C'était là que se rattachaient les seuls souvenirs agréables de son enfance.

Cela faisait quinze ans maintenant que Peter n'était pas revenu à la maison ni n'avait revu son frère. Il ne s'en plaignait pas. Michael et lui étaient devenus pour ainsi dire des étrangers. Son jumeau rappelait à Peter une époque douloureuse de sa vie, une époque sur laquelle il n'avait aucune envie de se retourner, et ce encore moins aujourd'hui alors qu'il subissait un nouvel échec. Comme par le passé, c'était Michael qui incarnait la réussite, médecin vénéré de ses patients dans une petite ville tranquille. Chaque fois que Peter croisait un ancien camarade venu s'installer à New York, il entendait immanquablement parler de saint Michael, l'ennemi juré de son enfance. Non, vraiment, il n'était absolument pas pressé de le revoir.

Que dirait Michael s'il apprenait que Whitman Broadbank avait fait faillite et que toute la fortune de Peter était partie en fumée ? Que c'était bien mérité, probablement. Michael se montrait compatissant envers tous ses semblables, à l'exception de son frère, dont il était furieusement jaloux. Lorsqu'ils étaient plus jeunes, leur père les surnommait Abel et Caïn ; il n'aurait pas été surpris qu'ils s'entre-tuent un jour, disait-il. Mais Peter s'était contenté de partir mener sa barque dans un autre monde. Un monde qui venait de s'écrouler comme un vulgaire taudis dans un tremblement de terre.

Il se gara devant son immeuble de la Cinquième Avenue, ouvrit le coffre et demanda au concierge – non sans lui glisser un billet de vingt dollars – de faire monter ses cartons par un porteur. L'employé avait déjà appris, en bavardant avec les domestiques des McDowell, que leur appartement allait être mis en vente. Il les plaignait sincèrement. Partout en ville et en banlieue, des gens comme eux voyaient leur existence chamboulée. Les grands cracks de la finance avaient été ruinés en un claquement de doigts. Certains avaient fait de meilleurs placements ou travaillaient dans des firmes qui avaient échappé à l'hécatombe, mais pour ceux de Lehman Brothers, de Whitman Broadbank et autres, c'en était fini de la belle vie.

Peter trouva Alana au téléphone sur la terrasse, où elle profitait de la douceur de l'air, allongée sur une chaise longue. Elle raccrocha dès qu'elle le vit. Ces derniers temps, elle n'osait plus le regarder dans les yeux – elle y devinait trop de douleur. L'odeur âcre de la défaite flottait autour d'eux. Tandis qu'il posait une main sur sa tête, elle leva vers lui un regard angoissé : quelle horrible nouvelle allait-il encore lui annoncer ?

Quand Peter l'avait rencontrée quinze ans plus tôt, peu après la mort de sa mère, il avait été ébloui par sa beauté. Âgée de vingt-trois ans et fraîchement diplômée de l'université de Californie du Sud, Alana était la fille unique de Gary Tallon, un des plus grands producteurs de musique de Hollywood. Gary avait vigoureusement protesté lorsqu'elle était partie vivre à New York et avait épousé Peter. Pendant longtemps, il avait tenté de convaincre son gendre de venir travailler pour lui à Los Angeles. Mais Peter ne se sentait pas attiré par cette ville, et le frisson de la spéculation était devenu une drogue dont il ne pouvait plus se passer. Il ne connaissait rien à l'industrie de la musique, et le clinquant de Hollywood lui était parfaitement étranger. En revanche, il n'ignorait pas que cette vie manquait à sa femme. Celle-ci retournait régulièrement à Los Angeles avec les enfants. Depuis que sa mère était morte l'année de ses quinze ans, Alana était très proche de son père.

Gary appréciait Peter, même s'il manifestait une certaine méfiance à son égard – comme envers une espèce animale inconnue. Il savait que, sous ses airs conventionnels, Peter était capable de prendre de gros risques en affaires. Et cela payait. Au fil des ans, Gary avait placé quelques millions sur les conseils de son gendre, et il n'avait pas eu à le regretter – du moins jusqu'à présent, car cet argent venait de s'envoler. Pour Gary, il s'agissait toutefois d'une perte insignifiante, qui n'affecterait nullement son train de vie. Ce ne serait pas le cas pour sa fille. Elle lui avait dit que Peter voulait tout vendre, et Gary n'avait pas été surpris : son gendre avait malheureusement tout misé en Bourse. Il avait mieux pris soin de l'argent de ses clients que du sien.

— Voilà, cette fois c'est fini, soupira Peter en s'asseyant sur une chaise longue à côté d'Alana. J'ai ramené mes affaires à la maison. Vingt et un ans de boîte, et ça tient dans six cartons.

C'était une façon humiliante de clore une carrière brillante. Peter aurait voulu se battre, mais le match était perdu d'avance.

— J'ai rendez-vous demain à Southampton avec l'agent immobilier, poursuivit-il. Je laisserai ma voiture là-bas au revendeur automobile. Tu n'auras qu'à me suivre avec la Bentley, comme ça tu pourras me ramener. On mettra la tienne en vente la semaine prochaine.

Et la suivante sur la liste serait la Ferrari, qui était restée à la maison des Hamptons. Peter avait déjà renoncé à sa part de l'avion, au prix d'une énorme pénalité. Il n'avait plus les moyens de s'acquitter des frais annuels.

Alana dévisagea son mari, les yeux écarquillés. À trente-huit ans, elle était toujours aussi belle qu'à vingt-trois, peut-être même plus. Si elle connaissait tout du métier de son père, elle en savait très peu en revanche sur celui de Peter. Le monde de la finance l'ennuyait. Sa vie à Los Angeles avait été autrement plus passionnante. À l'époque, Stevie Wonder et Mick Jagger venaient dîner chez ses parents ! C'était le milieu dans lequel elle avait grandi. Peter devinait sans peine ce que son père et sa mère auraient pensé d'Alana s'ils l'avaient connue : une enfant gâtée, voilà tout. Et en effet, elle avait été élevée dans l'univers du faste et des paillettes, à des années-lumière de leur modeste vie à la campagne. Mais, aux yeux de Peter, cela n'enlevait rien à ses qualités. Outre son intelligence et sa beauté, Alana était à la fois une bonne mère et une bonne épouse. Elle avait joué son rôle à la perfection chaque fois qu'ils avaient reçu chez eux les actionnaires de Peter. Son père l'ayant envoyée étudier en Europe pendant deux ans, elle parlait couramment l'espagnol, ainsi que le français – langue que leurs fils pratiquaient eux aussi puisqu'elle les avait inscrits au lycée français de New York. Alana siégeait aux conseils d'administration de l'école d'arts Juilliard et du Metropolitan Museum of Art. Plus jeune, elle rêvait d'être agent artistique, mais elle avait choisi d'épouser Peter… Quinze ans plus tard, il l'aimait toujours autant.

Alana accordait un soin méticuleux à son apparence. Elle avait conservé une silhouette de mannequin et s'habillait à grands frais, grâce à Peter. Habituée au luxe et à l'argent, elle n'avait jamais manqué de rien. Tout l'amour que Gary avait prodigué à sa femme, il l'avait reporté sur sa fille lorsqu'il s'était retrouvé veuf. Avant que Peter n'épouse Alana, Gary l'avait d'ailleurs informé, à sa manière un peu brutale, qu'il le tuerait s'il s'avisait de lui briser le cœur. Et Peter ne doutait pas un seul instant que le grand magnat de la musique mettrait sa menace à exécution.

Alana savait à quel point la situation était difficile pour son mari. Mais elle l'était aussi pour elle et les garçons. Où allaient-ils s'installer ? Il n'y avait rien de plus terrifiant que l'incertitude. Vivre à New York sans un sou, voilà une perspective qui ne la réjouissait pas. Son père, qui comme le roi Midas transformait en or tout ce qu'il touchait, n'avait jamais connu le genre de revers que Peter subissait actuellement ; Alana ignorait ce que c'était d'être pauvre.

— Je suis désolée, dit-elle tristement en posant une main sur la sienne.

Peter lui offrit un sourire contrit.

— Moi aussi. Mais on s'en relèvera, je te le promets. Ça va juste être un peu difficile pendant quelque temps. Au moins, on est ensemble, c'est tout ce qui compte pour moi.

Alana soutint son regard.

— J'ai eu papa au téléphone, aujourd'hui. Je crois qu'il a une bonne idée, annonça-t-elle avec espoir.

Peter ne se laisserait pas facilement convaincre. C'était un homme orgueilleux, qui avait été blessé dans son amour-propre. Pour ne rien arranger, Los Angeles était à ses yeux une ville lointaine et étrangère. Mais sa carrière new-yorkaise venait de s'achever brutalement, et Alana refusait que ses fils connaissent la pauvreté.

— Il nous propose de venir habiter chez lui, expliqua-t-elle. Il dit qu'on peut s'installer dans la maison d'amis.

Le logis en question était plus grand que la plupart des pavillons que l'on trouvait dans les Hamptons. Peter savait ce qui allait avec : une armée de domestiques, tout le luxe imaginable, et un parc entier de voitures haut de gamme.

Le père d'Alana s'était toujours montré généreux avec eux, mais Peter ne voulait pas lui être redevable. Face à un homme comme Gary Tallon, la seule façon de survivre était de conserver son indépendance. Peter n'avait aucune envie de s'installer chez lui, et encore moins de le laisser subvenir à leurs besoins le temps qu'il retrouve un travail. Craignant que son refus ne blesse Alana, il garda néanmoins le silence pendant qu'elle continuait de plaider sa cause. Ses longs cheveux blonds retombaient lourdement sur ses épaules. Son petit short blanc mettait en valeur ses belles jambes étendues sur le transat, et Peter devinait ses mamelons sous son tee-shirt rose. Toutes les trois semaines, Alana prenait l'avion jusqu'à Los Angeles pour se faire faire une coloration chez son coiffeur, et chaque trimestre elle faisait ajouter des extensions à sa chevelure.

— Papa m'a dit que tu pourrais travailler pour lui. Si tu préfères, tu peux aussi te reposer pendant quelques mois. Il va t'appeler pour en parler avec toi. En plus, il y a un lycée français à Los Angeles ; les garçons ne seraient pas dépaysés. Et ils adorent leur papi.

Ryan et Ben n'avaient pas d'autres grands-parents, et Gary les gâtait comme les fils qu'il n'avait jamais eus. À tous les concerts auxquels ils assistaient, il s'arrangeait pour leur faire rencontrer les rock stars en coulisses. Pour eux, aller vivre chez lui serait comme être logés à Disneyland. Pour Peter, cela aurait tout d'un séjour en enfer. Hors de question qu'il vende son âme au père d'Alana. Il s'en sortirait sans son aide, même si elle partait d'une bonne intention.

— C'est très gentil, ma chérie, mais je ne peux pas fuir à Los Angeles et vivre aux crochets de ton père. Je dois rester ici le temps que les choses se tassent, et au cas où une opportunité se présenterait.

— D'après papa, tu ne trouveras rien d'intéressant avant un an ou deux, répliqua Alana. Autant s'installer à Los Angeles en attendant. Pourquoi tu ne veux pas travailler pour lui ? Il aura toujours quelque chose à te faire faire.

— Je ne veux pas de sa pitié, Alana. Ce qu'il me faut, c'est un vrai boulot, dans ma branche. Je ne connais rien à la musique ! Je n'ai rien à offrir à ton père.

— Tu pourrais l'aider à investir.

— Il serait ravi, rétorqua cyniquement Peter. Je viens de lui faire perdre un paquet de fric avec la faillite de Whitman. Il n'a pas besoin de moi pour placer son argent.

— Il veut nous aider, insista-t-elle, bien décidée à lui tenir tête. Quand l'appartement sera vendu, on n'aura nulle part où aller. Qu'est-ce qu'on fera alors ?

— Je trouverai une solution.

Peter sentit l'abattement le gagner. Il regardait sa femme et commençait à comprendre qu'elle serait malheureuse sans argent. Le père d'Alana avait raison, il mettrait peut-être plus d'un an avant de retrouver un emploi dans son secteur. Pour l'heure, on licenciait tous azimuts.

— Je veux rester ici, répéta-t-il fermement.

— Et moi, je veux rentrer chez moi. J'ai dit à mon père qu'on viendrait. Tu n'as plus rien, et je n'ai pas envie d'emménager dans un gourbi où on déprimerait tous. Les garçons détesteraient ça autant que moi. Ce ne serait pas juste de leur imposer ce changement alors que mon père propose de nous aider.

— J'ai grandi dans une petite ville, et je n'en suis pas mort. On pourrait s'installer à la campagne pendant quelque temps.

Peter avait l'impression de se noyer. S'il se laissait faire, son beau-père finirait par l'avaler tout cru. Et Alana ne semblait pas y voir d'inconvénient.

— Tu as détesté grandir dans une petite ville, lui rappela-t-elle durement.

— Ce que j'ai vécu n'avait rien à voir avec la taille de la ville. J'avais des difficultés à l'école, mon frère me pourrissait la vie et je ne m'entendais pas avec mes parents. Je ne vois pas pourquoi les garçons seraient malheureux dans une petite ville. Ça pourrait même leur faire du bien de voir autre chose que New York, Los Angeles et Southampton. Au moins pendant un moment. C'est l'occasion ou jamais.

Alana le foudroya du regard. Elle était restée une fille à papa. Or celui-ci volait à son secours, et elle ne refuserait pas une solution qui lui permettait de conserver son train de vie, que Peter soit d'accord ou pas.

— Je rentre à la maison, et j'emmène les enfants, déclara-t-elle. Ça ne sert à rien de leur retirer tout ce à quoi ils sont habitués. On n'est pas obligés d'être pauvres. Mon père veut prendre soin de nous – de toi y compris.

— Je suis un grand garçon, Alana, répondit Peter. Même si c'était mon propre père, je n'accepterais pas. Je ne vais pas aller vivre à Los Angeles comme un gigolo pendant qu'il paie les factures. C'est à moi de subvenir aux besoins de ma famille. On s'en sortira.

— Je refuse de sombrer dans la pauvreté et de priver nos fils de leur confort juste pour satisfaire ton ego. On n'a pas le choix, tu m'as dit qu'on était fauchés. Mon père ne l'est pas, lui, il a les moyens de nous accueillir pour qu'on puisse continuer de vivre comme avant. Je veux rentrer chez moi, conclut Alana d'un ton sans appel.

— Et la phrase « pour le meilleur et pour le pire », alors ? lâcha sombrement Peter. J'ai dû mal entendre… C'était seulement « pour le meilleur » ? Je te demande juste de faire quelques efforts le temps que je me remette en selle.

— Je ne vois pas pourquoi les garçons devraient souffrir sous prétexte que tu as perdu ton job, alors qu'il y a une solution toute trouvée. Ils adorent Los

Angeles, et le lycée français de là-bas n'est pas différent de celui d'ici. Je les ai appelés, ils ont de la place pour eux. Ben et Ryan y seront plus heureux que dans ta petite ville, ou qu'ici, à New York, en vivant comme des parias. Je ne leur imposerai pas ça.

— Dis plutôt que tu ne te l'imposeras pas à toi, répliqua Peter, qui sentait la colère et la frustration monter en lui. Je te parle de renoncer à ta Bentley, et du coup tu retournes chez papa ? Ça fait pitié, Alana. Pire que ça, c'est écœurant. On s'en fout, de la Bentley. L'important, c'est de se serrer les coudes.

— Dans ce cas, viens avec nous, et oublie New York pendant quelques mois.

Ou pour toujours, songea Peter. Depuis des années, Alana rêvait de retourner à Los Angeles. Il avait toujours refusé, et le fait qu'il soit dos au mur aujourd'hui n'y changeait rien. Sa vie était ici. Mais celle à laquelle Alana aspirait se trouvait là-bas, bien au chaud sous l'aile protectrice de son père. Elle n'avait pas l'intention de laisser passer une occasion qu'elle attendait depuis si longtemps.

— Je ne veux pas être dépendant de ton père, dit Peter d'une voix tremblante d'émotion.

C'était un sujet sensible pour lui. S'il acceptait de la suivre en Californie, son échec n'en serait que plus cuisant. Plutôt mourir de faim que se faire entretenir par Gary Tallon ! De son côté, Alana pensait aussi au bien-être de leurs enfants, à qui elle voulait épargner tout désagrément. Quant à Gary, il était trop heureux de pouvoir enfin récupérer sa fille chérie, et ses deux petits-fils par la même occasion. En échange, il était prêt à nourrir et loger Peter. La crise de Wall Street n'avait eu aucun impact sur sa fortune. Ses affaires se portaient à merveille ; il avait su réaliser de solides placements, possédait plusieurs puits de pétrole en Californie du Sud, et était à la tête d'un immense patrimoine immobilier. Peter était bien le seul à ne pas vouloir en profiter. Mais l'arrangement que sa femme et son beau-père avaient combiné dans son dos l'humiliait, et il refusait de quitter New York de cette façon.

— Tu n'as pas le choix, répéta Alana en se levant. Je ne resterai pas ici dans ces conditions.

— Qu'est-ce que tu veux dire, exactement ?

La conversation prenait une drôle de tournure. Peter percevait comme une menace dans sa voix.

— Je dis que je vais aller à Los Angeles, c'est tout. Tu peux vendre ce que tu veux. Mon père nous fait une proposition généreuse en nous invitant chez lui, et si tu es trop têtu ou trop fier pour l'accepter, tant pis pour toi. Moi, je pars avec les garçons la semaine prochaine, pour qu'ils puissent commencer l'école là-bas sans prendre trop de retard. Je les ai déjà prévenus, ils sont contents.

— Et si je ne veux pas venir ? insista Peter, les yeux plissés.

— On partira quand même. Personnellement, je préfère quitter le navire. Ça fait une semaine que je vois ta vie – et la nôtre – s'effondrer. Le bateau est en train de couler, Peter. Si tu ne veux pas sauter dans le canot de sauvetage avec nous, c'est ton choix.

— Dois-je comprendre que tu me quittes ?

— Je quitte New York et la pagaille qu'est devenue notre vie. Mon père nous offre un refuge, j'en profite. De toute façon, on commençait déjà à s'éloigner l'un de l'autre. Tu n'as pas le temps de penser à nous en ce moment, tu es trop occupé à garder la tête hors de l'eau. Je peux comprendre, mais tu ne me feras pas couler avec toi. Ce qu'il adviendra de notre mariage ne dépend que de toi et des décisions que tu prendras.

— Es-tu en train de me dire que si je refuse de devenir le sous-fifre de ton père, tu demanderas le divorce ?

Peter voulait la pousser dans ses retranchements. Mais Alana ne se laissa pas démonter.

— Tu ne vas pas retrouver de travail avant longtemps. Tu ferais aussi bien de venir avec nous.

— Et si je décroche un job ailleurs, à Boston ou à Chicago ?

Elle hésita un long moment, avant de le regarder dans les yeux.

— Je rentre à Los Angeles, Peter. J'ai vécu quinze ans ici pour toi, et ça n'a pas marché.

Elle le laissa sur la terrasse, le regard perdu dans le vide. Peter avait reçu le message cinq sur cinq. S'il désirait sauver son couple – l'unique richesse qu'il lui restait –, il devait accepter de partir pour Los Angeles selon ses conditions. Il devinait parfaitement ce qui se passerait dans le cas contraire. À cette pensée, des larmes se mirent à rouler sur ses joues. Il ferma les yeux, appuya sa tête contre le dossier de la chaise longue. Jamais il n'avait été aussi triste. Cela lui rappelait l'époque où il ne parvenait pas à apprendre à lire et où tout le monde à part lui connaissait les réponses – un sentiment d'impuissance terrible. Cette fois-ci, cependant, il ne frappa personne. Il avait l'impression de mourir. Il était en train de perdre tout ce qui comptait à ses yeux. D'abord sa carrière, et maintenant sa femme et ses fils.

2

Le week-end fut aussi pénible qu'ils l'avaient craint tous les deux. C'était le démantèlement d'une vie, comme un film que l'on passe à l'envers. Ils mirent en vente leur propriété des Hamptons à un prix dérisoire : Peter voulait qu'elle parte vite. Cette maison de plage qu'ils aimaient tant, et où ils avaient vécu de si bons moments en famille, appartiendrait désormais à d'autres. Peter prit en photo tous les objets d'art qu'ils avaient amassés au fil du temps. Il comptait contacter leur galeriste, mais aussi Sotheby's et Christie's, afin de déterminer avec eux ce qui pouvait être mis aux enchères.

Après avoir conduit la Rolls Royce et la Ferrari chez le concessionnaire automobile, Peter fut surpris quand Alana lui annonça qu'elle allait envoyer sa Bentley à Los Angeles. Son père acceptait de payer le transport et proposait même de racheter la voiture. Ne voulant rien recevoir de Gary, Peter renonça à la vendre, malgré le manque à gagner que cela représentait. Il n'aurait pour rien au monde contrarié sa femme. Depuis leur conversation du vendredi, l'ambiance était glaciale entre eux. Alana téléphonait à son père toutes les cinq minutes pour préparer son grand départ, prévu le week-end suivant. Jamais elle ne demanda à Peter ce qu'il ressentait. Sa décision était irrévocable.

Le temps de régler leurs affaires à Southampton, ils laissèrent les enfants chez des amis. Comme ils ne pouvaient pas loger dans la maison de plage, celle-ci devant être présentée aux différentes agences le mardi, Peter et Alana rentrèrent à New York dès le samedi soir. Le trajet se fit en silence. Peter était démoralisé. Le lendemain, après être restés chacun de leur côté toute la journée, ils emmenèrent les garçons dîner au restaurant. Ben, neuf ans, était tout excité à l'idée d'aller vivre chez son grand-père. Ryan, en revanche, qui avait quatorze ans, se lamentait de quitter ses amis. Et il se faisait du souci pour son père. Un peu plus tard dans la soirée, alors qu'ils jouaient au billard dans la salle de jeux pendant que Ben et Alana regardaient un film, son aîné lui demanda de but en blanc s'ils allaient divorcer.

Pris de court, Peter s'efforça néanmoins de faire bonne figure. Lui aussi s'interrogeait, depuis qu'Alana lui avait annoncé son départ. Il avait compris qu'elle n'avait pas l'intention de revenir à New York avant longtemps – si elle revenait un jour.

— Pas que je sache, répondit-il honnêtement. Ta mère a sans doute raison de vouloir partir : ça risque de ne pas être facile, ici. Vous serez mieux chez papi Gary.

— Et toi, papa ? s'enquit Ryan. Où est-ce que tu vas aller ? Tu nous rejoindras quand tu auras fini ce que tu as à faire ici ?

— Bien sûr.

Peter sourit, mais son fils n'était pas dupe.

— Je ne peux pas venir à Los Angeles tout de suite, expliqua-t-il en passant un bras autour de ses épaules. J'ai des affaires à régler à New York. Et ça me gêne un peu de laisser ton grand-père subvenir à nos besoins. Ça, c'est mon rôle et il faut que je trouve une solution pour continuer à le remplir. Mais je vous rejoindrai dès que je pourrai.

— Je veux rester avec toi, décréta Ryan.

Il disait cela autant pour soutenir son père que par peur de quitter ses amis.

— Non, tu dois partir avec maman et Ben. J'essaierai de faire au plus vite.

Ryan acquiesça, et ils terminèrent leur partie, tous les deux tristes et distraits.

Peter redoutait les conséquences de la crise sur sa famille. Son mariage y résisterait-il ? Ryan n'avait pas tort de s'en inquiéter. Alana avait enfin trouvé une excuse pour rejoindre son père, comme elle en rêvait depuis si longtemps. C'était à se demander à qui allait sa loyauté... Peter n'était pas certain de vouloir connaître la réponse à cette question. Il était clair qu'elle se languissait de son ancienne vie, et ce encore plus maintenant que la leur s'écroulait. Plus rien ne la retenait à New York – pas même Peter. À cette pensée, il se sentit bien seul.

Toute la semaine, il rencontra des agents immobiliers, des avocats et des marchands d'art. Le soir, à table, Ryan gardait le silence chaque fois que Ben et sa mère évoquaient Los Angeles. Il demanda de nouveau à son père s'il pouvait rester avec lui à New York, mais Peter jugeait préférable que les deux frères ne soient pas séparés. Lui-même avait promis à Alana de les rejoindre dès que possible, pendant quelque temps au moins. Pour l'instant, elle se satisfaisait de cette réponse. Elle savait que son père était très persuasif et que Peter n'avait pas le choix : s'il voulait les voir, il serait obligé d'accepter la proposition de Gary.

Le 18 octobre, huit jours après que Peter eut refermé définitivement la porte de son bureau, Alana et les garçons s'envolèrent pour Los Angeles. Peter vécut cette séparation comme un véritable déchirement. Dans les jours qui suivirent, plusieurs journalistes le contactèrent pour solliciter une interview, mais il refusa poliment de la leur accorder. Il n'avait rien à leur dire. Comme pour Lehman Brothers, des enquêtes et des auditions allaient être menées dans les mois à venir pour tenter de comprendre pourquoi l'entreprise avait sombré.

Une semaine après le départ d'Alana, le marché financier connut une nouvelle crise, et le cours des actions tomba encore plus bas. Ce fut la panique générale. Tandis que d'autres petites banques mettaient la clé sous la porte, les gens commencèrent à douter de la stabilité des grands établissements. Tous voulaient échanger leurs derniers placements contre des liquidités ou des bons du Trésor. De son côté, Peter n'avait reçu aucune proposition pour la maison des Hamptons et l'appartement de New York, alors même qu'il en demandait bien moins que le prix auquel il les avait acquis. Pour ceux qui possédaient encore un tant soit peu d'argent, c'était sans nul doute le moment d'acheter.

D'après ce qu'il pouvait en juger au téléphone, sa femme et ses enfants avaient l'air heureux en Californie. Le père d'Alana se mettait en quatre pour eux, et même Ryan s'adaptait à sa nouvelle vie. Trois semaines seulement après avoir déménagé, les deux garçons appréciaient leur école et s'étaient fait des amis. Peter, lui, se sentait plus seul que jamais.

Il accepta de les rejoindre pour Thanksgiving et de rester le plus longtemps possible. Pour l'heure, il avait fait tout ce qui était en son pouvoir à New York. Les voitures étaient parties à un prix ridicule, mais il s'en fichait. Ce qui le préoccupait à présent, c'était de savoir où ils allaient vivre une fois l'appartement vendu. Il désespérait de trouver une alternative à Los Angeles qui séduirait Alana.

En réalité, sa femme était ravie de retrouver sa vie d'avant, de revoir ses anciens amis et de s'impliquer localement. Plus occupée que jamais, elle s'était portée volontaire auprès de deux associations caritatives. Peter ne l'avait jamais vue aussi heureuse à New York. Alana était ici chez elle.

Quant à Ryan et Ben, ils étaient toujours fourrés chez des amis. Peter dut se rendre à l'évidence : la bataille était perdue d'avance. Mais sa place à lui n'était pas ici. New-Yorkais de cœur, il se sentait étranger à Los Angeles, et encore plus dans le milieu de son beau-père. Deux jours après son arrivée, celui-ci l'emmena déjeuner au Polo Lounge du Beverly Hills Hotel, le lieu de prédilection des nababs de Hollywood – stars, agents et producteurs de cinéma. À presque toutes les tables, d'importants marchés étaient conclus.

— Il ne fait pas bon vivre à New York, en ce moment, observa Gary lorsqu'ils eurent passé leur commande.

La crise boursière avait secoué tout le pays, et plus particulièrement New York, l'épicentre du monde de la finance. En partant, Peter avait eu l'impression de quitter une ville fantôme ; on parlait déjà d'une forte baisse du volume des achats pour les fêtes de fin d'année. À Los Angeles en revanche, bien que quelques films aient vu leurs financements annulés, les industries du spectacle et de la musique étaient relativement épargnées. La vie semblait suivre son cours : les restaurants et les magasins ne désemplissaient pas.

— Ça n'a pas été facile, reconnut Peter.

Il se sentait vieux et fatigué, avait passé d'innombrables nuits à se demander comment il allait entretenir sa famille sans se laisser acheter par son beau-père. Si aimant fût-il avec sa fille, Gary Tallon était réputé sans pitié en affaires. Et Peter tenait plus que tout à retrouver un travail dans *sa* branche, à Wall Street – ce qui risquait de ne pas se produire de sitôt, lui rappela Gary au cours du déjeuner. Ce dernier attendit la fin du repas pour soumettre à Peter la proposition dont il avait déjà parlé à Alana.

— J'aimerais t'offrir un poste dans mon entreprise, dit-il tandis que le serveur leur apportait le café. Alana et les garçons sont heureux, ici.

— Je m'en rends compte, répondit poliment Peter. Mais ce ne serait juste ni pour vous ni pour moi. Je n'ai pas les compétences nécessaires pour vous être d'une quelconque utilité. Et de mon côté je gâcherais le peu de talents que j'ai en travaillant dans un milieu auquel je ne connais rien. Jusque-là, toute ma vie professionnelle a tourné autour de Wall Street.

— Tu pourrais apprendre, répliqua tranquillement Gary en observant son gendre de son regard dur et froid.

Fin psychologue, il savait que Peter était un type bien, et il n'aspirait pour sa part qu'au bonheur de sa fille. Or, Alana souhaitait vivre à Los Angeles. Gary était résolu à payer le prix fort pour que Peter accède aux désirs de la jeune femme. Quand il lui annonça le salaire qu'il était prêt à lui donner, son gendre ouvrit de grands yeux.

— C'est une offre incroyablement généreuse, répondit-il sincèrement. Mais ce serait du vol. Rien de ce que je pourrais faire pour vous ne mériterait une telle rémunération.

Il avait beau être à court d'argent, Peter n'en était pas au point d'accepter un arrangement qui ressemblait fort à de la corruption.

— Tu n'as pas besoin de la mériter, répliqua Gary. Tout ce que je te demande, c'est de t'installer ici et de prendre soin d'Alana.

— Vous n'allez pas me payer juste pour ça ! Je veux être rémunéré en échange d'un vrai travail.

— Tu risques de rester un bon moment au chômage, lui rappela sombrement son beau-père. Quand tu auras vendu l'appartement, tu n'auras nulle part où aller. Alana m'a dit que tu étais complètement à sec. Vous ne pouvez pas vivre comme des nomades alors que vous avez deux enfants à charge. Je crois que tu n'as pas trop le choix.

— Il faut que je trouve une solution à New York.

Peter avait envoyé son CV à droite et à gauche, sans grand espoir. Associé d'une société d'investissement : voilà un métier qui n'avait pas la cote en ce moment. Gary n'insista pas, sachant que son gendre était coincé et qu'il finirait par céder. Il était trop fier et trop responsable pour supporter de rester longtemps sans emploi.

À mesure que Noël approchait, Peter fut chaque jour un peu plus convaincu que, s'il voulait sauver son couple, il serait obligé de rester à Los Angeles. Alana se construisait une vie bien remplie avec tous ses amis, les anciens comme les nouveaux. Elle était invitée partout, et Peter la suivait, jouant pour elle le rôle de faire-valoir. Quant à Ben et Ryan, ils étaient trop occupés pour lui accorder du temps. Seul Peter était désœuvré.

Pour se montrer conciliant, et dans l'espoir de tuer l'ennui, il accepta de passer quelques jours dans l'entreprise de son beau-père. Il s'y sentit totalement perdu et inutile. Gary ne l'invita à participer à aucune réunion. Après l'avoir installé dans un bureau immense – un des plus impressionnants de l'immeuble –, il le laissa livré à lui-même, lui précisant qu'il pouvait arriver le matin et repartir le soir à n'importe quelle heure et prendre autant de temps qu'il le souhaitait pour déjeuner. Au bout de trois jours, Peter comprit qu'il pourrait dire adieu à toute carrière intéressante s'il acceptait l'offre de son beau-père. Il ne serait plus que le mari d'Alana, son cavalier pour ses soirées à Hollywood. Il n'y avait rien de plus humiliant.

Peter attendit néanmoins que les fêtes de Noël soient passées pour faire part de ses réserves à Alana. Les garçons étaient partis skier avec leur école à Bear Valley le temps du week-end, et Gary assistait au concert du nouvel an d'un de ses musiciens à Las Vegas. Peter n'était pas mécontent de pouvoir enfin profiter d'un moment d'intimité avec sa femme.

— C'est la belle vie, tu ne trouves pas ? s'enquit-elle tandis qu'ils prenaient le soleil sur la terrasse.

Non, la douceur du climat ne suffisait pas au bonheur de Peter. Il avait besoin d'une vraie vie.

— C'est sympa si on aime ne rien faire, répondit-il. Ou si on dirige un empire comme celui de ton père. Moi, je me sens complètement inutile, ici.

— Je m'amuse beaucoup plus à Los Angeles qu'à New York, répliqua-t-elle, têtue. Et toi aussi.

— Tu te trompes. J'ai besoin d'autre chose que de soirées pour être heureux. Je veux retrouver un travail, et pour ça, j'aimerais rentrer à New York après les vacances.

Peter s'ennuyait à mourir à Los Angeles. En outre, il avait commencé à négocier le prix de l'appartement avec un acheteur potentiel.

— Tu peux travailler avec mon père, insista Alana.

— Non. Je n'ai rien à lui offrir, et il n'a pas besoin de moi. Je ne vais pas accepter un salaire aussi mirobolant sans aucune contrepartie ! Ça ne me ressemble pas, Alana. Je ne veux pas être son larbin, ni ton toutou.

— Qu'est-ce que tu es en train de me dire, exactement ?

— Que je vais chercher un vrai travail à Wall Street, là où j'ai bossé pendant vingt et un ans. Je vais nous trouver un appartement et tu pourras revenir avec les enfants.

— Mais je suis chez moi, ici, répliqua-t-elle. J'aime Los Angeles, et les garçons s'y plaisent aussi. Je n'ai pas l'intention de retourner à New York.

— Et moi, je n'ai pas l'intention de me faire entretenir. Je ne suis pas ce genre d'homme ! Je sais que notre vie s'est écroulée, mais je vais la reconstruire.

— Ah oui, et comment ?

— Je trouverai une solution. Ce ne sera peut-être pas aussi confortable qu'avant, du moins pendant un moment, reconnut Peter avec honnêteté, mais on s'en sortira. Tout finira par s'arranger.

— Je reste à Los Angeles, Peter, ce n'est pas négociable. Si tu refuses de vivre ici, alors on a sans doute une décision importante à prendre. Mon père se fait vieux, je veux être auprès de lui. Il n'a plus que nous.

Peter crut déceler un changement dans son regard. La femme qu'il avait épousée avait disparu : Alana n'était plus que la fille de son père. Devant l'adversité, elle avait préféré fuir.

— Moi aussi, je n'ai plus que toi, fit-il remarquer d'une voix douce. Je t'aime, Alana, et j'aime nos enfants. Je ne veux pas vous perdre.

— Alors reste ! Mon père t'a fait une bonne proposition. Tu n'as qu'à l'accepter.

Ce n'était pas par amour qu'elle lui demandait de rester. L'aimait-elle seulement ? se demanda Peter.

Ou avait-elle cessé de l'aimer depuis un moment déjà, sans qu'il s'en aperçoive ? Si terrible que cela puisse paraître, Peter se rendait compte qu'Alana attachait bien plus d'importance à son style de vie qu'à lui.

— Quelle que soit notre décision, je dois rentrer à New York la semaine prochaine, conclut-il tristement. On reparlera de tout ça plus tard.

Alana acquiesça. Au même instant, son téléphone se mit à sonner : c'était Gary, qui l'appelait de Las Vegas. Elle semblait plus proche de lui que de Peter, à présent. Seul l'univers de son père la captivait.

Peter se retira dans la maison, les larmes aux yeux. Il vivait un de ces moments déterminants où l'on comprend qu'une page est en train de se tourner ; que la personne qu'on voyait s'éloigner ne reviendra plus. La pilule était bien difficile à avaler.

Ils se rendirent ensemble à une fête du nouvel an où Alana revit d'anciens amis. Ceux-ci étaient ravis de la revoir. Elle retrouva même un ex qui avait travaillé pour son père et était devenu un agent célèbre à Hollywood. Après les présentations d'usage, ils discutèrent tous les trois pendant un moment. L'homme, cependant, n'avait d'yeux que pour Alana. Peter préféra retourner au bar se faire servir un whisky avec des glaçons. Il lui tardait de quitter Los Angeles et ses habitants.

Lorsque le chauffeur de Gary les raccompagna à la maison, ils restèrent murés dans leur silence. Manifestement, ils n'avaient plus rien à se dire. Les jours suivants, ils s'arrangèrent pour s'éviter. Peter ne voulait pas précipiter les choses, de peur d'aboutir à des conclusions encore plus douloureuses que celles qu'ils avaient déjà tirées. Il se contenta d'attendre patiemment le retour des garçons.

Le jour du départ de Peter, Alana était invitée à un déjeuner donné par une vedette de Hollywood, puis à une soirée organisée pour la première d'un film. Alors même que le monde de Peter s'effondrait, elle continuait de s'amuser comme si de rien n'était. Alana avait toujours été une enfant gâtée, et Peter se rendait compte aujourd'hui qu'il l'avait encouragée dans ce sens durant toute leur vie commune. À présent, il se retrouvait seul dans la tourmente ; toute idée de partenariat s'était envolée. Alana profitait de sa nouvelle vie, pendant qu'il pleurait celle qu'ils venaient de perdre.

Lorsqu'il partit, elle l'embrassa avec la même désinvolture que s'il avait prévu de revenir le soir même. Et tandis qu'il serrait les garçons dans ses bras, il vit du coin de l'œil qu'elle le regardait depuis la porte comme on regarde un étranger. Elle avait déjà tourné la page de leur histoire ; elle avait, selon ses propres termes, quitté le navire.

Peter ne parvint pas à profiter du confort pourtant optimal de la Rolls Royce qui le conduisait à l'aéroport. Jamais il ne s'était senti aussi mal.

Son téléphone sonna alors qu'il embarquait dans l'avion. C'était Ryan.

— Je voulais te dire à bientôt, papa. Et bon voyage.

— Merci, fiston. Je t'appellerai quand je serai arrivé à New York.

— Je t'aime, papa.

— Je t'aime aussi, Ry, répondit Peter avec une boule dans la gorge.

Ils savaient tous les deux que rien ne serait jamais plus comme avant.

3

New York semblait avoir sombré dans la dépression. Les restaurants étaient déserts, les magasins vides. Ceux qui avaient encore un travail étaient rongés par la peur de le perdre. Tout le monde se sentait en danger. On s'inquiétait pour les économies qu'on avait à la banque, on s'empressait d'acheter des bons du Trésor avec l'argent liquide qu'on pouvait trouver. Dans tout le pays, des établissements bancaires continuaient de déposer le bilan. L'Amérique, symbole de succès et de sécurité, n'était soudain plus fiable.

Au milieu de ce chaos, un autre choc avait secoué le monde de la finance pendant que Peter se trouvait en Californie. Un certain Bernard Madoff avait été arrêté pour fraude à l'investissement, une fraude qui allait se révéler être la plus grande escroquerie de tous les temps. Il était accusé d'avoir volé 64,8 milliards de dollars aux nombreux investisseurs qui lui avaient accordé leur totale confiance, faisant disparaître toutes leurs économies, leurs fonds de retraite et leur fortune, et précipitant du même coup la mise en vente de leurs propriétés.

La situation de Peter n'était pas plus enviable que celle des victimes de Madoff. Bien décidé à profiter de sa détresse, l'acheteur intéressé par leur appartement se montrait impitoyable. Le lendemain de son retour à New York, Peter reçut une autre proposition de sa part, à peine plus élevée. Lorsqu'il appela Alana pour lui demander son avis, celle-ci répondit d'un ton vague qu'il n'avait qu'à prendre ce qu'on lui donnait, puisqu'il avait besoin d'argent.

Le cœur lourd, Peter se résigna à accepter l'offre : moins de la moitié du prix auquel il avait acheté le bien dix ans auparavant, juste avant la naissance de Ben... Quatre mois plus tôt, il en aurait tiré le double, mais l'effondrement du marché était passé par là. Ceux qui avaient encore de l'argent fondaient comme des oiseaux de proie sur ceux qui n'en avaient plus.

— J'accepte, dit-il à l'agent, les dents serrées. Je le vends en l'état, et j'aimerais que la transaction se fasse le plus vite possible.

Après avoir raccroché, il contacta l'agence immobilière des Hamptons. Personne ne s'était manifesté pour la maison de plage. Celle-ci était pourtant magnifique ; elle avait été rénovée récemment et se dressait sur une propriété de plusieurs hectares sur le front de mer. Mais les gens n'achetaient pas de résidences secondaires en ce moment. Ce marché-là souffrait de la crise autant que les autres.

— Et si vous la mettiez en location ? suggéra l'agent.

Peter allait refuser, mais il prit quand même le temps de réfléchir.

— On pourrait en tirer combien ?

— Normalement, un prix astronomique. C'est une maison splendide. Mais par les temps qui courent, il faudrait diviser ce prix par deux. En plus, ce n'est pas la bonne période de l'année. Je peux toujours la mettre sur la liste des locations, on verra bien ce que ça donne.

L'offre d'achat pour l'appartement de New York fut présentée le lendemain. Restait à attendre les différentes inspections et vérifications, ainsi que l'approbation du conseil de copropriété – c'était la procédure habituelle, et elle risquait de prendre du temps. Peter signa les papiers. Au moins une chose de faite, songea-t-il.

Il passa le reste de la semaine à envoyer des CV. Tous les soirs, il appelait ses fils. Chaque fois qu'il demanda à parler à Alana, celle-ci était sortie. Nul doute qu'elle prenait du bon temps à Los Angeles... Malgré tout, Peter espérait encore sauver leur couple, et c'est pour cela qu'il tenait tant à régler rapidement leurs problèmes financiers. Mais il n'était pas non plus magicien.

Alors qu'il était revenu à New York depuis deux semaines, l'agence de Southampton lui transmit une offre de location pour la maison de plage. Ce n'était pas grand-chose, mais assez pour qu'il accepte.

Si la résidence était louée meublée, l'appartement, en revanche, devait être vidé. Peter demanda à Alana de venir l'aider, mais elle ne voulut pas laisser les garçons seuls avec leur grand-père.

— Tu n'as qu'à embaucher quelqu'un pour le faire, dit-elle avec insouciance.

Une fois de plus, Peter en eut les larmes aux yeux. Il se sentait épuisé, abattu, abandonné. Toute la journée, il avait reçu des mails l'informant qu'il n'y avait pas de postes pour quelqu'un d'aussi qualifié que lui. Et maintenant, il devait déménager tout seul... Alana agissait comme si elle n'avait jamais vécu dans cet appartement. Heureusement, les nouveaux propriétaires proposaient de leur racheter certains meubles, en particulier les antiquités. Peter avait l'intention d'accepter, ne pouvant se permettre aucun sentimentalisme.

— Qu'est-ce que je fais des meubles qu'ils n'achètent pas ? demanda-t-il à Alana.

— Aucune idée. Laisse-les au garde-meubles, ou donne-les. Comme tu veux.

Elle n'en avait rien à faire. De leurs biens, comme de lui.

— Tu crois vraiment qu'on va rester chez ton père toute notre vie ? l'interrogea-t-il tristement. On a du mobilier de qualité, ce serait bien de pouvoir s'en resservir quand on retrouvera un logement.

— Je n'y tiens pas plus que ça. Surtout s'ils rachètent les meubles anciens.

Pendant des années, Alana avait occupé son temps à remplir leur appartement d'objets luxueux. Et à présent, elle s'en fichait ? C'était comme si elle cherchait à fuir tout ce qui lui rappelait sa vie à New York et le récent échec de Peter. Celui-ci avait l'impression de replonger dans l'époque de sa jeunesse, où il ne faisait jamais rien correctement et où ses parents l'accablaient constamment. Certes, Alana ne lui adressait aucun reproche, mais ce n'était pas nécessaire : son refus de venir l'aider même pour quelques jours en disait long sur ce qu'elle pensait. Elle ne voulait pas voir leur situation en face. Son père lui avait donné l'opportunité d'esquiver les difficultés, et elle l'avait saisie bien volontiers, laissant Peter régler seul les problèmes. Le message ne pouvait être plus clair.

Peter employa les deux semaines suivantes à emballer toutes leurs affaires. L'entreprise de déménagement lui avait livré des cartons-penderies pour les vêtements qu'Alana souhaitait se faire envoyer à Los Angeles. Elle avait décidé de transformer en dressing son ancienne chambre chez son père pour pouvoir y ranger les tenues qu'elle ne porterait plus, comme les manteaux de fourrure ou les blousons d'hiver. Pour le reste, il y avait suffisamment de placards dans la maison d'amis. Peter s'occupa aussi d'empaqueter les vêtements et les jouets des garçons. Cependant, il ne savait pas quoi faire de ses propres affaires. Les expédier en Californie reviendrait à accepter de s'y installer.

Finalement, il laissa presque tout au garde-meubles, en plus de quelques livres et de certaines pièces de mobilier. Il ne conserva que deux valises de vêtements. Des jeans et des sweats principalement, et deux ou trois costumes en prévision d'éventuels entretiens d'embauche. Quant à ses tenues d'été et son smoking, il les expédia en Californie avec les cartons d'Alana : c'est là-bas qu'il avait le plus de chances de porter ce dernier, lorsqu'il accompagnerait son épouse à ses soirées mondaines.

Pour l'heure, Peter n'avait aucune vie sociale à New York. Il lui fallait d'abord faire le deuil de sa carrière et de tout ce qu'il avait perdu. Honteux de son échec, il n'avait pratiquement adressé la parole à personne au cours des trois derniers mois. Il avait l'impression d'être en faute, alors qu'il n'avait rien fait de mal – si ce n'est conseiller des investissements à risques à sa société. Son attitude audacieuse leur avait rapporté gros pendant un moment. Puis ces placements immobiliers s'étaient révélés désastreux. Et leur avaient été fatals.

La vente de l'appartement fut conclue trente jours après l'offre d'achat. Les nouveaux propriétaires tentèrent de grappiller encore deux cent mille dollars pour des réparations qu'ils jugeaient indispensables. Peter accepta d'en prendre en charge la moitié. Il s'estimait heureux de récupérer un peu d'argent, même s'il ne lui en restait pas beaucoup après avoir payé les impôts et remboursé l'emprunt immobilier. Mais cela constituait tout de même une petite réserve, à laquelle s'ajouterait le loyer de la maison des Hamptons.

Peter eut le cœur gros le jour où il quitta l'appartement. En faisant un dernier tour dans l'aile des enfants, il trouva un livre et un jeu oubliés. Il les coinça sous son bras, avant de passer devant la suite qu'il avait partagée avec Alana, la salle de projection, puis la salle de sport. Celle-ci contenait encore tout son équipement dernier cri, que les nouveaux propriétaires avaient racheté. De même, ils avaient tenu à garder les lourds rideaux de soie pour lesquels Alana avait dépensé une fortune, les meubles des pièces communes, les magnifiques tapis persans, ainsi que la tapisserie d'Aubusson qu'elle avait acquise dans une vente aux enchères à Paris. En revoyant tous ces symboles de leur vie perdue, Peter se demanda s'ils retrouveraient un jour un tel niveau de luxe, ou, du moins, s'ils arriveraient à s'en approcher. Ils avaient connu l'âge d'or et considéré leur bonheur comme allant de soi – une erreur que Peter n'était pas près de reproduire. Et pourtant, même pendant ces années, il n'avait jamais perdu de vue ce qui pour lui comptait le plus au monde : sa famille. Alana et les garçons étaient tout ce qui lui restait aujourd'hui.

Il s'installa dans une petite résidence hôtelière du quartier de East Seventies. Il avait promis à Ben et Ryan de revenir en Californie au plus vite. Or, toutes les affaires qu'il avait réglées au cours du dernier mois auraient pu l'être depuis Los Angeles, mais il avait préféré rester à New York au cas où un employeur aurait voulu le rencontrer. Jusque-là, ses lettres étaient demeurées sans réponse ; les directeurs de banque avaient d'autres préoccupations que d'embaucher de nouveaux collaborateurs. Mais alors que Peter s'apprêtait à réserver un vol pour Los Angeles, il reçut un appel d'une banque d'investissement basée à Boston. C'était un établissement de bonne réputation, qui, n'ayant pas pris les mêmes risques que Whitman Broadbank, se portait encore très bien. Peter avait eu plusieurs fois l'occasion de rencontrer le P-DG. Impressionnés par son CV, les membres du conseil d'administration souhaitaient le convier à un entretien. Peter accepta sans hésiter. Il était prêt à aller n'importe où, du moment qu'on lui donnait du travail – Chicago, San Francisco, Los Angeles –, même s'il avait une préférence pour la côte Est. Et comme il avait fait ses études à Boston, il connaissait déjà bien cette ville.

Lorsqu'il se rendit sur place, au cours de la deuxième semaine de février, il neigeait. Après un long entretien, ses interlocuteurs l'invitèrent à déjeuner au restaurant de la banque. Avec ses boiseries anciennes et les sombres portraits des fondateurs accrochés aux murs, la salle ressemblait à un club de gentlemen. L'entrevue se déroula fort bien, jusqu'à ce que Peter s'entende dire que la banque ne recrutait personne pour le moment, en raison de la crise boursière. Son nom figurait toutefois en tête de liste pour le jour où les embauches reprendraient – c'est dans cette perspective qu'ils avaient voulu le rencontrer. Évidemment, ils ignoraient quand ce jour viendrait, tout comme il leur était impossible de prédire la fin de la récession. Peter s'était déplacé pour rien. À croire qu'ils l'avaient fait venir dans le seul dessein de satisfaire leur curiosité...

Peter était venu en voiture de crainte que son vol ne soit annulé à cause du mauvais temps. Alors qu'il s'apprêtait à repartir vers le sud, son regard s'attarda sur les panneaux qu'il suivait étant jeune quand il rentrait de l'université. Une vague de nostalgie l'envahit tandis qu'il repensait à ses parents. Cette journée l'avait exténué. Or, comme mue par une volonté propre, sa voiture s'engagea sur l'autoroute qui menait aux terres de son enfance. Peter n'avait plus là-bas qu'une maison au bord d'un lac dont il avait hérité quinze ans plus tôt et un frère qu'il ne voulait plus revoir... Il n'avait aucune raison ni aucune envie de retourner à Ware, sa ville natale. Et pourtant, c'était bien là qu'il allait, comme en témoignaient les indications qui se succédaient sur le bord de la route. L'expérience était digne d'un film de science-fiction.

Peter tenta de joindre ses fils, sans succès. En appelant chez son beau-père, il apprit que Ben et Ryan n'étaient pas encore revenus de l'école et qu'Alana était sortie. Rien de surprenant à cela. Plongé dans ses pensées, il continua de rouler vers le nord, jusqu'à l'embranchement menant au lac Wickaboag ; là, il comprit que son instinct ne le conduisait pas à Ware, mais vers la seule maison qui lui appartenait encore. L'idée lui traversa l'esprit d'y passer quelques jours, si toutefois elle était habitable. Après tout, il n'avait pas de rendez-vous programmés ni personne qui l'attendait. Il pourrait au moins y jeter un coup d'œil, et pourquoi pas, la vendre, elle aussi... N'était-ce pas ridicule de l'avoir gardée si longtemps alors qu'il n'y séjournait jamais ?

Une scène lui revint alors en mémoire. C'était l'été, et son père avait exceptionnellement pris un jour de congé pour aller pêcher avec Michael et lui. Armés du panier de pique-nique que sa mère leur avait préparé, ils étaient partis en bateau pour la journée. Les deux frères devaient avoir huit ans à l'époque. Or, pour sa plus grande fierté, Peter avait réussi à attraper plus de poissons que son jumeau. Mais lorsqu'ils étaient rentrés à la maison, Michael s'était attribué le plus grand nombre de prises. Alors que Peter s'apprêtait à protester, son père lui avait lancé un clin d'œil, lui faisant comprendre qu'il devait laisser à son frère son moment de gloire et que la vérité resterait leur petit secret à tous les deux. Quelle amère déception ! C'était toujours Michael que l'on protégeait. Depuis le début, leur père éprouvait une tendresse particulière pour son frère. Il lui répétait sans cesse qu'il était un « bon garçon », sous-entendant que Peter, lui, était un garnement – et c'était souvent le cas. De son côté, Michael savait exactement comment le manipuler, comment flatter son ego, en lui disant qu'il voulait devenir médecin comme lui.

Peter s'était toujours vu attribuer le rôle de cadet, comme si son frère était plus vieux de douze ans au lieu de douze minutes. Michael se montrait si sage, si parfait qu'il recevait tous les éloges et jouissait de tous les privilèges associés à la place d'aîné. Il ne plaisantait pas lorsqu'il parlait de Peter comme de son « petit frère ». Après tout, ce dernier n'était-il pas le raté de la fratrie, le gros bébé qui faisait des caprices et ne savait même pas lire ? Leurs parents adhéraient totalement à cette vision des choses. Les difficultés scolaires de Peter renforçaient l'impression qu'il était plus jeune, et le fait qu'on le traitât ainsi l'avait poussé à multiplier les bêtises et à détester son frère encore plus. Mais ce jour-là, sur le lac, avant qu'ils ne rentrent à la maison et que Michael ne mente effrontément, Peter avait savouré ce rare moment pendant lequel son père leur avait accordé toute son attention.

Aujourd'hui encore, il lui semblait entendre le chant des grillons et les bruits de l'été lorsqu'ils séjournaient dans la maison du lac. C'était là-bas qu'il avait été le plus heureux, passant son temps à nager, pêcher et jouer dans les bois. Loin de l'école.

Une heure après avoir quitté Boston, Peter emprunta un nouvel embranchement qui débouchait sur une route familière. De chaque côté, les arbres lui paraissaient plus grands que dans son souvenir. Alors qu'il tournait dans une étroite allée de terre et de gravier à l'entrée de laquelle se dressait une boîte aux lettres rouillée, il sentit son pouls s'accélérer, comme s'il s'attendait à trouver quelqu'un au bout du chemin. Plissant les paupières, il distingua enfin la maison, sombre et déserte, dans la lumière des phares. S'il fermait les yeux, il pouvait presque entendre la voix de sa mère qui l'appelait, alors qu'il se cachait dans les arbres avec Michael. Son passé avait beau être tissé de souffrances et de déceptions, les premiers souvenirs qu'il gardait de ce lieu étaient ceux d'un petit garçon ordinaire. Le cœur battant, Peter descendit de voiture et s'avança lentement vers la maison.

4

Michael McDowell grimpa rapidement le perron d'un petit pavillon coquet, situé à l'autre bout de la ville par rapport à son cabinet. Une palissade fraîchement repeinte, devant laquelle fleurissaient des buissons de roses, entourait la propriété, et l'on accédait à la maison par une allée bordée de rosiers luxuriants. Michael connaissait bien les lieux : Hannah et Seth avaient été des patients de son père. Après un long combat contre le cancer, Hannah avait succombé récemment à une pneumonie, à l'âge de quatre-vingt-sept ans. Aujourd'hui, c'était son mari qui souffrait d'une bronchite. Inquiète pour la santé de son père, Barbara, leur fille unique, avait fait le déplacement depuis Boston et appelé Michael pendant le trajet. Propriétaire d'un magasin et mère de trois enfants déjà grands, elle s'était toujours efforcée d'être présente pour ses parents, malgré les trois heures de route qui les séparaient. Michael et elle étaient de vieux amis, même s'ils ne se voyaient pas souvent. Cela rassurait Barbara de savoir qu'il veillait sur son père. Elle lui vouait une confiance sans bornes. Michael s'était montré formidable avec sa mère durant son agonie ; Seth et Hannah n'avaient pas été loin de considérer le docteur comme le fils qu'ils n'avaient jamais eu.

Tout le monde s'accordait à dire que Michael était un saint. Il avait renoncé à une brillante carrière d'anesthésiste à Boston pour reprendre le cabinet paternel dans une toute petite ville. Pourtant, il affirmait ne rien regretter, et il suffisait de le voir s'occuper de ses patients pour comprendre qu'il le pensait vraiment.

Barbara et Michael craignaient que Seth n'ait perdu le goût de vivre depuis la mort de sa femme, six mois plus tôt. À quatre-vingt-cinq ans, il refusait toute aide à domicile, arguant qu'il pouvait très bien se débrouiller seul. Or, si la maison était en ordre, son propriétaire semblait bien mal en point… Recroquevillé sur son canapé avec une couverture sur les épaules, il était secoué de violentes quintes de toux. Seth avait vécu soixante-sept ans avec Hannah, son amour d'enfance. Michael savait à quel point il était difficile pour un homme de son âge de survivre à une telle perte. Et ce qu'il observait n'augurait rien de bon. Son patient avait le regard fiévreux et frissonnait de tout son corps.

— Comment vous sentez-vous, Seth ? s'enquit Michael en s'asseyant à côté de lui et en ouvrant sa mallette.

— Bien, prétendit le vieil homme. J'ai juste attrapé un rhume.

Il lança un regard contrarié vers sa fille, qui lui répondit par un sourire.

— Il n'y a vraiment pas de quoi s'affoler, ça ira mieux dans deux jours, ajouta-t-il. Barbara m'a préparé de la soupe, je n'ai besoin de rien d'autre. Elle n'aurait pas dû vous appeler.

— Au contraire, elle a bien fait. Sinon, comment voudriez-vous que je nourrisse ma famille ?

Le ton amical et décontracté de Michael rencontrait un grand succès auprès de ses patients, en particulier les enfants et les personnes âgées. Parmi les quelques médecins installés dans les environs, il était le plus populaire. Il soignait tous les maux, et si ses malades avaient besoin de consulter un spécialiste, il les envoyait à Boston. La plupart du temps, néanmoins, les gens préféraient s'en remettre à lui seul.

Son trait d'humour fit rire le vieil homme, qui sembla se détendre. Avec lui, les situations les plus graves paraissaient moins effrayantes. Seth n'oublierait jamais ce que Michael avait fait pour sa femme. Il s'était assuré de son bien-être jusqu'au bout. Dans les derniers temps, il leur avait conseillé de prendre une infirmière à domicile, mais cela ne l'avait pas empêché de passer lui-même deux fois par jour. Hannah avait été tellement reconnaissante qu'elle avait tenu à lui léguer une petite somme en remerciement. Dix mille dollars… Ce n'était pas grand-chose, mais cela représentait déjà beaucoup pour eux. Un peu gêné et très ému, Michael avait annoncé à Seth que cet argent servirait à financer les études de sa fille, qui souhaitait intégrer une école de médecine à la fin du lycée, dans deux ans. Chaque dollar comptait.

Michael avait une solide clientèle, qui lui assurait un revenu confortable, mais il devait aussi entretenir deux enfants et une femme invalide, dont l'état de santé ne s'était pas arrangé depuis qu'il l'avait épousée pendant ses études de médecine. Il n'en avait été que plus touché par le geste de Hannah.

Il sortit son stéthoscope, écouta la respiration de Seth, puis hocha la tête en souriant. Michael était l'image même de la bonté et savait exactement comment apaiser les angoisses de ses patients.

— Je suis heureux de vous confirmer que vous avez un cœur, déclara-t-il.

Le vieil homme émit un petit rire, avant de retomber dans la mélancolie.

— Je ne sais pas si c'est une bonne ou une mauvaise nouvelle, étant donné que Hannah n'est plus là, murmura-t-il.

Michael et Barbara redoutaient qu'il ne se laisse mourir de chagrin, ou de faim. Seth avait perdu beaucoup de poids depuis la disparition de sa femme.

— C'est une bonne nouvelle, affirma Michael, et il y en a une autre : vous n'avez pas de pneumonie. Du moins, pas encore, mais vous risquez bien d'en attraper une si vous ne faites pas attention à vous. Je vous déconseille de sortir tant que subsistera cette mauvaise toux. Je vais vous mettre sous antibiotiques : il faudra bien les prendre jusqu'au bout – pas question de les arrêter avant sous prétexte que vous vous sentez mieux. Je vous prescris également un sirop contre la toux. Pour faire baisser la fièvre, vous pouvez prendre de l'aspirine, ce sera bon aussi pour votre cœur.

Depuis quelques années, Seth était cardiaque, et la mort de sa femme n'avait rien arrangé.

— Restez au chaud pendant quelque temps, poursuivit Michael. Reposez-vous, regardez la télévision, buvez la soupe de Barbara… Vous avez de quoi manger dans le frigo ?

Seth haussa les épaules.

— Je vais lui faire des courses, glissa Barbara à voix basse.

Depuis des mois, les voisins lui apportaient des gratins et des rôtis ; Seth n'y touchait presque pas. Sa fille avait tenté de le convaincre de venir s'installer à Boston pour qu'elle puisse s'occuper de lui, mais il refusait de quitter sa maison.

— Je repasserai plus tard pour vous apporter vos

médicaments, dit Michael. Promettez-moi juste de les prendre.

Seth grommela dans sa barbe. Quant à Barbara, elle était impressionnée par la gentillesse de Michael. Il se mettait en quatre pour ses patients, et c'est bien pour cela qu'on l'aimait tant.

Michael resta encore quelques minutes à bavarder. Il ne donnait jamais l'impression d'être pressé, prenait le temps d'écouter les problèmes des gens – surtout s'ils étaient âgés. C'étaient les grands oubliés de notre société, disait-il.

— Comment va Maggie ? lui demanda Barbara alors qu'elle le raccompagnait à la porte.

L'épouse de Michael avait eu un accident de patinage, à l'université. Les deux femmes se connaissaient depuis leur jeunesse, mais ne s'étaient pas vues depuis longtemps, cette dernière s'aventurant rarement en dehors de chez elle. Son mari et sa fille prenaient soin d'elle.

— Ça dépend des jours, répondit Michael, mais elle garde le moral. On a de la chance d'avoir Lisa. Ça va être dur quand elle partira à la fac.

Ils espéraient que leur fille resterait dans la région. Heureusement, Lisa leur était profondément dévouée et se disait prête à se sacrifier pour eux.

Michael salua Barbara et descendit rapidement les marches du perron. Avant de livrer ses médicaments à Seth et de pouvoir enfin rentrer chez lui, il avait encore un nouveau-né et trois retraités à aller voir. Les personnes valides venaient généralement le consulter à son cabinet, mais il acceptait toujours de se déplacer, même le week-end ou tard le soir. C'était sa vie, celle d'un médecin de campagne au service de ses patients. Et cette vie le comblait. Seuls son métier et sa famille comptaient pour lui. Michael n'avait jamais couru après le succès financier ni rêvé d'une carrière illustre. Tout l'inverse de son frère, qui était allé chercher la gloire et la fortune à New York, et qui n'avait daigné revenir que pour les funérailles de leurs parents.

Les jumeaux n'auraient pu être plus différents – c'est ce que leur mère avait répété depuis leur naissance. Déjà tout petit, Peter se mettait facilement en colère, alors que Michael était calme et patient. Le premier devait sans cesse être puni, quand le second était naturellement discipliné. Gentil et placide, Michael se montrait prévenant avec ses parents ; adolescent, il faisait régulièrement des courses pour sa mère, rendait service aux voisins. Il était aimé de tous. Son frère, lui, était en guerre contre le monde entier.

Peter avait eu une réputation de brute à l'école, en grande partie parce que ses camarades se moquaient de ses difficultés – il n'avait su lire qu'à douze ans, et encore, péniblement. Ses parents devaient constamment s'excuser pour les coups qu'il distribuait. Peter leur faisait honte, tandis qu'on les félicitait pour le comportement exemplaire de Michael.

Ce dernier fut premier de la classe pendant toute sa scolarité. Il gagna tous les prix et ne rata aucune occasion de rabaisser son frère, si possible quand leurs parents n'étaient pas là pour l'entendre. Peter s'en plaignait, et comme on ne le croyait pas, il se faisait justice lui-même. Ayant vite dépassé Michael en taille, il le tabassa plus d'une fois, ce qui lui valut immanquablement de nouvelles punitions. Leur père fut soulagé quand Peter partit. Il ne supportait plus de les voir se battre. Quant à leur mère, elle continuait d'affirmer que, malgré tous ses défauts, Peter était un bon garçon. C'était bien la seule à croire qu'il pût avoir bon fond.

En grandissant, Michael resta très proche de ses

parents. Alors qu'il adorait son travail d'anesthésiste à Boston, il n'hésita pas une seconde à l'abandonner lorsque son père l'invita à le rejoindre dans son cabinet. Michael découvrit le plaisir d'exercer dans une petite ville, de soigner des patients pour qui il se sentait réellement indispensable. Et il aima tout autant de travailler aux côtés de son père, comme il en avait rêvé, disait-il, depuis toujours. Remarquant les talents de son fils avec les personnes âgées, le Dr Pat lui confia rapidement ses patients gériatriques. Ces derniers appréciaient le jeune médecin encore plus que son père. Avec lui, le passage vers l'au-delà s'effectuait en douceur, pour eux comme pour leurs proches. Tout le monde se sentait rassuré en sa présence. Non seulement il respectait le serment d'Hippocrate en s'abstenant de tout mal, mais il faisait plus de bien qu'aucun médecin qu'ils avaient connu jusque-là – y compris son père, qui était devenu quelque peu irascible avec l'âge. Michael était compétent, affichait une patience sans faille et une bienveillance infinie. Voilà pourquoi il était adoré de tous.

Maggie et lui se connaissaient depuis l'enfance, mais à l'époque Michael ne s'intéressait pas à elle – en vérité, elle était plus proche de Peter. C'est son accident de patin à glace qui les avait rapprochés. Pendant sa convalescence, Michael, alors étudiant en médecine, lui avait témoigné une profonde sollicitude en lui rendant visite chaque fois qu'il rentrait de Boston. Un an plus tard, il avait surpris tout le monde en la demandant en mariage, malgré sa santé fragile. Ce geste n'avait fait que renforcer la bonne opinion que les gens avaient de lui. Depuis, Maggie était invalide, mais grâce à Michael elle était toujours vivante. Et ils remerciaient le ciel de leur avoir donné deux enfants.

Deux ans après la naissance de Lisa, un troisième bébé fut conçu. Convaincu que Maggie était trop faible pour mener à terme cette grossesse, Michael insista pour qu'elle avorte. Il ne voulait pas prendre le risque de perdre sa femme adorée. C'était déjà un miracle qu'ils aient deux enfants en pleine forme, lui expliqua-t-il. Maggie en eut le cœur brisé, mais elle accepta. En matière de santé, elle s'en remettait à son époux les yeux fermés, car il avait toujours su ce qui était bon pour elle. Michael s'était occupé d'elle durant ses deux grossesses, ne faisant appel à un obstétricien qu'au moment des naissances. Il refusait qu'elle fût soignée par un autre que lui. Maggie savait que personne ne l'aimait ni ne la connaissait mieux que son mari.

Pour preuve, il avait réussi à la maintenir en vie malgré les conséquences désastreuses de son accident. À vingt ans, Maggie avait été une patineuse de talent. Mais un jour, alors qu'elle évoluait avec des amis sur un étang gelé, la lame d'un de ses patins avait accroché un morceau d'écorce pris dans la glace. Maggie s'était envolée, avant de retomber en arrière sur la tête. En la voyant étendue là, inconsciente, ses camarades l'avaient crue morte. Elle avait été transportée en hélicoptère à Boston, où elle était restée cinq mois dans le coma, souffrant d'un grave traumatisme crânien. Les médecins l'avaient opérée pour soulager la pression de l'hématome sur son cerveau, sans pouvoir prédire les séquelles dont elle aurait à souffrir si elle survivait.

À force de soins et d'attentions, sa mère l'avait guidée sur le chemin de la guérison, puis elle l'avait soutenue tout au long de sa rééducation. Car, dans un premier temps, Maggie ne pouvait plus marcher… Avec l'aide des thérapeutes, elle y parvint néanmoins, bien que d'un pas mal assuré. Une de ses jambes restait trop raide. Maggie était toujours aussi jeune et belle, mais elle se déplaçait comme une vieille dame qui aurait subi un AVC… À mesure que le temps passait, elle dut renoncer à l'espoir de danser ou de porter des talons. Sa mauvaise jambe lui jouait des tours. Frustrée de ne pouvoir progresser davantage, elle n'en affronta pas moins son infortune avec courage et bonne humeur. Elle était vivante, c'était l'essentiel.

Autre conséquence notable de son accident : pendant longtemps, Maggie souffrit de troubles de l'élocution. De la même façon qu'elle avait dû réapprendre à marcher, il lui fallut réapprendre à parler – et sur ce plan-là, elle recouvra peu à peu toutes ses facultés. Au début, toutefois, comme elle peinait à s'exprimer, les gens pensaient qu'elle était devenue lente d'esprit. Ce n'était évidemment pas le cas.

Les visites de ses amis s'espacèrent peu à peu. Ils la plaignaient beaucoup, mais ils étaient pris par leurs diverses activités. Michael, en revanche, venait la voir régulièrement. Séduit par cette jeune femme remarquable, il lui apportait des livres et des magazines, lui offrait de petits cadeaux. Il la rassurait sur son état, apaisait ses angoisses, la félicitait pour ses progrès. Parfois, il l'emmenait marcher dehors, la soutenant d'une main ferme. Il lui expliqua que sa santé resterait toujours fragile, que son organisme, grandement affaibli, serait une proie facile pour les virus et les maladies. Il craignait par-dessus tout qu'une forme ou une autre de paralysie ne l'atteigne un jour. C'est pourquoi il lui déconseilla de voir trop de monde, car elle risquait de contracter une infection qui pourrait lui coûter la vie.

Michael finit par devenir sa seule compagnie. Il passait tout son temps libre chez elle, malgré les exigences de l'école de médecine. Et il lui fut d'un immense réconfort lorsque la mère de Maggie mourut dans un accident de voiture, un an après la chute de la jeune femme. Pour elle comme pour son père, ce fut une perte tragique. C'est peu après que Michael la demanda en mariage. Maggie était pourtant convaincue – et elle n'était pas la seule – qu'aucun homme ne voudrait d'elle, avec ses problèmes d'élocution et sa démarche disgracieuse. Mais Michael n'en avait cure. Il lui donnait l'impression d'être la femme la plus aimée, la plus protégée au monde. Quelle chance elle avait d'être tombée sur un homme comme lui ! Quant à son père, inutile de dire qu'il fut profondément soulagé. Propriétaire d'une scierie, il n'avait pas le temps de prendre soin de sa fille malade, ce qui le préoccupait d'autant plus que sa femme n'était plus là. Enfin, il n'aurait pu espérer mieux pour Maggie que d'épouser un médecin.

Les deux jeunes gens se marièrent au cours d'une petite cérémonie privée. Maggie ne voulait pas d'un mariage en grande pompe : elle craignait de trébucher en s'avançant vers l'autel, ou de bégayer au moment de prononcer ses vœux. Pour Michael, cela n'avait pas d'importance, pas plus que n'en avait le fait d'avoir une femme handicapée.

Le médecin qui avait suivi Maggie à Boston juste après son accident soutenait que la jeune femme allait parfaitement bien en dehors de sa démarche un peu gauche. Il était persuadé qu'avec une bonne rééducation orthophonique elle finirait par parler normalement et que l'état de sa jambe s'améliorerait également. Il ne partageait pas du tout l'avis de Michael quant à sa supposée fragilité : pour lui, c'étaient là les angoisses d'un jeune médecin amoureux qui traitait sa femme comme une poupée de porcelaine.

Mais l'avenir donna raison à Michael. Chaque hiver, Maggie contractait de mauvaises grippes. Il lui arriva d'attraper une pneumonie si sévère qu'il dut la faire hospitaliser et craignit de la perdre. Lorsqu'elle fut guérie, il insista pour qu'elle reste plusieurs mois à la maison, de peur qu'elle ne soit contaminée par des germes mortels. À l'époque, ils vivaient dans un appartement à Boston, où Michael achevait ses études. Lorsqu'elle tomba enceinte de leur premier enfant, il prit la décision de lui faire garder le lit. Mais ces longs mois alitée l'affaiblirent à tel point que marcher se révéla très problématique après qu'elle eut accouché. Pour éviter toute mauvaise chute, elle se déplaça en fauteuil roulant pendant des semaines. C'était peu cher payé pour le beau bébé potelé auquel elle avait donné naissance et qu'ils prénommèrent William. Maggie regretta seulement que Michael la trouve trop faible pour allaiter...

Pendant que Michael faisait son internat en anesthésie, Maggie s'en sortit plutôt bien. Elle marchait de mieux en mieux, même s'il n'était pas toujours facile pour elle de s'occuper seule d'un nourrisson. Elle était soulagée quand son mari rentrait. De son côté, Michael s'inquiétait pour la santé nerveuse de sa femme. Il lui expliqua à contrecœur qu'après un traumatisme crânien comme celui dont elle avait souffert elle avait plus de risques d'être victime d'une attaque ou d'une hémorragie cérébrale, et ce à n'importe quel âge. L'idée que cela puisse arriver alors qu'elle s'occupait de leur fils terrorisa Maggie ; ils engagèrent donc une nourrice, pour la sécurité de Billy comme pour le repos de sa maman. Maggie était triste de ne pas emmener son petit garçon au parc, et elle attendait toujours son retour avec la plus grande impatience. Billy et Michael étaient ses rayons de soleil.

Tout devint plus simple lorsque le père de Michael lui proposa de partager son cabinet. À Ware, Maggie trouva facilement des jeunes filles pour l'aider. Quand elle tomba enceinte de Lisa, Michael lui conseilla à nouveau de rester alitée pendant toute sa grossesse. La naissance se déroula sans encombre, et elle mit au monde une petite fille en pleine santé. Mais l'inactivité avait miné ses forces ; peu après avoir accouché, elle fit une chute dans sa chambre. Dès lors, Michael insista pour qu'elle marche avec un déambulateur, aussi humiliant cela fût-il. Il était convaincu qu'elle ne survivrait pas à un second traumatisme.

Un an après la naissance de Lisa, les parents de Michael moururent, et la petite famille emménagea dans leur grande maison pleine de coins et de recoins. Seul inconvénient : il y avait plusieurs étages. Maggie eut l'interdiction absolue d'emprunter seule les escaliers. Quand il rentrait le soir, Michael la descendait dans ses bras, puis il la déposait doucement sur le canapé où il pouvait garder un œil sur elle. Il refusait qu'elle se déplace dans la maison en son absence. Cela limitait considérablement ses activités, et elle enrageait d'entendre les enfants jouer avec la nourrice au rez-de-chaussée sans pouvoir les rejoindre. Elle devait attendre qu'ils montent la voir, ou que Michael revienne.

Plusieurs fois, Maggie suggéra qu'ils achètent un pavillon de plain-pied pour qu'elle accède à plus d'autonomie, mais Michael était malheureux à l'idée de vendre la maison de ses parents. Après tout ce qu'il avait fait pour elle, elle n'eut pas le cœur d'insister. Il avait renoncé à tout, si ce n'est à sa vocation de médecin, pour s'occuper d'elle.

Lorsqu'il lui recommanda d'avorter de leur troisième enfant, elle suivit de nouveau son conseil. Elle lui faisait pleinement confiance ; quand il s'agissait de sa santé, Michael avait toujours raison. N'avait-il pas prédit qu'elle s'affaiblirait de plus en plus avec le temps ?

Ces dernières années, Maggie avait été bouleversée par la mort de son père, puis par le départ de son fils, parti faire ses études à Londres. Bill avait vingt-deux ans aujourd'hui, et il lui manquait cruellement. Même s'ils s'appelaient souvent et communiquaient régulièrement par mail, il ne rentrait presque jamais à la maison. Michael craignait que toutes ces émotions n'aient contribué à dégrader encore davantage la santé de Maggie.

Leur fille Lisa était leur plus grande fierté. Rêvant de devenir médecin comme son père, elle se révélait déjà une infirmière efficace lorsque Maggie était malade ou qu'elle se sentait plus faible qu'à l'accoutumée. Or, cela arrivait de plus en plus souvent. Tout le monde commençait à penser que c'était un miracle qu'elle soit encore en vie à quarante-quatre ans. Pour ne rien arranger, Michael lui avait diagnostiqué un Parkinson deux ans plus tôt. Et même s'il s'efforçait de ne rien laisser paraître, sa femme n'avait aucun mal à lire dans son regard toute l'inquiétude qu'il éprouvait pour elle.

Il n'y avait pas plus aimant et dévoué que Michael. Maggie était immensément reconnaissante de la gentillesse qu'il lui témoignait, des enfants qu'il lui avait donnés et de la vie qu'ils partageaient ensemble. Elle se sentait coupable de faire si peu pour sa famille. La majeure partie du temps, elle était coincée dans sa chambre, prisonnière de son propre corps. À mesure que la maladie de Parkinson progressait, elle pouvait de moins en moins marcher, et ce jamais sans son déambulateur. Michael préférait qu'elle se déplace en fauteuil pour minimiser les risques de chute.

Ses enfants étaient sans nul doute sa plus grande source de joie. Mais Maggie avait aussi réussi à puiser du bonheur ailleurs. Elle était par nature quelqu'un de gai et d'optimiste, bien que les mises en garde continuelles de Michael l'eussent rendue de plus en plus craintive. Elle détestait l'idée qu'elle quitterait un jour son mari et ses enfants. Elle ne se sentait pas prête. Et même si elle s'évertuait à ne pas trop y penser, le spectre de la mort planait en permanence au-dessus d'eux.

Grâce à l'ordinateur portable que son fils lui avait offert une année pour Noël, Maggie se distrayait sur Internet. Elle y était devenue accro. C'était son tapis volant vers le monde extérieur. Michael râlait, soutenait que cela la fatiguait et que les sites médicaux lui embrouillaient la tête. Mais Maggie était ravie de pouvoir faire des achats sur eBay pour sa fille, écrire des mails à Bill quand bon lui semblait et apprendre toutes sortes de choses fascinantes sur l'histoire, l'art et les pays où elle n'irait jamais. Internet lui avait ouvert les portes d'un univers nouveau. Cet outil lui permettait de suivre tout ce qui se passait à travers le monde et de s'informer sur de nombreux sujets. Parfois, en rentrant chez lui, Michael éclatait de rire quand elle lui annonçait quelque événement obscur qui avait eu lieu à l'autre bout de la terre, ou qu'elle lui parlait d'une chose à laquelle il n'avait jamais pensé et qu'il n'avait nullement besoin de savoir. Maggie se montrait insatiable dans son désir d'apprendre. Occasionnellement, elle participait à des forums de discussion, où elle échangeait avec de parfaits inconnus. Il lui arrivait également de consulter la page Facebook d'anciens amis, même si elle ne possédait pas de compte.

De temps en temps, elle faisait des recherches sur les maladies dont elle souffrait pour savoir exactement à quoi s'en tenir. Devant elle, Michael avait tendance à édulcorer la vérité. Elle avait lu beaucoup d'articles sur le Parkinson. Bien sûr, elle savait que son mari était le mieux placé pour juger de ce qui était bon pour elle, mais cela ne l'empêchait pas d'avoir envie de s'informer. En revanche, comme elle ne voulait pas le contrarier, ni lui laisser penser qu'elle mettait en doute son avis médical, elle ne lui parlait presque jamais de ses recherches. Du reste, il l'avait prévenue qu'on trouvait beaucoup d'inepties sur Internet.

Ces temps-ci, Maggie correspondait plusieurs fois par semaine avec une femme qu'elle avait « rencontrée » sur un forum de personnes malades. Elles avaient exactement le même âge, mais Maggie était alitée depuis plus longtemps. Sa nouvelle amie se déplaçait en fauteuil roulant depuis dix ans, à la suite d'un accident de voiture. Lorsqu'elles avaient découvert qu'elles étaient toutes deux atteintes de la maladie de Parkinson, elles avaient commencé à échanger des informations. En son for intérieur, Maggie avait été soulagée de constater que ses symptômes semblaient moins graves que les siens. Michael voyait d'un mauvais œil ces relations qu'elle entretenait sur Internet : il craignait qu'elle ne soit un jour victime de personnes malveillantes. Mais Maggie ne s'inquiétait pas. Sa correspondante avait l'air très gentille, et cela lui plaisait de bavarder avec des gens.

Elle appréciait par-dessus tout la liberté que lui procurait Internet. Parfois, elle restait connectée toute la journée, à glaner des informations sur les thèmes qui la passionnaient. Au début, cette nouvelle lubie avait déplu à Michael. Il avait reproché à Bill d'avoir offert à sa mère un cadeau empoisonné. Mais le jeune homme avait farouchement défendu le droit de Maggie à explorer le Web, et Michael avait été obligé de céder. C'est ainsi que, deux ans plus tôt, devenue spécialiste des achats en ligne, Maggie avait remeublé leur salle à manger chez Ikea sans jamais sortir de son lit.

Grâce à cet outil magique, elle communiquait à loisir avec son fils adoré. Bill lui avait promis qu'un smartphone serait son prochain cadeau, lorsqu'il leur rendrait visite – ce qui n'était pas dans ses projets immédiats. Maggie se languissait de le voir, mais elle s'efforçait de ne pas se plaindre devant lui.

Récemment, elle s'était mise à visionner des films sur son portable. Elle arrivait parfois à convaincre sa fille d'en regarder un avec elle, lorsque Lisa n'avait pas trop de devoirs. Bref, l'ordinateur était devenu son bien le plus précieux, une source de connaissance, d'évasion et de divertissement. Le compagnon idéal pour quelqu'un qui passait le plus clair de son temps au lit.

Maggie avait une autre bénédiction dans sa vie : Prudence Walker, qui venait trois fois par semaine pour faire le ménage. Elle lui préparait aussi le déjeuner quand Lisa ne pouvait pas rentrer du lycée et que Michael était trop occupé avec ses patients. À presque soixante-dix ans, Pru avait élevé six enfants et débordait d'énergie. Elle qui ne possédait même pas de four à micro-ondes trouvait la fascination de Maggie pour Internet étrange, sinon dangereuse. Elle était persuadée qu'à force de passer autant de temps devant son ordinateur elle attraperait une terrible maladie qui finirait par la tuer. Elle l'avait mise en garde plus d'une fois. En dehors de cela, les deux femmes s'entendaient à merveille, et Prudence aimait beaucoup Michael, dont le père avait mis au monde ses six bébés.

Pru travaillait pour eux depuis qu'ils avaient emménagé dans la maison quinze ans plus tôt. Devenue veuve, elle était heureuse d'aider Maggie, et pour cette dernière, c'était une joie d'avoir quelqu'un à qui parler dans la journée. Pru lui apportait les livres et les magazines qu'elle l'envoyait acheter ou emprunter à la bibliothèque. Et pendant qu'elle nettoyait la maison de fond en comble, rouspétant sur la poussière qui s'était accumulée depuis la dernière fois, les deux femmes riaient et bavardaient. Contrairement à Maggie, Pru ne s'intéressait pas aux affaires internationales. Elle connaissait en revanche tous les potins du village, et Maggie adorait les entendre, même si elle ne voyait plus personne. Michael, bien trop discret, ne lui racontait jamais rien. Quant à Lisa, elle était trop jeune pour se soucier des histoires des adultes. En résumé, Pru Walker égayait considérablement l'existence de Maggie.

Il était plus de vingt heures lorsque Michael gravit lestement les marches du perron et poussa la porte de sa maison. Alors qu'il accrochait son chapeau et son manteau dans l'entrée, un fumet délicieux lui parvint depuis la cuisine. Lisa l'avait appelé une heure plus tôt pour savoir quand il serait de retour. Du fait de l'infirmité de sa mère, elle jouait davantage un rôle d'épouse que de fille : à seize ans, elle savait parfaitement tenir une maison. Michael rentrait souvent le midi pour faire manger Maggie, mais Lisa se chargeait de tout le reste, des repas comme des courses. Et malgré le poids de ces tâches ménagères, elle obtenait d'excellents résultats à l'école.

Un sourire éclaira le visage de Michael dès l'instant où sa fille émergea de la cuisine, un tablier noué par-dessus sa petite jupe en jean. Lisa semblait tout aussi heureuse de le voir. La maison était bien trop silencieuse en son absence... Pour elle comme pour

Maggie et tous les habitants de Ware, son père était un héros. Elle lui préparait toujours un repas chaud le soir ; aujourd'hui, elle avait testé une recette de gigot d'agneau dénichée dans un magazine. Si Maggie n'était pas assez en forme pour descendre manger avec eux, ce qui arrivait de plus en plus souvent ces jours-ci, ils lui apportaient un plateau dans sa chambre. Michael était consterné de voir à quelle vitesse son Parkinson évoluait.

— Salut, papa ! Comment s'est passée ta journée ? lança joyeusement Lisa.

— Plutôt bien. Et elle finit en beauté, avec toi.

On eût dit un gros nounours blond tandis qu'il la serrait dans ses bras.

— Comment va maman ? s'enquit-il.

— Ça a l'air d'aller.

— Je vais monter la voir avant de passer à table. Qu'est-ce que tu nous as préparé de bon ? Je meurs de faim…

— Un gigot d'agneau. Nouvelle recette, précisa fièrement Lisa.

Michael avait mangé sur le pouce à midi et n'avait rien avalé depuis. Ses journées commençaient généralement dès sept heures avec les visites à domicile. Et pourtant, Lisa ne rêvait que d'une chose : suivre son exemple et travailler avec lui, comme Michael l'avait fait avec son propre père.

Elle n'avait hérité de lui que ses yeux bleus, en dehors de quoi elle était petite et brune comme sa mère – sans toutefois paraître aussi fragile. Après toutes ces années passées au lit, et à cause de son manque d'appétit, Maggie était très mince. Ces derniers temps, il fallait se battre pour qu'elle accepte de manger. Lisa était plus en chair, plus féminine.

Avec ses longs cheveux bruns ramassés en chignon, elle ressemblait à une danseuse de ballet.

Michael monta l'escalier quatre à quatre. Assise dans son lit avec son ordinateur sur les genoux, Maggie s'illumina à sa vue. Il dégageait une telle énergie, une telle vitalité ! C'était comme un souffle d'air frais qui pénétrait dans la chambre.

— Bonjour, chéri ! dit-elle gaiement. Tu rentres tard, tu dois être épuisé.

Michael sourit en découvrant qu'elle regardait un documentaire sur les temples de Kyoto. Mais alors qu'il se penchait pour l'embrasser, il se rembrunit. Maggie le remarqua aussitôt, même s'il s'était hâté de reprendre une expression normale. Elle savait ce que cela signifiait.

Michael était son baromètre. Elle connaissait par cœur tous les signaux silencieux qu'il émettait, quels que soient les efforts qu'il déployait pour les dissimuler. Elle lisait en lui comme dans un livre ouvert.

— Quelque chose ne va pas ? s'enquit-elle, anxieuse.

— Est-ce que tu as des frissons ? demanda-t-il avec désinvolture, tout en sortant un tensiomètre d'un meuble à côté du lit.

Maggie éteignit l'ordinateur.

— Non, je vais bien. Très bien, même. Je voulais descendre manger avec vous, ce soir. Ça sent délicieusement bon.

La petite touche d'ail qui flottait dans l'air rendait l'odeur encore plus alléchante.

— Voyons voir ce que nous dit la pompe magique, suggéra Michael.

Il lui passa le brassard, actionna la poire de gonflage, puis libéra lentement la pression. Maggie devina que le résultat ne lui plaisait pas, mais il retira l'appareil avant qu'elle ait pu le lire. Michael avait beau vouloir la protéger, elle savait que sa santé se détériorait un peu plus chaque jour. Sa tension était souvent trop basse, ce qui lui provoquait des vertiges. Aujourd'hui, pourtant, elle s'était sentie en forme…

— C'est mauvais ?

— Bien sûr que non, répondit-il, après une hésitation qui disait tout le contraire. Mais je pense que tu ne devrais pas descendre, ce soir. Je préférerais que tu restes ici au calme.

Maggie parut aussi déçue qu'un enfant à qui on aurait annoncé que sa fête d'anniversaire était annulée. Elle avait attendu Michael toute la journée et s'était fait une joie de dîner avec lui et Lisa. Cette semaine, comme souvent, il ne l'avait pas autorisée à descendre une seule fois. Ces moments en famille étaient si importants pour elle ! Maggie n'avait plus personne à part eux et Pru. Michael dissuadait les gens de lui rendre visite, de peur qu'ils ne lui transmettent des virus. Parfois, il interdisait même à Pru de venir, lorsque Maggie était particulièrement affaiblie ou que la vieille dame avait un rhume.

— J'avais espéré manger avec vous, murmura-t-elle en le suppliant du regard. Je me sens vraiment bien, aujourd'hui.

— Je ne voudrais pas que tu tombes de ton fauteuil roulant, dit-il gentiment.

Le fauteuil roulant ? Maggie pensait se déplacer avec son déambulateur.

— Je vais t'apporter ton repas ici. Tu n'auras qu'à regarder un film.

Sauf qu'elle en avait déjà vu deux aujourd'hui. Ce qu'elle voulait, c'était dîner avec eux ! Toutefois, elle se rendit compte que la tête lui tournait un peu. Peut-être avait-il raison… Son Parkinson lui provoquait des tremblements et des troubles de l'équilibre – symptômes qui ne feraient qu'empirer, d'après ce qu'elle avait lu sur Internet.

— D'accord, convint-elle tristement.

Michael l'embrassa avant de sortir de la pièce. Cinq minutes plus tard, il reparut avec un plateau que Lisa avait préparé, orné d'un joli set de table en lin et d'une serviette assortie. Maggie aurait tant aimé s'occuper de ces choses-là à la place de sa fille…

— Room service, annonça Michael en esquissant une révérence.

Et il déposa le plateau sur ses genoux. Elle en avait vraiment assez de manger toute seule dans sa chambre, mais elle ne pouvait pas leur demander de pique-niquer avec elle tous les soirs ; ils avaient droit à un vrai repas à table.

Toujours est-il qu'elle n'avait plus faim, même si le plat sentait divinement bon. Elle resta assise là, à regarder son assiette tandis que les larmes roulaient sur ses joues. Une vie entière gâchée dans cette chambre… Elle prit la fourchette et se mit à manger du bout des lèvres. Il fallait qu'elle goûte à ce gigot, au moins pour faire plaisir à Lisa.

Maggie avait les mêmes airs de danseuse que sa fille, si ce n'est que la maladie la faisait davantage ressembler à une poupée délicatement posée sur un lit. Et c'était bien ce qu'elle était : une fragile poupée que Michael choyait depuis le premier jour de leur mariage. Elle lui devait d'être encore en vie. À cet instant, l'idée lui vint d'écrire à Bill, mais elle craignit que son fils ne devinât sa tristesse. Il la connaissait bien, peut-être encore mieux que son mari.

En bas, Michael et Lisa riaient dans la cuisine. Elle lui racontait sa journée au lycée, lui parlait de ses amis. Son père était son plus proche confident ; elle se tournait toujours vers lui lorsqu'elle avait besoin de conseils – chose qu'elle ne pouvait pas faire avec sa mère. Michael leur avait répété dès leur plus jeune âge, à elle et à son frère, qu'il fallait la protéger et prendre soin d'elle presque comme d'une enfant. Ils ne devaient lui causer aucun stress ; sa santé était bien trop fragile. C'était donc à leur père qu'ils confiaient leurs joies et leurs peines de cœur, pendant que Maggie restait éternellement sur la touche.

Michael et Lisa continuèrent de bavarder à bâtons rompus, tout en faisant la vaisselle. Lui aussi attendait avec impatience le jour où sa fille le rejoindrait dans son cabinet. C'était leur rêve à tous les deux. Finalement, il était plus de dix heures lorsqu'il retrouva Maggie. Lisa, elle, s'isola dans sa chambre pour regarder la télévision et appeler ses amis.

Quand il entra dans la pièce, sa femme avait l'air triste et désœuvrée. Trop préoccupée par ses problèmes de santé, elle avait éteint son ordinateur pour la nuit. L'expression soucieuse qu'elle avait surprise sur le visage de son mari l'avait démoralisée. Et parfois, elle aurait aimé que Michael et Lisa écourtent un peu leurs repas… Mais ils avaient tant de choses à se raconter ! Eux, ils évoluaient dans la vraie vie, entourés de vraies gens. Maggie, elle, n'avait rien à apporter à la conversation, en dehors de ce qu'elle découvrait sur Internet.

— Fatiguée ? lui demanda Michael en s'asseyant au bord du lit.

Une fois de plus, elle remarqua dans son regard cette ombre d'inquiétude qui ne manquait jamais de la terroriser.

— Non, ça va.

Elle lui tendit une main pâle et délicate, que Michael prit dans la sienne.

— Je vais te donner un somnifère.

— Ce n'est pas la peine, je n'ai pas encore sommeil. On pourrait bavarder un peu, non ?

Michael se mit à rire, comme s'il avait devant lui une enfant qui venait de lui suggérer une idée ridicule – aller au zoo en pleine nuit, par exemple.

— Voyons voir. Je me suis levé à cinq heures du matin, j'ai fait onze visites à domicile, et j'ai enchaîné sur les consultations au cabinet. Ça fait une journée de travail de douze heures.

Il regarda sa montre.

— Et je dois être à nouveau debout dans sept heures. Si tu t'attends à avoir une conversation intelligente avec moi ce soir, j'ai bien peur que tu ne sois déçue, ma chérie. Même sans somnifère, je serais capable de m'endormir avant toi ! Et puis je n'ai pas le temps d'apprendre tout un tas de choses sur Google, moi.

— Excuse-moi, s'empressa-t-elle de dire, mortifiée. C'est vrai, tu dois être épuisé.

Il l'était, et il ne rêvait que d'une chose : prendre une douche et se coucher. Mais il tenait également à ce que Maggie ait une bonne nuit de sommeil. Quoi qu'elle en dise, elle lui semblait éreintée.

Il alla chercher le flacon de somnifères dans un tiroir et en tendit un comprimé à Maggie avec un verre d'eau.

— Sincèrement, je n'en ai pas besoin, insista-t-elle.

Si elle avait du mal à s'endormir, elle pourrait toujours regarder un film en mettant ses écouteurs. Mais Michael ne jurait que par les médicaments – rien d'étonnant de la part d'un médecin.

— C'est qui le docteur, ici ? demanda-t-il d'un air faussement sévère.

Elle eut un petit rire.

— C'est toi. Mais je dormirai très bien sans.

— Autant mettre toutes les chances de notre côté. Ça me rassurerait vraiment que tu le prennes.

Maggie avait parfois l'impression de vivre à l'hôpital. Mais Michael savait ce qu'il faisait, et le temps lui donnait toujours raison. De plus, en femme douce et docile, elle n'aimait pas lui désobéir. Elle avala donc le comprimé.

— Je reviens bientôt, promit-il.

Lorsqu'il ressortit de la salle de bains une demi-heure plus tard, Maggie s'était assoupie. Ses paupières s'entrouvrirent, et elle lui sourit paisiblement.

— Je t'aime, murmura-t-elle d'une voix ensommeillée.

— Je t'aime aussi.

Ils s'embrassèrent, puis elle s'endormit dans ses bras pendant qu'il lui caressait tendrement les cheveux. Michael était heureux avec elle, quel que soit son état de santé. Dès le début, il avait su qu'un jour elle ne serait plus là. Ils avaient repoussé l'inévitable pendant des années. Et en attendant, il voulait lui rendre la vie la plus douce possible.

5

Quand Peter pénétra dans la maison au bord du lac Wickaboag, un millier de souvenirs l'assaillirent aussitôt. Il avait récupéré la clé à l'agence immobilière de West Brookfield, laquelle s'occupait de l'entretien de la propriété et le tenait informé chaque année des travaux à effectuer avant l'hiver. Quatre ou cinq ans plus tôt, Peter avait fait refaire la toiture. Une autre année, il avait fallu réparer un dégât des eaux, les canalisations ayant explosé après un coup de gel. Malgré son apparence sinistre, la maison était donc globalement en bon état.

La mère de Peter avait été la dernière occupante des lieux – elle y avait passé l'été avant de mourir. Peter reconnaissait tous les meubles de son enfance, et si les couleurs des tissus s'étaient estompées, les souvenirs, eux, étaient encore très vifs. Il se rappelait les régates, les voiliers sur le lac. Il se revoyait nageant jusqu'au ponton flottant, pêchant avec son père et son frère. Malgré les tensions fréquentes entre Michael et lui, il avait été heureux, dans cette maison.

En allumant la lumière, il fut effrayé par la poussière qui s'était accumulée au fil des ans. Mais il se sentait trop fatigué pour faire demi-tour : il n'avait d'autre choix que de passer la nuit ici. Il dénicha de vieux draps dans un placard, se dirigea vers la chambre d'enfants, meublée de deux lits étroits, et prépara celui qui avait été le sien à l'époque de leurs vacances en famille. Lorsqu'ils avaient acheté cette maison secondaire, ses parents avaient pris soin de choisir un lieu suffisamment proche de Ware pour que son père puisse rendre visite à ses patients en cas de besoin. Car s'il essayait d'alléger son emploi du temps pendant l'été, le Dr Pat s'autorisait rarement de vraies coupures.

Peter fit le tour de toutes les pièces, puis il sortit sur la terrasse et s'assit dans un vieux fauteuil pour observer les étoiles. C'était étrange de songer au chemin qu'il avait parcouru depuis son dernier séjour ici, et de se dire qu'aujourd'hui il avait tout à recommencer. S'il avait su comment finirait sa carrière à Wall Street, aurait-il fait les choses différemment ? Probablement pas.

Il pensa à ses parents. Lui et son frère s'étaient tant disputé leur affection ! Et, toujours, Peter avait eu le sentiment que son jumeau l'emportait. Il faut dire que ce dernier était prêt à tout pour obtenir leur attention et leur approbation.

Qu'était-il devenu ? Maggie était-elle encore en vie ? Peter l'aimait bien, autrefois. Ils étaient même sortis ensemble pendant une courte période, alors qu'elle était en seconde et lui en terminale. Mais ce n'était pas allé plus loin, et il était parti faire ses études. Il ne l'avait revue qu'après son accident de patin à glace, à l'époque où Michael lui faisait la cour et veillait jalousement sur elle. Jolie fille, Maggie avait été sérieusement amoindrie par sa chute sur l'étang gelé. Le médecin avait pourtant assuré à sa mère que son état s'améliorerait au fil du temps, mais quand

Peter l'avait croisée aux enterrements de ses parents, il l'avait trouvée encore plus frêle – à tel point qu'il doutait aujourd'hui qu'elle fût toujours de ce monde. Il espérait sincèrement se tromper. Maggie avait été une fille adorable, et l'accident avait réduit à néant ses chances de mener une existence normale. C'était tout à l'honneur de Michael de l'avoir épousée malgré cela.

La dernière fois qu'il les avait vus, à l'occasion des obsèques de sa mère, leur fille n'était encore qu'un bébé. Maggie la portait dans ses bras, assise dans un fauteuil roulant que poussait Michael. L'église était bondée, presque autant que pour l'enterrement de leur père.

Peter ferma les yeux. Un vent glacé soufflait depuis le lac. Il rentra, fouilla les placards, mais n'y trouva rien. De toute façon, il n'avait pas faim. Il éteignit les lumières et alla se coucher.

Quand il se réveilla, fourbu de courbatures, le soleil du petit matin entrait à flots dans la chambre. Il devait retourner à New York. Il avait hâte à présent de retrouver Alana et les garçons à Los Angeles.

Peter replia les draps et les rangea dans le placard. De revoir cette maison, il avait pris conscience qu'il ne servait à rien de la garder. Il aurait dû la vendre depuis longtemps.

En traversant West Brookfield, il déposa la clé dans la boîte aux lettres de l'agence immobilière. Dans l'enveloppe, il avait glissé un mot informant l'agent de sa décision de vendre et lui demandant de lui proposer un prix. La propriété était bien située et possédait une petite plage privée, mais Peter doutait qu'elle eût beaucoup de valeur. Ses parents l'avaient achetée pour Michael et lui ; aujourd'hui, il s'en séparait, rompant les derniers liens qui le rattachaient à sa jeunesse.

Il atteignit New York après quatre heures de route épuisantes. Il appela aussitôt ses fils pour leur annoncer sa venue. Si Ben resta très vague, Ryan parut soulagé. Cela faisait cinq semaines que Peter ne les avait pas vus. Il espérait encore sauver son couple et réunir sa famille. Tant qu'Alana ne lui demandait pas de vendre son âme à son père, il était prêt à consentir de nombreux sacrifices.

Deux jours plus tard, il prenait l'avion pour Los Angeles. Il n'avait aucune idée de ce qu'il allait faire là-bas. Pas question de toucher un chèque tous les mois pour rester assis dans un bureau, entre deux massages ou deux matchs de tennis. Peter ne demandait qu'à retrouver un travail, mais ils étaient des centaines comme lui dont personne ne voulait. L'économie mettrait peut-être des années à repartir... L'argent que Peter avait à la banque grâce à la vente de l'appartement finirait par s'envoler, surtout avec le train de vie d'Alana. Elle était habituée à un tel luxe ! Cela expliquait sans doute qu'elle ait préféré esquiver les difficultés en allant se réfugier chez son papa, lequel était ravi de payer ses factures.

Peter fut accueilli par le chauffeur de son beau-père à sa descente de l'avion. L'homme, aimable, porta sa valise jusqu'au coffre de la Rolls Royce, avant de le conduire à Bel Air. La douceur du climat contrastait de manière frappante avec le froid glacial de New York. Là-bas, il faudrait attendre le mois de mai, voire le mois de juin, pour profiter de cette température.

Alana n'était pas là lorsque Peter se présenta à la porte de la maison – l'employée lui apprit qu'elle déjeunait au Beverly Hills Hotel. De retour de l'école avant leur mère, les garçons se jetèrent dans les bras de leur père avec des cris de joie. Ben semblait avoir pris plusieurs centimètres, et Ryan paraissait plus mûr. Peter lui trouva l'air bien sérieux, une fois l'excitation retombée.

— Tout va bien ? lui demanda-t-il alors qu'ils se préparaient des sandwichs dans la cuisine.

Ben était parti regarder la télévision dans sa chambre.

— Ouais, ça va.

— Je me disais qu'on pourrait aller skier, pendant vos vacances.

— Papi nous emmène à Aspen.

Peter eut l'impression que cette perspective ne le réjouissait guère. Pour sa part, il n'avait pas envie de passer pour un parasite en s'invitant.

— Ça va être super, commenta-t-il.

— Si tu le dis.

Ryan dévorait son sandwich quand sa mère pénétra dans la cuisine. Elle eut l'air nettement moins enchantée que ses enfants de revoir Peter. Alors qu'elle lui faisait une bise sur la joue, elle se raidit lorsqu'il l'attira dans ses bras pour l'embrasser sur la bouche et s'échappa de son étreinte.

— Comment s'est passée ta journée ? demanda-t-elle à son fils.

— Pas trop mal, répondit l'adolescent d'un ton maussade. Mon prof de chimie est un crétin.

Sur ces mots, il posa son assiette vide dans l'évier et s'éclipsa, prétextant des devoirs.

— Tu m'as manqué, murmura Peter à sa femme.

Il débarrassa la table, puis suivit Alana hors de la cuisine tandis qu'elle lui racontait son déjeuner. En un mois, son cercle d'amis s'était élargi. Elle fréquentait toute une foule de célébrités de Hollywood, hommes et femmes confondus. Et elle avait totalement adopté le style vestimentaire de Los Angeles : sa robe de soie blanche moulante et ses talons hauts lui allaient à ravir.

— Tu as bien reçu tes affaires ? s'enquit Peter.

— Oui. Je les ai rangées, puisque je ne pourrai plus les porter ici. Je me suis aussi occupée des tiennes.

Alors qu'ils arrivaient dans la chambre, Peter fut pris d'une envie irrésistible de lui faire l'amour. Alana était tellement belle ! Mais elle le regardait bizarrement, maintenant ses distances. Il avait l'impression d'avoir une autre personne devant lui.

— Il y a un problème ? s'enquit-il.

Après un long silence, elle prononça d'une voix à peine audible des mots qu'il n'aurait jamais pensé entendre de sa bouche :

— Je veux divorcer.

Ses yeux lui demandaient pardon, mais son expression était déterminée. Peter crut que son cœur s'arrêtait de battre.

— Tu es sérieuse ? Pourquoi ?

— Je ne sais pas vraiment, répondit-elle, le regard embué de larmes. J'ai l'impression que notre mariage n'a plus aucun sens. Tout est fini, ton boulot, notre vie à New York, nous. On ne peut pas revenir en arrière. Je n'ai plus envie de vivre là-bas, tu n'as pas envie de vivre ici... Il s'est passé trop de choses. On s'est éloignés l'un de l'autre.

Peter se laissa tomber dans un fauteuil, muet de stupeur. Il avait la nausée et la tête qui tournait. Et dire qu'il commençait à envisager de s'installer à Los Angeles !

— Il y a quelqu'un d'autre ? lâcha-t-il.

En fait, il n'avait pas envie de le savoir – la question s'était échappée toute seule de ses lèvres. Mais il ne voyait pas d'autre explication possible.

— Non, dit-elle après une hésitation qui n'échappa pas à Peter. J'aimerais juste être libre de vivre ma vie comme je l'entends. Je crois qu'on a tous les deux besoin de tourner la page.

— Comme ça ? Simplement parce que j'ai perdu de l'argent ? Quand le marché se sera stabilisé, je récupérerai tout. Je l'ai déjà fait avant.

— Ce n'est pas à cause de l'argent, répliqua-t-elle sans grande conviction. On n'a pas les mêmes attentes. Tu détestes la vie que je mène ici, tu l'as dit toi-même.

— C'est sûr que je n'ai pas envie de passer le restant de mes jours à Los Angeles, mais je veux bien m'y installer pour un an ou deux. Je pourrais trouver un job. Et je parle d'un vrai boulot, pas de faire semblant de travailler pour ton père. Les banques d'investissement, il y en a aussi dans le coin. Merde, on a deux enfants, on s'aime, tu ne peux pas tout foutre en l'air en un claquement de doigts !

C'était pourtant ce qu'elle faisait. Alana était déjà à des milliers de kilomètres de lui. Peter s'en était rendu compte chaque fois qu'il l'avait eue au téléphone, mais il avait espéré que la situation s'arrangerait lorsqu'ils seraient de nouveau réunis. Il s'était bien trompé... Et soudain, une pensée lui glaça le sang :

— Les garçons sont au courant ?

Elle fit non de la tête, gênée.

— Ryan a l'air malheureux, insista-t-il.

— J'ai parlé de notre divorce avec mon père, peut-être que Ryan a entendu des bribes de conversation. Mais je ne pense pas.

— Moi, je suis sûr qu'il se doute de quelque chose.

— De toute façon, il faudra bien qu'ils le sachent un jour. Alors autant que ce soit maintenant, rétorqua

Alana. Je suis allée voir un avocat la semaine dernière. C'est assez simple, si on règle ça à l'amiable.

Elle allait vite… Et elle lui en demandait beaucoup. L'espace d'un instant, Peter sentit une colère familière sourdre en lui ; il l'étouffa aussitôt. Cette époque était révolue. Il n'était plus un gamin effrayé et enragé, mais un homme dont la femme voulait divorcer. La même chose était arrivée à un million d'autres types avant lui, peut-être plus. Simplement, il n'avait jamais imaginé que cela tomberait sur lui. Leur vie avait été tellement parfaite, tellement stable ! Plus rien ne l'était à présent. Peter avait le sentiment d'assister à la destruction de son existence tout entière…

— Au moins, ce sera simple sur le plan financier, observa-t-il cyniquement. Il ne reste plus grand-chose. Tu comptes habiter chez ton père, ou tu veux trouver une maison ?

Si elle avait l'intention de déménager, il n'aurait plus rien pour vivre…

— Je veux rester ici, répondit-elle, mais il me faudra quand même de l'argent pour moi et pour les enfants.

Elle avait pensé à tout – elle en avait même déjà discuté avec son avocat, c'était évident. Et Peter était mis devant le fait accompli. Une fois de plus, il se faisait virer. Une fois de plus, un profond sentiment d'échec le submergeait.

— Tu ne veux pas qu'on en discute ensemble ? Qu'on tente une thérapie de couple, peut-être ? On pourrait se donner une seconde chance.

Peter n'avait rien fait de mal, hormis perdre de l'argent. Jusque-là, il avait été un mari exemplaire.

Pour toute réponse, elle secoua la tête : sa décision était prise, cela se lisait clairement dans son attitude.

De nouveau, Peter se demanda si elle n'avait pas un autre homme dans sa vie.

— Quand veux-tu l'annoncer aux garçons ? s'enquit-il.

— Je ne sais pas… Avant que tu retournes à New York, peut-être ? Profite un peu d'eux pendant quelques jours. De toute façon, on part à Aspen dans une semaine. J'imagine que tu n'auras plus rien à faire ici.

Elle eut un instant de panique.

— Sauf si tu comptais rester ?

— Je n'y ai pas réfléchi. J'avais imaginé m'installer ici un moment, avec toi et les garçons, mais à quoi bon maintenant ? Je n'ai rien à faire à Los Angeles, et encore moins si on se sépare. Je n'ai pas envie de tourner en rond dans un appartement en attendant de voir Ben et Ryan cinq minutes par-ci, par-là. Je préfère les faire venir à New York de temps en temps.

Alana acquiesça. Ce n'était visiblement pas elle qui allait le retenir.

Pendant le dîner, Peter s'efforça d'animer la conversation en dépit de son cœur brisé. Alana et lui ne s'adressèrent pas la parole. Comme leurs fils risquaient de se poser des questions s'ils faisaient chambre à part, ils furent contraints de dormir ensemble. Allongé à côté de sa femme, Peter ne s'était jamais senti aussi seul. Ils éteignirent les lumières sans avoir échangé un mot, et il mit une éternité à s'endormir.

Le lendemain matin, à six heures, Peter croisa son beau-père dans la salle de sport de la propriété. Gary le salua avec un sourire amical.

— Je suis désolé, Peter, lança-t-il sans préambule en montant sur le tapis de course. Mais je crois que c'est mieux comme ça.

— Mieux pour qui ? répliqua Peter. Ça ne va pas être facile pour les garçons. Et pour moi non plus.

— Tu t'en remettras. Tu es intelligent, je ne me fais pas de souci pour toi. Par contre, tu risques d'en baver avant de remonter la pente, et ce serait trop dur pour Alana de rester avec toi.

— Que faites-vous de l'engagement passé entre deux époux ? Vous savez… « Pour le meilleur et pour le pire », observa Peter avec amertume.

— Ça ne vaut que sur le papier, ça. Ma fille a déjà assez souffert en perdant sa mère à quinze ans. Je ne veux plus qu'elle souffre. Elle mérite une vie facile.

— Mais la vie n'est pas toujours facile, rétorqua Peter. C'est pour ça qu'il y a l'amour.

— Tu verras, tu seras pareil avec tes enfants. Il va peut-être te falloir des années avant de te remettre en selle ! Ce serait différent si tu étais prêt à te laisser entretenir, mais ce n'est pas ton genre. Tu deviendrais fou, à te tourner les pouces toute la journée dans un bureau. Et pour ça, je te respecte.

— Pas assez pour encourager votre fille à rester avec moi, apparemment.

— Elle sera plus heureuse ici, et tes garçons aussi. Tu pourras venir les voir quand tu voudras. Tu seras toujours le bienvenu à la maison.

Gary augmenta la vitesse et l'inclinaison du tapis de course. Il était en pleine forme pour un homme de son âge.

— Ce ne sera pas pareil, répondit tristement Peter. J'ai envie de vivre *avec* mes enfants, pas à l'autre bout du continent.

— Les choses ne se passent pas toujours comme on le voudrait. J'étais très heureux avec ma femme, mais je l'ai perdue alors qu'elle n'avait que trente-neuf ans

– un an de plus qu'Alana aujourd'hui. Ça non plus, ce n'est pas juste.

Que répondre à cela ? Peter avait été fou de penser qu'il pourrait s'immiscer dans le couple sacré que formaient Alana et son père. Il venait d'être éjecté de leur petit club. Ou peut-être n'en avait-il jamais fait partie... En tout cas, il était à présent considéré comme un étranger.

Quelques minutes plus tard, Peter quitta la salle de sport et retourna dans sa chambre. Alana était déjà partie, et les enfants avaient filé à l'école. Une longue journée de désœuvrement l'attendait.

Ce fut une semaine éprouvante. Deux jours avant le départ de Peter, ils annoncèrent à leurs fils qu'ils divorçaient. À entendre Alana, on aurait pu croire que la décision avait été prise en commun, mais Peter ne voulut pas la contredire devant Ben et Ryan. Il leur expliqua qu'il devait rester à New York pour trouver un travail et qu'ils pourraient venir le voir autant de fois qu'ils le voudraient. De son côté, il leur promit de leur rendre visite à Los Angeles une fois par mois, ou au moins toutes les six semaines. Ryan prit la nouvelle bien plus mal que son frère. Il pleura toutes les larmes de son corps.

Lorsque les garçons partirent à Aspen avec leur mère et leur grand-père, Peter ravala des sanglots. Il avait l'impression qu'on lui arrachait le cœur. Dans le taxi qui le conduisait à l'aéroport, les larmes ruisselaient sur ses joues. Il se sentait aussi triste que s'il avait perdu quelqu'un. À New York, il retrouva sa chambre dans la résidence hôtelière. Il n'avait nulle part où aller. Qu'allait-il faire de sa vie ?

Le lendemain matin, il reçut un coup de téléphone de l'agent immobilier de West Brookfield. Celui-ci lui annonçait un prix de vente très bas. Il fallait être réaliste, expliqua-t-il : la maison n'avait pas été habitée depuis des années ni rénovée depuis cinquante ans. Alors qu'il l'écoutait, Peter eut une révélation. Cette maison était l'unique propriété qu'il lui restait, celle des Hamptons ayant été mise en location. Non seulement elle était disponible, mais Peter n'aurait rien à payer pour y vivre – ce qui constituait une qualité certaine, même si c'était la seule. Pourquoi ne pas y effectuer quelques travaux lui-même ? Après tout, il n'avait rien d'autre à faire. Et il pourrait toujours la vendre lorsqu'il aurait une raison de retourner à New York.

— Laissez tomber, dit-il sèchement à l'agent immobilier.

L'homme marqua un silence surpris.

— Le prix vous semble trop bas ?

— Je ne veux plus la vendre, c'est tout, répondit Peter. Je crois que je vais m'y installer pendant quelque temps.

— Tout de suite ? s'étrangla l'agent. Mais il fait un froid de canard à cette période de l'année ! Un vent glacial souffle du lac en permanence.

— C'est bientôt le printemps, répondit Peter.

Le mois de mars pointait le bout de son nez. Il se souvenait d'y avoir séjourné plus d'une fois à cette saison avec son frère et son père. Ryan et Ben pourraient même le rejoindre pour quelques jours, et ils s'amuseraient peut-être autant que Michael et lui à l'époque, entre la pêche, la voile et le ski nautique. Cela leur ferait découvrir quelque chose de nouveau, de différent. Une vie simple et saine à la campagne. L'idée lui plaisait.

— Je la mettrai probablement sur le marché à l'automne, dit-il pour rassurer son interlocuteur. En attendant, je vais faire un peu de ménage.

— Très bien. Prévenez-moi quand vous serez décidé.

L'agent était déçu. Malgré la vétusté de la maison, sa situation en bord de lac en faisait un bien rare et intéressant.

— Je n'y manquerai pas, lui promit Peter avant de raccrocher.

Il contacta ensuite quelques employeurs potentiels, mais n'essuya que des refus. L'après-midi même, il prenait la route de Ware. Ses enfants avaient beau lui manquer cruellement, Peter se sentait mieux, pour la première fois depuis longtemps. En retournant dans cette maison de son enfance, allait-il retrouver une partie de lui-même ? Allait-il faire la paix avec son passé ? Cela valait la peine d'essayer.

6

Peter employa sa première semaine au lac à jeter tout ce qui était trop vieux, trop usé, ou cassé : oreillers, draps, serviettes, casseroles, ustensiles... Bientôt, une montagne d'objets s'éleva dans le jardin, à tel point qu'il allait falloir un camion pour tout transporter à la déchetterie. La deuxième semaine, il la passa à nettoyer les pièces de fond en comble, jusqu'à faire briller les fenêtres et les boiseries. La cuisine n'était plus de la première jeunesse, mais elle étincelait de propreté.

Peter tirait une grande satisfaction du travail qu'il accomplissait. Le soir, il allumait un feu dans la cheminée et se préparait un repas simple sur la vieille cuisinière de sa mère. Le vent venu du lac était bel et bien glacial, mais Peter avait assez de couvertures pour dormir au chaud.

Tous les jours, il appelait ses garçons à Aspen. Ben et Ryan avaient été stupéfaits d'apprendre qu'il n'habitait plus à New York, mais ils comprirent vite que ce nouveau projet enthousiasmait leur père. Petit à petit, ils se faisaient à l'idée que leurs parents allaient divorcer. Pour Peter, en revanche, cela paraissait toujours irréel, et son cœur se serrait quand il songeait qu'il ne vivrait plus jamais avec ses enfants. Bizarrement, il lui était moins douloureux de perdre Alana. Peut-être avait-elle raison lorsqu'elle disait qu'ils s'étaient éloignés. Sa défection lui laissait un goût amer. Elle lui apparaissait soudain sous son vrai jour, et il n'en avait que plus de facilité à la laisser partir.

Pour le moment, sa vie se limitait à des plaisirs simples, qu'il commençait à apprécier. À la mi-mars, il décida qu'il était temps de remplacer ce qu'il avait jeté ; la liste était longue. Il avait besoin d'outils pour le bricolage et de quelques meubles – un lit digne de ce nom, par exemple. Celui de son enfance lui mettait le dos en miettes, et le lit de ses parents était encore pire. Enfin, il prévoyait de faire installer une ligne Internet. Jusque-là, il s'était contenté de consulter ses mails sur son BlackBerry.

Ne trouvant pas tout ce qu'il cherchait à West Brookfield, Peter se résigna à parcourir les onze kilomètres qui le séparaient de Ware, sa ville natale, où il n'avait pas mis les pieds depuis quinze ans. Il rechignait à s'y rendre, de peur de croiser son frère. Mais la chance lui sourirait peut-être... L'agent immobilier était passé le voir au lac et avait été impressionné par le travail abattu. La maison avait déjà bien meilleure allure. Si Peter se donnait toute cette peine, ce n'était pas tant dans l'idée de la vendre que de la montrer à ses fils. Il avait envie qu'ils aiment cet endroit autant que lui à leur âge. C'était un pan de son histoire qu'il n'avait jamais partagé avec eux et qu'il voulait enfin leur faire découvrir.

Il entra dans Ware avec une certaine émotion. À la quincaillerie, un jeune employé l'aida à trouver ce dont il avait besoin et à tout transporter jusqu'à sa voiture – outils, planches, ustensiles de cuisine. Alors que Peter allait chercher son dernier chargement, un vieil homme s'avança vers lui depuis l'arrière du bâtiment. Peter le reconnut aussitôt. C'était Walter Peterson, le patron de la quincaillerie. Il n'était déjà plus tout jeune quinze ans plus tôt, mais il semblait encore vif. Il plissa les yeux.

— Je vous connais, mon garçon, n'est-ce pas ?

Coincé, Peter lui tendit la main.

— On ne s'est pas vus depuis longtemps, M. Peterson. Je suis Peter McDowell.

— Ça alors !

Walter se garda bien de lui dire qu'il ressemblait toujours beaucoup à Michael. Il savait que les deux frères s'étaient fâchés au sujet du testament de leurs parents.

— Qu'est-ce qui t'amène ici ? Tu ne vivais pas à Boston ou à New York ?

— Je fais quelques travaux dans la maison du lac.

Peter éluda volontairement la deuxième question, ne sachant pas lui-même où il habitait exactement. Pour l'heure, le lac Wickaboag était sa seule adresse.

— Il va en falloir, des travaux, commenta le vieil homme.

— Je ne vous le fais pas dire. Comment allez-vous ?

— Je tiens le coup. Je vais avoir quatre-vingt-dix ans en juin, mais j'arrive encore à gérer le magasin.

— Vous avez l'air en pleine forme, observa Peter en souriant, tandis qu'il prenait le reste de ses achats. À un de ces jours, peut-être !

Walt Peterson le regarda s'éloigner. Il trouvait regrettable que Peter ait mis autant de temps à revenir, et encore plus que lui et son frère se soient brouillés. Peter semblait s'être assagi avec l'âge. Walt se souvenait de lui comme d'un enfant turbulent et bagarreur – tout le contraire de Mike, une vraie crème. Bizarre comme ces deux-là étaient différents, songea-t-il.

Peter se rendit chez le concessionnaire automobile, où il trouva un vieux pick-up bleu équipé d'un grand plateau à l'arrière – c'était exactement ce qu'il lui fallait. Le vendeur lui fit un bon prix et lui proposa de lui livrer le camion le soir même lorsque son fils serait rentré. Il ne connaissait pas Peter, ayant racheté l'entreprise seulement trois ans plus tôt à la mort de son ancien propriétaire. Dans une petite ville comme Ware, il était rare que les commerces changent de mains.

À midi et demi, Peter était de retour au lac. Il rangea ses achats dans le garage, puis rentra se préparer à manger. Lorsque son téléphone sonna, il fut surpris de voir s'afficher le numéro d'Alana. Elle voulait savoir s'il s'était occupé de contacter un avocat. Peter eut l'impression de recevoir une douche froide.

— Je n'ai pas eu le temps, répondit-il.

Ce n'était pas tout à fait vrai. Certes, il avait été bien pris, mais il aurait pu trouver un moment pour passer un coup de fil. En vérité, il ne se sentait pas prêt. Quelle urgence y avait-il à contacter un avocat ? C'était l'idée d'Alana, pas la sienne. Et malgré sa colère et son chagrin, il espérait encore qu'elle change d'avis, même si cela semblait très mal parti.

— Qu'est-ce que tu fais au bord d'un lac ? demanda-t-elle.

— C'est la maison de campagne où j'ai passé toutes mes vacances étant petit. J'ai décidé de m'y installer provisoirement, puisque je n'ai pas de loyer à payer. J'en profite pour faire des travaux avant de la vendre à l'automne. Les garçons s'amuseront bien, ici, cet été.

Alana se souvenait d'avoir entendu parler de cette propriété – Peter venait d'en hériter au moment de leur mariage.

— Elle est où, cette maison ? s'enquit-elle.

— À deux heures de Boston. C'est un coin sympa.

Six mois plus tôt, Peter n'en aurait jamais fait une telle description.

— Il ne se passe rien à New York, alors autant que je reste ici un moment, ajouta-t-il.

— Fais comme tu veux, mais appelle un avocat.

— Je m'en occuperai la semaine prochaine.

Le lendemain, il contacta son avocat fiscaliste, qui lui communiqua le nom d'un confrère spécialiste des divorces. Il était bien désolé d'apprendre que Peter en avait besoin.

— Et moi donc, répondit ce dernier en soupirant. La décision ne vient pas de moi.

— Beaucoup de mariages sont tombés à l'eau à cause de la crise, commenta le juriste avec philosophie.

— J'ai bien peur que ça montre sur quoi ils étaient basés. Ma femme est repartie à Los Angeles dès qu'elle a pu.

Le jour suivant, Peter réussit à joindre son futur avocat, qui nota toutes les informations nécessaires et lui promit de le tenir informé si la partie adverse le contactait. Peter transmit ses coordonnées à Alana, puis il se remit au travail.

Au même moment, cependant, Walt Peterson se blessait en descendant l'escalier qui séparait son appartement du magasin. Son employé insista pour l'emmener en voiture chez le Dr McDowell. Après examen, Michael conclut à une simple entorse.

— Vous avez eu de la chance, sur ce coup-là, dit-il tandis qu'il lui bandait la cheville. Comment est-ce arrivé ?

— Le progrès, c'est dangereux ! répondit le vieil homme. Ça fait cinquante ans que je me balade avec deux paires de lunettes autour du cou, une pour voir de loin et l'autre pour lire. Mais le docteur des yeux m'a poussé à acheter ces fameux verres progressifs, avec lesquels je ne vois absolument rien. Quand je les mets, j'ai la tête qui tourne, et le sol est tout flou sous mes pieds. C'est comme ça que j'ai raté une marche dans l'escalier. Je vais les jeter, ces lunettes ! s'exclama-t-il, furieux.

Michael ne put s'empêcher de sourire.

— C'est vrai qu'il faut du temps pour s'y habituer.

Il lui conseilla de reposer sa cheville pendant quelques jours, tout en sachant pertinemment qu'il n'en ferait rien. Le vieil homme serait de retour dans son magasin l'après-midi même… et au café le soir, comme tous les jours depuis la mort de sa femme.

Michael remarqua que M. Peterson le regardait fixement, comme s'il hésitait à lui confier un problème. Même ses patients les plus âgés se montraient parfois timides.

— Autre chose ? l'encouragea-t-il.

— Il y a deux jours, j'ai eu un client que tu as bien connu, commença Walt prudemment.

— Qui donc ?

— Peter.

— Quel Peter ?

— Ton frère. Il a acheté plein de choses au magasin. Apparemment, il fait des travaux dans la maison du lac. Il veut peut-être la vendre ?

— Voilà qui est intéressant, commenta froidement Michael.

La présence de son frère l'ennuyait, mais il ne voulait pas alimenter le moulin à ragots. C'était une petite ville, les gens adoraient cancaner. Et ils s'en étaient déjà donné à cœur joie à propos du testament injuste de ses parents.

— Le retour du fils prodigue, se contenta-t-il de commenter.

Walt devina que la nouvelle ne lui faisait pas plaisir. Peut-être aurait-il mieux fait de se taire ? Il n'aimait pas contrarier le Dr Mike. C'était un bon médecin, et quelqu'un de bien.

— Je suis sûr qu'il ne restera pas longtemps, affirma-t-il.

— Espérons-le. Cette ville n'est pas assez grande pour nous deux. Elle ne l'a jamais été.

Michael aida le vieil homme à se lever, puis lui tendit une paire de béquilles.

— Essayez de ménager ce pied. Et redoublez de prudence le temps de vous habituer à vos lunettes.

Il n'ajouta pas un mot au sujet de son frère. Walt Peterson comprit le message.

— Merci, docteur, dit-il, avant de repartir en claudiquant, appuyé sur le bras de son employé.

Tandis que Michael accueillait le patient suivant, il décida d'oublier cette désagréable nouvelle. Pour lui, son frère jumeau était mort depuis quinze ans. Après tout le mal que Peter lui avait fait, il n'avait aucune intention de le revoir.

7

Une semaine plus tard, l'avocat d'Alana contacta celui de Peter, qui appela ensuite son client pour lui résumer les demandes de la jeune femme. Pour la pension alimentaire, Alana acceptait d'attendre qu'il ait retrouvé un travail, mais elle comptait tout de même sur lui pour subvenir aux besoins de leurs enfants. Cela ne posait aucun problème à Peter, qui avait bien l'intention de s'acquitter de son devoir de père. Il suggéra un montant à son avocat, que ce dernier jugea raisonnable. Alana souhaitait en revanche que son mari lui rembourse – avec des intérêts – les mois de pension non payés dès lors qu'il ne serait plus au chômage. Voilà qui semblait bien cupide, de la part d'une femme qui se faisait entretenir royalement par son père... En outre, elle avait encore une autre requête, lui annonça l'avocat.

— Elle voudrait récupérer la maison de Southampton.

Peter siffla entre ses dents. C'était le dernier bien de valeur qu'il eût encore en sa possession. Par ailleurs, il ne restait presque plus rien de ce qu'il avait touché en vendant l'appartement de New York, et Alana exigeait quand même la moitié de cette somme. Nul doute qu'elle se faisait conseiller par son père. La propriété de Southampton était susceptible de rapporter gros, pour peu qu'elle attende la fin de la crise. C'était bien calculé… Mais comment Peter allait-il survivre sans l'argent qu'il percevait chaque mois des locataires ?

— Cette maison est à peu près tout ce qui me reste. On ne pourrait pas partager le produit de la vente ?

— Votre femme dit qu'elle veut y séjourner avec les enfants.

— Ça ne nous empêche pas de partager, le jour où elle décide de s'en séparer.

— Je vais voir ce que je peux faire.

L'avocat gérait plusieurs divorces comme le leur, notamment ceux d'anciens clients de Bernie Madoff qui se retrouvaient à présent sans le sou. En mars, Madoff avait plaidé coupable pour toutes les charges de fraude à l'investissement qui pesaient contre lui. Son jugement serait rendu en juin.

Le lendemain, l'avocat rappela Peter :

— C'est non, annonça-t-il sans ménagement. Votre épouse veut la maison pour elle seule. Son avocat et elle semblent très arrêtés sur la question, mais on peut toujours essayer de défendre notre cause au tribunal. Vu que c'est le dernier bien qui vous reste, le juge est susceptible de vous en laisser la moitié.

Peter réfléchit longuement ; il songea à ses enfants, à toutes les années qu'il avait passées avec Alana. Il avait beau lui en vouloir d'être partie, il l'aimait encore. Et il culpabilisait de lui avoir fait vivre des moments difficiles lorsqu'il avait tout perdu dans le krach boursier. Pourtant, il n'y était pour rien ; sans cette crise financière, leur couple aurait probablement tenu, ce qui ne plaidait guère en faveur de la jeune femme. Alana était une enfant gâtée, elle ne voulait être là que pour le meilleur, quand tout allait bien… Peter n'avait toutefois pas envie de se battre. Il savait que le père d'Alana ferait tout pour que sa fille obtienne ce qu'elle désirait.

— Qu'elle garde la maison, déclara-t-il tranquillement à son avocat.

C'était comme s'il vidait ses poches pour réparer ses torts. Après cela, il n'aurait plus rien, à part cette maison au bord du lac Wickaboag. Et celle-ci avait trop peu de valeur pour qu'Alana se donne la peine de la récupérer.

— Vous êtes sûr ? s'enquit l'avocat. Pourquoi ne pas y réfléchir pendant quelques jours ? Il n'y a rien qui presse. Une fois que cette question aura été réglée, il faudra seulement six mois pour que le jugement soit prononcé.

— Oui, je suis sûr. Je la lui laisse.

Peter voulait en finir. Si Alana ne s'intéressait qu'à la maison et aux intérêts qu'elle pouvait toucher sur la pension alimentaire, alors il s'agissait uniquement d'une transaction financière, et non plus d'un mariage. Autant tourner la page. Quinze ans partaient en fumée, comme le reste… Peter avait échoué à tous les niveaux. Mais il pouvait faire preuve de grandeur et d'élégance une dernière fois en cédant aux exigences de son épouse.

— Voulez-vous ajouter une restriction obligeant votre femme à garder la maison pour vos enfants ?

— Non.

Gary ferait le nécessaire dans son testament pour que Ben et Ryan ne manquent de rien – Peter ne s'inquiétait pas pour eux. Sans compter qu'un jour il retrouverait lui aussi une bonne situation. Peut-être pas aussi avantageuse qu'avant, mais qui sait ? Il avait encore de nombreuses années devant lui pour gagner beaucoup d'argent, si tel était son souhait.

— C'est réglé, alors, conclut l'avocat. Je vous enverrai les papiers à signer.

— Merci.

Quand Peter raccrocha, il éprouva soudain une sensation étrange. Il était libre. Sans entraves. Alors qu'il sortait réparer les marches du perron qui avaient pris du jeu, il songea à la simplicité qui caractérisait désormais son existence. Pour l'instant, il s'en contentait très bien. Il y avait quelque chose de symbolique dans ce retour aux sources. Quelque chose de zen. C'était un virage à 180 degrés par rapport à son ancienne vie, par rapport à sa passion pour l'argent qui avait duré vingt et un ans. Aujourd'hui, il renonçait à tout ce qu'il possédait.

Deux heures plus tard, il reçut un message d'Alana, qui tenait en un mot : « Merci ». Peter savait ce que cela voulait dire. La maison des Hamptons comptait davantage à ses yeux que leur mariage – ou que lui. Ils n'avaient plus en commun que leurs enfants, tout le reste était oublié. Cela l'attristait de découvrir que sa femme l'avait épousé uniquement pour son argent. Pour elle comme pour son père, le succès passait avant tout. Or, Peter avait échoué. Il était tombé du manège, et Alana continuait de tourner sans lui. Il vivait à présent dans un monde parallèle dont elle ne voulait pas entendre parler. Nul doute qu'elle aurait fait une crise cardiaque en voyant la maison du lac… Ici, il n'y avait rien de luxueux. Et pourtant les lieux s'amélioraient de jour en jour grâce aux efforts de Peter. Il était fier du travail accompli. Fier et satisfait.

Le lendemain, il se rendit à Ware pour racheter des produits d'entretien. Alors qu'il garait son pick-up sur le parking du supermarché, il remarqua une femme qui attendait dans la voiture voisine. Son visage lui était familier… Elle avait vieilli et semblait plus fragile qu'autrefois, mais lorsqu'elle lui sourit, Peter n'eut plus le moindre doute : c'était Maggie ! Elle s'autorisait parfois – trop rarement à son goût – une petite sortie en voiture avec Lisa quand celle-ci allait faire des courses.

— Peter, c'est bien toi ? s'exclama-t-elle, à la fois étonnée et ravie.

— Oui, à moins que je ne sois qu'une apparition !

Il descendit du camion en riant et passa la tête par la vitre ouverte pour l'embrasser. Maggie était terriblement frêle. Sa main qui reposait sur la portière paraissait transparente tant elle était fine. Peter nota qu'elle tremblait.

— Comment vas-tu ? s'enquit-il.

Elle haussa les épaules, un petit sourire aux lèvres.

— Bien. Michael prend soin de moi.

— Tu veux que je t'accompagne à l'intérieur ?

— Non, j'attends ma fille. Elle fait les courses.

Et tout le reste, ajouta-t-elle en pensée. Elle se sentait si coupable de ne rien faire d'autre que surfer sur Internet, mais Michael n'aimait pas la savoir dehors. C'était trop risqué, surtout depuis qu'elle souffrait de la maladie de Parkinson.

— Et toi ? demanda-t-elle joyeusement. Tu es marié ? Tu as des enfants ?

— Oui. Enfin… en quelque sorte. J'ai deux fils, Ben et Ryan, qui ont neuf et quatorze ans. Ils viennent de déménager à Los Angeles avec leur mère. Elle demande le divorce. Donc, oui, je suis marié, mais plus pour longtemps, conclut-il. Comment va ton père ?

— Il est mort il y a deux ans.

— J'en suis navré. C'était un type bien.

Maggie acquiesça tristement.

— C'est vrai. Il me manque beaucoup. Ça me fait bizarre de voir quelqu'un d'autre à la tête de la scierie alors qu'elle appartenait à ma famille depuis trois générations. Mais on a dû la vendre à la mort de mon père – ni Michael ni moi n'aurions été capables de gérer une entreprise. Les temps changent.

Peter hocha la tête en signe d'assentiment. Pour lui aussi, les temps avaient changé. De manière radicale.

À cet instant, Lisa sortit du magasin en poussant un chariot rempli de sacs de courses. Elle parut surprise de voir un grand et bel inconnu en train de parler avec sa mère, laquelle affichait un sourire radieux. La ressemblance entre cet homme et son père était frappante.

Maggie et Peter échangèrent un regard, puis elle décida de dire la vérité à sa fille. Ils n'avaient rien à cacher. Même si Michael ne parlait jamais de son frère, Peter faisait partie de la famille, et après tout Lisa avait le droit de le connaître. Maggie détestait les secrets.

— Je te présente ton oncle Peter, annonça-t-elle simplement.

Il adressa un sourire à sa nièce, qu'il n'avait pas revue depuis tout bébé. Elle était devenue une jolie jeune fille – le portrait craché de sa mère, si ce n'est qu'elle avait hérité des yeux bleus de Michael. Après l'avoir dévisagé un moment, abasourdie, elle lui rendit son sourire.

— J'ai toujours rêvé de te rencontrer, avoua-t-elle timidement. Tu ressembles beaucoup à papa.

Peter était plus grand et plus beau que Michael, mais elle se garda bien de le dire. Jamais elle n'aurait trahi son père, à ses yeux l'homme le plus séduisant, le plus intelligent, et le plus gentil au monde.

— Tu es de passage dans la région ? s'enquit Maggie.

— Je nettoie la maison du lac, expliqua Peter. Il y a du boulot.

Elle aussi y avait vécu de bons moments, étant jeune. Tous les ans, elle avait été sacrée championne de ski nautique. Et c'était là, sur le lac, que son idylle avec Peter avait commencé, au cours d'un été particulièrement chaud : il l'avait embrassée pour la première fois alors qu'ils venaient de rejoindre le ponton à la nage. Mais leur histoire n'avait duré que le temps des vacances. Peter était parti à l'université, puis Maggie avait fait de même deux ans après. Son accident avait tout changé. Peter avait été le premier surpris lorsque Michael s'était mis à fréquenter la jeune femme, pour finalement l'épouser. Cela ne l'avait pas empêché d'être heureux pour eux. Lui-même n'aurait jamais pu endosser une telle responsabilité à l'époque – ni plus tard, sans doute. En tant que médecin, Michael était le mari idéal pour Maggie.

— Tu as décidé de revenir t'installer ici ? demanda-t-elle d'un air surpris.

— J'ai subi de plein fouet la crise des marchés financiers. La banque d'investissement dans laquelle je travaillais a mis la clé sous la porte. J'ai tout perdu, mon argent, mon mariage. Du coup, j'ai décidé de faire une petite pause, et quand les choses se seront tassées, je retournerai dans la mêlée. Pour l'heure, je suis heureux ici, mis à part que mes garçons me manquent.

— Le mien aussi, avoua Maggie tristement. Bill est parti il y a deux ans pour faire une licence à Londres, et il n'est revenu nous voir que deux fois. Il jure qu'il ne remettra plus jamais les pieds à Ware. Il me fait beaucoup penser à toi, observa-t-elle.

Tandis qu'il aidait Lisa à ranger les courses dans le coffre, Peter songea qu'elle avait l'air d'une jeune fille très dégourdie et très mûre pour son âge. D'avoir une mère invalide avait dû la faire grandir plus vite.

Peter était à la fois heureux d'avoir croisé Maggie, et bouleversé de la voir à ce point fragile. Sa vie semblait ne tenir qu'à un fil. Elle était si pâle qu'on aurait pu croire qu'elle ne sortait jamais – et c'était probablement le cas. Peter avait toujours pensé que Michael la surprotégeait. À sa place, il aurait tenté d'offrir à Maggie une vie normale, mais peut-être alors n'aurait-elle pas vécu aussi longtemps... Toujours est-il qu'elle ressemblait à un fantôme ; seul son sourire était resté le même.

Il se pencha pour l'embrasser sur la joue.

— J'espère qu'on se reverra un jour, confia Lisa.

— Bien sûr qu'on se reverra ! J'ai été ravi de faire ta connaissance. Ton oncle est très fier de toi.

La jeune fille eut un petit rire gêné, puis elle s'installa au volant. Maggie agita la main tandis que la voiture s'éloignait. Peter les aurait bien invitées au lac, mais il savait que Michael en aurait fait une syncope.

Après avoir fait ses courses, il s'arrêta dans le petit restaurant du village. Depuis qu'il était rentré au pays, il rêvait de déguster un de leurs délicieux hamburgers. Cet établissement avait été – et restait encore – le lieu de prédilection des jeunes, mais pas seulement. Tout le monde à Ware s'y retrouvait à un moment ou à un autre : les ouvriers et les routiers de passage, les policiers du coin, les célibataires qui ne savaient pas cuisiner, les femmes qui en avaient marre, les familles venues s'offrir une soirée de détente. Au menu, on y proposait de bons plats faits maison – pain de viande, bœuf braisé, dinde rôtie, ragoût de mouton, le tout servi avec d'excellentes frites ou de la purée. Mais le restaurant était surtout réputé pour ses hamburgers et son poisson du vendredi.

En entrant dans la salle comble, Peter eut l'impression de faire un bond dans le passé. C'était comme s'il n'était jamais parti. En plein après-midi, la moitié du village était là. Il se glissa dans un box au fond du restaurant et commanda un hamburger-frites à la serveuse, vêtue d'un uniforme rose en nylon et d'un tablier à dentelle.

Alors qu'il savourait son sandwich, il remarqua que la femme qui tenait la caisse le dévisageait avec insistance. Soudain, elle se précipita vers lui pour le serrer dans ses bras et planter un énorme baiser sur sa joue. C'était Violet Johnson, la propriétaire du restaurant. Malgré la mauvaise réputation de Peter, Vi l'avait toujours adoré, et elle l'avait défendu chaque fois que son nom revenait dans les conversations à l'époque où il était au lycée. Peter avait été un de ses meilleurs clients, et c'était un gamin adorable. Elle ne l'avait jamais considéré comme un fauteur de troubles. Elle pensait systématiquement à lui quand son frère venait manger au snack, souvent accompagné du chef de la police locale. Elle se gardait bien d'interroger Michael à son sujet. Tout le monde savait qu'ils ne s'étaient pas adressé la parole depuis que leurs parents avaient légué presque tous leurs biens à Michael.

— Regardez ce que le vent nous amène ! s'exclama-t-elle avec un sourire radieux. Où donc étais-tu passé, mon garçon ?

La soixantaine bien sonnée, Violet était une forte femme, rousse, coiffée d'un chignon choucroute qu'elle se confectionnait elle-même tous les matins. Elle portait un uniforme rose, identique à celui de ses serveuses, qu'elle surveillait d'un regard d'aigle. Traîner, manquer de respect à un client, manger ou fumer pendant le service, ou – Dieu l'en préserve – voler dans la caisse, étaient considérés comme des crimes majeurs au restaurant.

— J'étais à New York, répondit Peter comme s'il y avait séjourné juste le temps d'un week-end, pour un bal ou un match de baseball.

— J'ai entendu ça, oui. Tu comptes rester un moment ici ?

— Peut-être.

Elle ne lui demanda pas les raisons de son retour. Walt Peterson, qui mangeait au snack tous les soirs, l'avait déjà informée de l'arrivée de Peter. Vi était au courant de tout ce qui se passait à Ware.

— Eh bien, bon retour parmi nous, mon garçon ! lança-t-elle gaiement en rejoignant sa caisse, devant laquelle la file des clients s'allongeait.

Peter avait l'impression d'avoir replongé dans sa jeunesse. Et dire que la coiffure et la couleur de cheveux de Violet n'avaient pas changé en trente ans ! En allant payer son repas, il l'embrassa bien fort une dernière fois.

Il rentra chez lui et décida de s'accorder un peu de bon temps : il allait pêcher ! Il avait retrouvé quelques vieilles cannes à pêche dans le garage. Finalement, il n'attrapa aucun poisson, mais se fit plaisir malgré tout.

Le soir, il appela ses enfants pour leur raconter sa journée. Il leur suggéra de venir à Pâques, mais leur grand-père les avait déjà invités à Hawaï, et ils se réjouissaient tous les deux à l'idée d'y aller. Peter eut le sentiment qu'il n'y avait plus de place pour lui dans leur vie. Difficile de rivaliser avec un beau-père pour qui l'argent n'était pas un problème et qui ne cessait de leur concocter des séjours de rêve. Il promit à ses fils de leur rendre visite en Californie à leur retour d'Hawaï et leur demanda de réserver un moment dans l'été pour venir au lac. Cette perspective semblait leur plaire. Peter espérait qu'ils ne s'ennuieraient pas… Au moins, le lac Wickaboag leur apporterait une expérience différente, éloignée du luxe auquel ils étaient habitués. Qui sait ? Peut-être s'y amuseraient-ils autant que son frère et lui autrefois.

Ce soir-là, Peter se coucha tôt. Il s'efforça de ne pas penser à Alana. Il avait déjà pleuré la mort de leur mariage à plusieurs reprises lors des semaines passées. Mais cela suffisait ; après tous les coups qu'elle lui avait faits, il n'y avait plus rien à regretter. L'image de Maggie lui revint alors à l'esprit – son visage lumineux tourné vers lui, cette impression troublante d'une femme qui avait déjà glissé dans un autre monde. Malgré sa pâleur, Peter n'avait eu qu'à la voir sourire pour reconnaître la jeune fille qu'il avait fréquentée des années auparavant. Il avait été heureux également de rencontrer Lisa, si jeune, si pleine de vie. C'était sans doute une idée folle, vu l'état de ses relations avec Michael, mais il aurait aimé présenter ces deux femmes à ses fils. Peut-être se recroiseraient-ils un jour… Peter l'espérait. Il se sentait tellement isolé ! Maggie était la seule amie qu'il avait gardée de son enfance – et, après tout, elle faisait partie de la famille.

Quand Michael rentra du travail, Maggie ne lui parla pas tout de suite de sa rencontre avec son frère jumeau. Elle avait effectué des recherches sur Internet et en avait appris un peu plus sur le fiasco de Whitman Broadbank. Pauvre Peter… Elle le plaignait.

Cela lui avait fait un immense plaisir de le revoir, lui qui incarnait une période heureuse de sa jeunesse. Elle ne voulait rien cacher à Michael ; seulement, elle craignait qu'il ne se sente trahi. Les deux frères se détestaient tant ! Elle préféra donc taire la nouvelle, et Lisa en fit autant de son côté.

Maggie aborda le sujet le lendemain matin, lorsque son mari lui prit sa tension comme il le faisait toujours avant de partir travailler. Verdict : celle-ci était trop basse, il préférait qu'elle garde le lit toute la journée. Une chance qu'il ne lui ait pas donné cette instruction la veille, songea Maggie, sinon elle aurait raté Peter.

— On a croisé quelqu'un, hier, annonça-t-elle avec désinvolture tandis qu'il lui retirait le brassard.

— Où ça ?

Michael était surpris. Sa femme n'allait jamais nulle part.

— Lisa m'a emmenée faire les courses avec elle. Je suis restée dans la voiture, mais ça m'a fait du bien de sortir. On a vu Peter sur le parking du supermarché.

Le regard de Michael s'assombrit.

— Il t'a parlé ? s'enquit-il.

— Oui, nous avons bavardé quelques minutes. Il m'a dit qu'il faisait du ménage dans la maison du lac.

— Et Lisa, elle l'a vu ?

— Juste un instant, quand elle est sortie du magasin.

Maggie s'efforçait de répondre d'un ton léger, mais Michael semblait aussi abattu que s'il avait reçu une bombe sur la tête. Il s'assit au bord du lit.

— Ça m'embête de dire ça, Maggie, mais il y a des gens mauvais, sur cette terre. Des gens qui passent leur temps à faire du mal aux autres et à semer le chaos autour d'eux. Peter en fait partie. Il a déçu mes parents.

Pendant toute son enfance, il a menti, triché, tapé. Ce n'est vraiment pas un type bien. Je sais que vous étiez amis quand vous étiez jeunes, mais ça me rend malade de l'imaginer près de toi ou de Lisa. Si tu le revois, ne lui parle pas. Je ne lui fais pas confiance, il serait capable de s'en prendre à vous pour se venger de moi. Il me déteste parce que nos parents m'ont tout laissé, mais il les a abandonnés ! Dès lors qu'il a commencé à gagner de l'argent à New York, on n'a plus eu de ses nouvelles. Maintenant, je voudrais juste l'oublier.

Maggie savait qu'il y avait du vrai dans ce que Michael reprochait à son frère. Mais elle connaissait aussi Peter sous un autre jour que celui que Michael lui présentait. Avec elle, il avait toujours été charmant ; c'était quelqu'un d'adorable.

— J'aimerais tellement que vous trouviez un moyen de vous réconcilier, dit-elle. Ce n'est pas normal que deux frères passent leur vie à se détester.

— Je ne peux pas me réconcilier avec un homme comme lui. De toute façon, il ne voudrait pas. Il est tout juste bon à se battre et à faire de la peine aux gens qui l'aiment. Il a failli briser le cœur de ma mère. Il n'est pratiquement pas venu la voir quand elle était mourante ! Ça, je ne pourrai pas lui pardonner.

— Tu te montrerais plus intelligent que lui en mettant fin à cette guerre entre vous, répliqua Maggie d'une voix douce. Vous avez quarante-six ans tous les deux, il serait peut-être temps de vous pardonner l'un l'autre. Peter m'a dit qu'il était en train de divorcer et que ses enfants vivaient en Californie. Ça ne doit pas aller fort, financièrement, s'il est obligé d'habiter dans la maison du lac.

— Il a dû tout perdre dans le krach boursier, sinon il ne serait jamais revenu ici. Il déteste cette région.

— Peut-être. Mais ce serait dommage de ruminer éternellement toute cette colère et cette souffrance, remarqua-t-elle avec sagesse. C'est trop lourd à supporter, pour vous deux.

Michael se leva en acquiesçant. Le travail l'attendait. Il observa Maggie de cet air inquiet qu'elle connaissait si bien.

— Tu n'es plus amoureuse de lui, quand même ?

Elle éclata de rire – un rire de jeune fille.

— Je n'ai jamais été amoureuse de lui ! J'avais quinze ans, c'était un simple flirt. À l'époque, tu n'en avais rien à faire de moi : tu partais préparer le concours de médecine. Avec Peter, on est vite redevenus de simples amis.

— Et maintenant ?

— Je t'aime. Mais ça ne m'empêche pas de penser que tu devrais faire la paix avec ton frère avant qu'il ne soit trop tard. J'espère que vous trouverez une solution pour oublier vos rancœurs. Ce serait le bon moment, maintenant qu'il est revenu.

— J'y réfléchirai.

Michael l'embrassa et partit faire sa tournée à domicile. Maggie se demandait si elle avait réussi à le convaincre. C'était difficile de deviner le fond de sa pensée… Blottie dans son lit, elle attrapa l'ordinateur, curieuse de voir si son amie était déjà connectée à leur forum favori.

8

Quelques jours plus tard, tandis que Peter abattait un arbre derrière la maison du lac, Michael rendait visite à une patiente âgée. À quatre-vingt-douze ans, Mabel Mack n'avait ni mari, ni enfants, ni famille. Michael était la seule âme charitable dans sa vie, en plus de ses deux voisines presque aussi vieilles qu'elle et également patientes du bon docteur. Il s'efforçait d'aller la voir quotidiennement et prenait le temps à chaque fois d'écouter ses complaintes. Comme elle s'était fracturé le col du fémur deux mois plus tôt, Mabel se déplaçait avec un déambulateur, mais il craignait qu'elle ne tombe à nouveau en se levant la nuit – elle refusait obstinément l'aide d'une infirmière à domicile.

Michael resta patiemment assis pendant qu'elle lui servait du thé et lui racontait sa récente dispute avec une de ses voisines, au sujet d'un feuilleton à l'eau de rose qu'elles regardaient ensemble tous les jours. Une bonne demi-heure s'était écoulée quand il lui rappela gentiment qu'il avait d'autres visites après elle. La vieille dame eut un sourire contrit. Elle adorait Michael. Pour elle, c'était un gamin, elle l'avait vu grandir. Avant de prendre sa retraite trente ans plus tôt, Mabel avait été la bibliothécaire du village.

— Vous direz à votre joli brin de femme que je prie pour elle, dit-elle en le raccompagnant à la porte. Comment va Lisa ? Elle veut toujours devenir docteur ?

— À l'entendre, oui, mais on n'en est pas là. Elle n'est qu'au lycée ! En tout cas, elle s'occupe merveilleusement bien de sa mère, précisa Michael avec fierté.

Mabel lui demanda également si son fils allait bientôt rentrer de Londres, à quoi il répondit que ce n'était pas prévu pour l'instant. La vieille dame lui tapota le bras de sa main crochue. Elle était en bonne forme, pour son âge. Michael la salua et monta dans sa voiture.

Un message sur son téléphone l'informa que sa patiente suivante allait mieux et qu'elle avait annulé son rendez-vous au cabinet. Michael mit le moteur en marche, puis baissa la tête. Se pouvait-il que Maggie ait raison ? Ses paroles le hantaient depuis leur dernière conversation. Peut-être devrait-il aller voir son frère, même s'il n'en avait ni le temps ni l'envie... Quand il releva les yeux, sa décision était prise : il enfonça la pédale d'accélérateur et roula sans s'arrêter en direction de West Brookfield. Moins d'une demi-heure plus tard, il arrivait devant cette maison dont, comme Peter, il gardait tant de bons souvenirs.

Il tourna dans l'allée et découvrit son frère en train d'abattre un petit arbre à coups de hache. Il le reconnut aussitôt, même de dos. Peter, qui écoutait de la musique sur son iPod, n'entendit pas la voiture approcher. Michael descendit du véhicule et s'avança vers lui d'un pas hésitant. Il ne se trouvait plus qu'à un mètre lorsque Peter s'aperçut de sa présence et ouvrit de grands yeux étonnés. Tandis que l'arbre finissait de tomber, les deux frères s'observèrent en silence dans le crépuscule naissant. Peter retira ses écouteurs et fronça les sourcils, aussitôt sur ses gardes. Il ignorait pourquoi Michael était venu. Peut-être pour lui demander de partir… Ou de ne plus jamais adresser la parole à sa femme et à sa fille.

En cette soirée d'avril encore fraîche, Michael portait un lourd manteau par-dessus sa chemise, sa cravate et son pantalon en velours côtelé. Il paraissait plus petit et plus épais que dans le souvenir de Peter. Pendant un long moment, ni l'un ni l'autre ne prononça un mot, et le poids des années s'accumula entre eux. Peter sentait la haine et le dégoût monter en lui comme la lave d'un volcan. Mais en regardant son frère dans les yeux, il crut voir une lueur nouvelle. Michael s'était-il adouci sous l'influence de la paternité, ou à force de prendre soin de sa femme malade ? Avait-il cessé d'être le monstre qui l'avait fait souffrir pendant toute son enfance ? Après tout, la vie n'était pas toujours facile, et elle avait l'art d'arrondir les angles et de lisser les aspérités.

Michael prit la parole le premier :

— Je passais juste dire bonjour.

C'était encore plus dur qu'il ne l'avait craint. Il n'arrivait pas à déchiffrer le regard de Peter. Était-ce de la haine ou de l'espoir, ce qu'il voyait là ? Son frère avait toujours eu l'air féroce quand il fronçait les sourcils ou qu'il s'apprêtait à décocher un coup de poing. Il se contenta cependant de s'essuyer le front avec la manche de sa chemise, tandis qu'un sourire se dessinait lentement sur ses lèvres.

— C'est gentil de ta part, dit-il, sincère.

Lui-même n'en aurait pas fait autant. Depuis son retour dans la région deux mois plus tôt, il n'avait pas cherché à reprendre contact avec son frère.

— C'était une idée de Maggie, avoua ce dernier.

Voilà qui était nouveau... Par le passé, Michael avait tendance à s'attribuer les bonnes actions des autres, en particulier celles de Peter. Cette fois-ci, il laissait à sa femme tout le mérite du geste qu'il venait d'accomplir, faisant montre d'une modestie et d'une humilité que Peter ne lui connaissait pas. Se pourrait-il qu'il ait changé ?

— Comment va-t-elle ? s'enquit Peter. J'ai été content de la croiser l'autre jour, mais j'ai eu du mal à me faire une idée de son état, vu qu'elle est restée assise dans la voiture.

— Elle ne sort pas beaucoup, reconnut Michael. Elle est trop faible pour s'exposer aux risques d'infection, et ces deux dernières années ont été particulièrement difficiles pour elle. D'abord la mort de son père, puis la vente de la scierie... Et pour couronner le tout, on lui a diagnostiqué un Parkinson juste après. Maggie en est encore aux premiers stades de la maladie, mais l'évolution est inéluctable. Elle était déjà tellement fragile avant ça...

L'amour et l'angoisse se mêlaient dans le regard de Michael. Peter les plaignait sincèrement, tous les deux.

— Tu as été formidable avec elle, dit-il à son frère. La preuve, elle est toujours en vie. Tu veux entrer boire un café ?

Il avait acheté une bouteille de Johnny Walker, mais il ne voulait pas passer pour un ivrogne en proposant d'emblée de l'alcool. D'un autre côté, un petit verre les aurait sûrement aidés à se détendre...

— Non, merci, j'ai encore des patients à voir, répondit Michael. Je ne faisais que passer. Mais je retiens ton invitation pour une autre fois. Ça fait des années que je n'ai pas mis les pieds dans cette maison.

Plus précisément, il n'y était pas retourné depuis la mort de leurs parents...

— Comment tu t'en es sorti, dans le krach de Wall Street ? reprit-il. J'ai vu que Broadbank avait fait faillite.

De toute évidence, Peter était au chômage – un point noir dans une glorieuse carrière, d'après ce que Michael connaissait de son parcours professionnel. Car, malgré ses débuts difficiles, Peter avait brillamment réussi. Et il se retrouvait aujourd'hui tout en bas de l'échelle. Les caprices du destin.

— Je suis ruiné, reconnut-il. Retour à la case départ. C'est pour ça que je suis venu vivre ici un moment.

— Tu remonteras la pente, lui assura gentiment Michael. Mais j'imagine que ce n'est pas facile pour toi, en ce moment.

Peter fut touché. Décidément, il ne reconnaissait pas son frère...

— Oui, c'est dur, pour tout le monde. Mes enfants sont partis vivre à Los Angeles avec leur mère et leur grand-père. J'aimerais qu'ils viennent au lac cet été, qu'ils vivent les mêmes aventures que nous quand on était gosses.

— Tu veux dire s'engueuler et se taper dessus ? suggéra Michael avec humour.

Peter se mit à rire.

— Entre autres. Mais aussi pêcher, faire du ski nautique.

— Ça ne doit pas être évident de vivre loin d'eux.

— Oui, ils me manquent énormément. Je suis en plein divorce. C'est la fin d'une époque... Ou un nouveau départ. Finalement, ça ne me déplaît pas d'être à la campagne. La vie est simple, ici.

Michael voulait bien le croire : il suffisait de voir sa chemise de bûcheron, ses grosses chaussures et son jean taché. Peter travaillait de ses mains et ne dépensait presque rien, à part pour se nourrir.

— Ça te dirait de venir dîner à la maison, demain soir ? proposa Michael sur un coup de tête. Lisa est très bonne cuisinière. Et quand Maggie ne va pas trop mal, on la descend de sa chambre pour qu'elle mange avec nous. Ça me ferait plaisir que tu acceptes, et à elle aussi. Elle ne voit plus grand monde, tu sais. Les gens finissent par t'oublier quand tu restes cloîtré chez toi.

— J'en serais ravi, répondit Peter.

Il rêvait de renouer des liens de famille, même avec ce jumeau qu'il avait détesté si longtemps. Michael lui apparaissait comme un homme nouveau.

— Tu es sûr que ça ne vous dérange pas ?

— Certain.

Maggie avait donc raison, songeait Michael de son côté. Il ne regrettait vraiment pas d'avoir fait ce détour ! Debout devant la maison de leurs parents, les deux frères ressemblaient à deux vieux amis occupés à rattraper le temps perdu. Ils éprouvaient un immense soulagement ; enfin, leurs vieilles blessures pourraient commencer à se refermer.

— Vingt heures ? suggéra Michael. Je ne rentre jamais beaucoup plus tôt.

Peter eut un petit rire.

— Tu sais, j'ai une vie sociale limitée, ici, alors j'ai hâte d'être à demain. Tu veux que j'apporte quelque chose ?

— Juste toi. C'est bon de te revoir, ajouta Michael en lui touchant l'épaule.

Peter se rendit compte qu'il attendait ce moment depuis quinze ans. L'heure était venue pour eux de se pardonner l'un l'autre – ils étaient prêts. Michael avait franchi un pas important en venant jusqu'ici. Leurs parents auraient été heureux. De son vivant, leur mère n'avait pas supporté de les voir en froid, et elle avait supplié Peter, lors de sa dernière visite, de faire la paix avec son frère ; ils avaient refusé tous les deux. Heureusement, de l'eau était passée sous les ponts…

— Moi aussi, ça m'a fait plaisir de te revoir, répondit Peter d'une voix étranglée par l'émotion, tandis qu'il raccompagnait Michael à sa voiture. Merci d'avoir pris le temps de passer. Et à demain !

Lorsque la voiture de Michael eut disparu, Peter rentra se servir un verre de Johnnie Walker – non pas pour endormir sa douleur, mais pour fêter ses retrouvailles avec son jumeau. Pour la première fois de sa vie, il avait l'impression d'avoir un frère qui tenait à lui et qu'il pouvait aimer en retour. Il porta le verre à ses lèvres, prit une longue gorgée de whisky, et sourit. Maggie venait de leur offrir un cadeau magnifique.

9

Le lendemain soir, Lisa avait préparé un vrai repas de fête pour impressionner son oncle : poulet rôti farci au pain de maïs, purée de pommes de terre, haricots verts frais. Elle avait aussi acheté une tourte aux pommes et de la glace pour le dessert.

Michael, qui avait réussi à rentrer un peu plus tôt que d'habitude, aida Maggie à enfiler un jean confortable et un pull-over bien chaud en cachemire blanc. Si elle avait brossé ses cheveux jusqu'à ce qu'ils brillent, Maggie ne s'était pas maquillée. Elle se sentait rarement assez en forme pour se donner cette peine, et cela ne dérangeait pas Michael – d'autant plus qu'elle n'avait pas besoin de maquillage pour avoir l'air jeune et jolie.

À vingt heures précises, Peter sonna à la porte. Il s'extasia aussitôt sur les odeurs alléchantes qui s'échappaient de la cuisine, d'où surgit Lisa, un grand sourire aux lèvres. Avec ses cheveux relevés sur la tête, son jean et son pull rose, on eût dit sa mère au même âge.

Debout côte à côte, Michael et sa fille avaient tout d'un couple lorsqu'ils accueillirent Peter. Celui-ci aperçut Maggie qui attendait sur le canapé, adossée à des coussins. Son déambulateur se trouvait à portée de main, et un fauteuil roulant était garé dans l'entrée – pas de doute, c'était bien là la maison d'une personne invalide… Malgré sa pâleur inquiétante, Maggie semblait heureuse de le voir. Peter se pencha pour l'embrasser sur la joue. Il avait apporté un énorme bouquet de fleurs et une bouteille de champagne ; ce soir-là, ils avaient quelque chose à fêter.

— Le retour du fils prodigue, commenta Michael.

C'était la réflexion qu'il avait faite à Walt Peterson quand celui-ci avait évoqué sa rencontre avec Peter. Cette fois-ci, cependant, il le disait avec plaisir.

— Sauf que je n'ai pas « dissipé mon bien en vivant dans la débauche », comme dans la Bible, répliqua Peter. C'est juste que j'ai tout perdu dans le pire krach boursier que les États-Unis aient connu depuis la Grande Dépression. Mais je suis de retour, ça, c'est vrai.

Il prit place sur le canapé, à côté de Maggie. Elle semblait si fragile, avec sa peau trop blanche et ses cernes sombres, qu'il eut presque peur de la blesser en s'asseyant. Mais elle était de bonne humeur, et elle refusa que Michael la porte jusqu'à la table, préférant s'aider de son déambulateur. Si malade fût-elle, Maggie ne voulait pas donner d'elle une image tragique. Avec sa jambe raide, il lui fallut un certain temps pour atteindre la table, suivie de près par son mari inquiet. Ses mains délicatement veinées étaient presque bleues. Peter songea que le manque d'exercice n'était pas bon pour la circulation…

Au cours du dîner, elle manqua s'étouffer en avalant une gorgée d'eau ; Michael la surveillait du coin de l'œil, prêt à intervenir. La maladie de Parkinson affectait non seulement son système respiratoire, mais aussi sa déglutition. Il arriverait un jour où elle ne serait plus capable de s'alimenter seule.

Lisa les régala avec des histoires du lycée. Et Peter leur demanda des nouvelles de Bill.

— La grande ville nous l'a pris, comme toi, répondit tristement Michael.

Maggie baissa les yeux sur son assiette. Ce n'était pas facile de vivre loin de ses enfants. Peter l'avait appris lui-même récemment.

— Il est parti faire sa licence à Londres, expliqua Michael. Il a obtenu son diplôme l'année dernière, et maintenant il passe un master à la London School of Economics. Il dit qu'il restera là-bas après ses études. Bill n'est pas fait pour vivre dans une petite ville. Ware nous convient bien, à Maggie, Lisa et moi, mais pas à lui. Il aime tellement Londres qu'on n'arrive même pas à le convaincre de rentrer pour les fêtes ! Ça fait un an qu'on ne l'a pas vu.

Michael regarda sa femme avec compassion.

— C'est dur, pour sa maman.

Peter savait que sa propre mère avait souffert quand il était parti. Pour lui, revenir chez ses parents était un supplice, notamment du fait de son conflit avec Michael. Il rentrait le moins possible. Aujourd'hui, il regrettait son attitude. Ils passaient un si bon moment, là, tous ensemble ! Maggie les écoutait avec le sourire tandis que Peter et Michael se remémoraient des anecdotes amusantes de leur enfance – parties de pêche, ou nuits de camping avec leurs amis.

Après le dessert, Michael voulut porter Maggie dans leur chambre. Elle avait été très animée pendant le repas et s'amusait visiblement beaucoup, mais il redoutait qu'elle se fatigue trop. Elle embrassa Peter, puis Michael la monta à l'étage.

Lorsqu'il l'eut déposée sur le lit, il vérifia sa tension et se rembrunit. Celle-ci était bien trop basse. Maggie prit peur ; elle ne pouvait vraiment rien faire sans en payer le prix… Parfois, après avoir passé seulement quelques heures en bas, elle était condamnée à rester des journées entières au lit, jusqu'à ce que son mari estime qu'elle avait suffisamment retrouvé ses forces pour se lever.

— La soirée a été longue, dit-il d'un air coupable.

Il regrettait presque d'avoir invité Peter. Et si Maggie tombait malade par sa faute ? Mais elle souriait, heureuse.

— J'ai passé un très bon moment, lui assura-t-elle.

— Ma chérie, je dois te dire merci pour m'avoir rendu mon frère. Je n'aurais jamais imaginé qu'on pouvait s'entendre aussi bien. En fait, c'est un type sympa. J'aurais aimé m'en rendre compte plus tôt…

— Je l'ai toujours su, répliqua Maggie. Je suis contente que vous vous soyez retrouvés.

Lorsqu'elle ne serait plus là, Michael aurait besoin de son frère. Elle tenait à quitter ce monde en sachant tous les siens réconciliés.

— Il faut que tu dormes, maintenant, dit-il en lui tendant un somnifère et un verre d'eau. Tu es épuisée.

Elle avala le comprimé sans broncher. Oui, elle était fatiguée, mais elle s'était tant amusée ! Cela lui réchauffait le cœur de voir les deux frères réunis. D'une certaine manière, ils se complétaient l'un l'autre. Michael était plus sérieux que Peter, qui se révélait plein d'humour maintenant qu'il avait mis sa colère de côté. Après une enfance difficile passée dans l'ombre de son jumeau, il s'en était admirablement bien sorti, et ce sans l'aide de personne. Il prenait d'ailleurs ses récentes infortunes avec philosophie. C'était son divorce et le fait de vivre loin de ses enfants qui l'attristaient le plus.

Lorsque Michael redescendit, Peter aidait Lisa à faire la vaisselle tout en lui parlant de Ben et de Ryan. Il était très fier de ses fils, qu'il souhaitait leur présenter dès que ceux-ci viendraient dans la région. Peter appréciait sa nièce, une jeune fille charmante. Il avait vu à quel point Michael était proche d'elle et comptait sur son appui pour s'occuper de Maggie. À seize ans, Lisa se montrait aussi responsable qu'une adulte. Tout comme son père, elle portait un lourd fardeau. Peter plaignait Michael de ne plus avoir son fils auprès de lui, mais c'était compréhensible. Dans une petite ville comme Ware, il n'y avait pas grand-chose à faire pour un jeune homme qui aspirait sans doute à une vie et à une carrière trépidantes.

— Comment va Maggie ? s'enquit Peter en voyant la mine préoccupée de Michael.

— Comme on peut s'y attendre après une longue soirée. Ça fait beaucoup, pour elle.

Le regret de toute une vie se lisait dans son regard. Peter éprouva un élan de compassion envers son frère.

— J'espère vraiment que je ne l'ai pas trop fatiguée, dit-il d'un air contrit.

Maggie lui avait paru tellement normale, en dehors de son extrême pâleur ! Sa farouche volonté de vivre l'avait préservée pendant des années, au mépris de ses problèmes de santé.

— Tu l'as emmenée voir des spécialistes à Boston, pour son Parkinson ? demanda-t-il.

— Je la connais mieux qu'eux, et je l'aime. Je n'ai pas envie que sa qualité de vie se dégrade encore plus. Ils lui feraient passer des tests et subir des opérations inutiles, ils la transformeraient en cobaye. Les victimes de traumatismes crâniens développent toutes sortes de complications au fil des ans. Elle doit accepter cette réalité, et nous aussi.

Peter acquiesça. Son frère avait probablement raison. À sa place, il aurait voulu que Maggie bénéficie des toutes dernières avancées en matière de médecine, mais cela comportait aussi des risques. Et Michael avait toujours été plus prudent que lui. Quoi qu'il en soit, Maggie souhaitait rester chez elle et être soignée par son mari. Michael respecterait sa volonté jusqu'à la fin.

Après que Lisa fut montée se coucher, les deux frères continuèrent de bavarder dans la cuisine. Peter espérait retourner à New York dans quelques mois – peut-être à la fin de l'été. Une année se serait alors écoulée depuis la crise financière, et avec un peu de chance il retrouverait du travail. Michael avait conscience que son jumeau traversait une période délicate, en particulier depuis que sa femme avait demandé le divorce.

— Pense à nous donner de tes nouvelles, dit Michael en le raccompagnant à la porte. Tu peux venir quand tu veux au cabinet.

Il ne lui proposa pas de passer chez eux, car Maggie avait besoin de repos, mais il semblait tenir sincèrement à le revoir.

— Tu ne voudrais pas venir pêcher un week-end ? suggéra Peter. Je m'en sors plutôt bien, au lac.

— C'est une excellente idée.

Les deux hommes s'embrassèrent, puis Peter repartit dans son pick-up, un grand sourire aux lèvres.

10

Pendant les semaines qui suivirent, Peter mena à bien plusieurs projets : il construisit des étagères, cira les boiseries, débita quelques arbres. Un après-midi, il passa au cabinet de Michael, mais son frère était parti faire sa tournée à domicile, si bien qu'il dut lui laisser un mot. À la suite de leur soirée de retrouvailles, Michael l'avait appelé plusieurs fois et lui avait promis de venir pêcher un week-end. Pour l'heure, il ne voulait pas laisser Maggie seule, celle-ci ayant attrapé un mauvais rhume. Elle n'avait pas quitté le lit depuis leur dîner en famille. Peter comprenait parfaitement et espérait qu'elle se rétablirait vite. C'était tellement injuste que la moindre sortie au supermarché, la moindre visite d'un ami, puisse mettre sa vie en danger…

Lorsque Peter retourna à la quincaillerie, Walt Peterson n'avait plus mal à la cheville ; il avait repris ses anciennes lunettes et s'en portait très bien. Ces verres « ultramodernes » n'étaient pas faits pour lui, expliquait-il. Ils étaient bien trop dangereux !

En repartant, Peter acheta des fleurs pour Maggie et s'arrêta chez son frère dans l'idée de confier le bouquet à Lisa. Quelle ne fut pas sa surprise lorsque sa belle-sœur lui ouvrit la porte en personne, appuyée sur son déambulateur !

— Waouh, tu es sûre que tu peux te lever ? s'enquit-il aussitôt. Mike m'a dit que tu étais très malade. J'en conclus que tu vas mieux.

Maggie l'invita à entrer, visiblement heureuse de sa visite.

— Je me sens plutôt bien, depuis notre dîner de l'autre soir, répondit-elle. C'était vraiment sympa.

— J'ai beaucoup aimé, moi aussi.

Peter était rassuré de la voir en meilleure forme. Maggie semblait plus enjouée et avait repris des couleurs. Sur ses indications, il trouva un grand vase sous l'évier et installa les fleurs sur un guéridon du salon.

— Je m'inquiétais pour toi, après ce que Mike m'a dit.

— Ça lui arrive de prétendre que je suis malade pour dissuader les gens de venir me refiler leurs microbes. Il me mettrait sous cloche, s'il le pouvait. Mais tu ne m'as pas l'air trop contagieux, observa-t-elle en souriant. Pauvre Mike, il se fait tellement de souci ! Je suis un vrai boulet pour ma famille. Ce n'est pas ce que je voulais.

— Tu exagères, protesta Peter. Ils t'aiment. On t'aime tous.

Maggie éteignit son ordinateur, qui était resté sur le canapé.

— Je voudrais juste que Michael s'inquiète un peu moins, confia-t-elle. C'est bien que tu sois revenu dans le coin, ça va peut-être lui changer les idées. C'est prévu pour quand, cette sortie pêche ?

— Dès qu'il trouvera un moment, répondit Peter.

Il se garda bien de préciser que Michael l'estimait trop mal en point pour la laisser seule. Elle avait déjà l'impression d'être un fardeau pour son mari, ce n'était pas la peine d'en rajouter.

— J'essaierai de le convaincre, promit-elle. Ça vous ferait du bien à tous les deux.

Peter et Maggie bavardèrent un moment au salon. C'était un plaisir de discuter avec elle. D'un naturel joyeux, Maggie avait gardé un solide sens de l'humour. Peter admirait sa force de caractère.

Alors qu'il se levait pour prendre congé, ils entendirent la voiture de Michael s'arrêter dans l'allée. Ce dernier était venu voir Maggie entre deux patients, sachant que Lisa devait s'absenter pour préparer un exposé chez une amie. Avant de partir, la jeune fille avait aidé sa mère à descendre l'escalier.

Michael fut surpris de découvrir Maggie et Peter sur le perron.

— Qu'est-ce que vous faites là, tous les deux ? demanda-t-il en grimpant les marches.

— J'ai apporté un bouquet de fleurs à Maggie pour lui remonter le moral, expliqua Peter.

Il crut voir un muscle tressauter au coin de la bouche de son frère. Cela lui rappela quelque chose... Un simple tic, sans doute.

— Ça fait plaisir de te croiser, dit Michael en souriant. Tu veux entrer ?

— Non, je file. Je ne voudrais pas fatiguer Maggie.

Peter serra brièvement son frère dans ses bras, embrassa sa belle-sœur et rejoignit son pick-up. Pendant ce temps, Michael grondait sa femme d'être restée sur le perron sans manteau. Elle lui rappela qu'on était au mois d'avril, que l'air était doux et qu'elle n'avait pas mis le nez dehors depuis des jours, mais il n'en démordit pas : il faisait trop froid, elle risquait de tomber malade.

Alors que Peter reprenait la route, il se souvint soudain de ce que signifiait le tic de son frère. Cela lui revint comme un éclair. À l'époque où ils étaient enfants, il observait ce tressautement sur la joue de Michael chaque fois que celui-ci était surpris en plein mensonge, ou qu'il avait fait une grosse bêtise que personne n'avait encore découverte. Avec cette grimace, Michael se trahissait à tous les coups. Mais il n'avait rien fait de mal cette fois-ci, et s'il avait menti sur l'état de santé de Maggie, c'était seulement pour la protéger. Elle avait très bien résumé la situation en expliquant qu'il voulait la mettre sous cloche. Et comment le lui reprocher ? N'importe qui aurait fait la même chose, avec une femme aussi fragile. Il n'en restait pas moins que d'avoir revu ce tic rappelait à Peter de mauvais souvenirs, des souvenirs d'une époque que son frère et lui souhaitaient tous les deux oublier. Il alluma la radio pour ne plus y penser.

Sur l'insistance de Maggie, Michael rejoignit Peter au lac le week-end suivant. Les deux hommes passèrent une journée formidable. Ils attrapèrent un seau entier de poissons, que Peter voulut absolument laisser à son frère. Et malgré les quelques bières qu'ils partagèrent ensuite, Michael était sobre lorsqu'il repartit chez lui. C'était le premier samedi qu'il s'accordait depuis une éternité, et il ne le regrettait pas. Les deux frères jetaient les bases d'une solide relation pour les années à venir.

Peter déclina l'invitation de Michael à dîner à Ware ce soir-là : il était exténué, avait une pile de paperasse à traiter, et craignait de fatiguer Maggie. Michael parut déçu, mais il comprenait.

Après le départ de son jumeau, Peter mangea devant la télévision, puis se plongea dans ses papiers. Venant à manquer de feuilles vierges, il entreprit de fouiller les tiroirs de la maison pour trouver de quoi écrire. C'est ainsi qu'il découvrit plusieurs cahiers reliés en cuir, dans lesquels il reconnut l'écriture fine et soignée de sa mère. Ils avaient dû être oubliés par la personne qui s'était occupée de ranger ses affaires après sa mort – probablement Michael, puisque leur père était décédé un an plus tôt et que lui-même n'avait pas voulu venir.

Il s'assit sur le canapé et ouvrit un des cahiers. À mesure qu'il tournait les pages, les larmes lui montèrent aux yeux. Sa mère y expliquait combien son mari lui manquait, et quelle vie merveilleuse ils avaient passée ensemble. Elle évoquait ensuite sa tristesse de ne plus le voir, lui, Peter, et de savoir ses deux fils brouillés. Cela lui brisait le cœur, écrivait-elle. Peter se sentit mortifié.

Au fil de sa lecture, il comprit que sa mère était déjà malade quand elle avait rédigé ce journal – on lui avait diagnostiqué un cancer. Michael était venu la voir tous les jours. Il lui avait tenu compagnie, passant la nuit sur place chaque fois qu'il le pouvait ; il avait assuré son suivi médical, l'avait réconfortée lorsqu'elle allait mal. En bref, il avait été là pour elle, tandis que Peter, lui, avait été aux abonnés absents... Soudain, celui-ci comprit pourquoi leurs parents avaient tout légué à Michael. Ce n'était pas une question de préférence, ou de savoir qui avait le plus besoin d'argent. C'était juste que son frère avait toujours été là, et lui, non. Dire qu'il n'avait presque jamais appelé sa mère à la fin de sa vie, et qu'il n'était allé la voir qu'une fois au cours de son dernier été ! À trente et un ans, il en voulait encore à ses parents d'avoir systématiquement pris parti pour son frère, d'avoir cru tous les mensonges que celui-ci racontait sur lui. Aujourd'hui, son cœur se serrait à l'idée que sa mère ait pu souffrir autant physiquement.

Lorsqu'il lui fut trop douloureux de continuer sa lecture, il rangea les journaux dans le tiroir et alla se coucher. Pendant des heures, il resta éveillé, rongé par le remords. Dans son journal, sa mère écrivait qu'elle aimait ses deux fils tout autant l'un que l'autre. Elle s'était montrée bien plus indulgente que lui... Mais elle était plus âgée, et mourante. Pour la défense de Peter – si tant est qu'il méritât d'être défendu –, il était sans doute plus facile de pardonner à un fils qu'à un frère. Lui-même n'aurait jamais pu garder la moindre rancune contre Ryan et Ben. Maintenant qu'il était réconcilié avec Michael, il regrettait d'avoir causé tant de peine à sa mère. Toutes ces années perdues dans la haine et le ressentiment...

Ces pensées le hantèrent pendant plusieurs jours, à tel point qu'il décida finalement d'aller voir son frère. Il arriva juste au moment où ce dernier quittait son cabinet, sa mallette à la main. Peter ne put s'empêcher de sourire. Michael avait tout du parfait médecin de campagne – encore plus que leur père.

— Qu'est-ce qui t'amène ? s'enquit-il.

— Je te dois des excuses.

Michael parut surpris.

— Pourquoi donc ?

— Je suis tombé sur les journaux intimes de maman, expliqua Peter. Elle les a écrits pendant son dernier été au lac, juste avant de mourir. En les lisant, je me suis rendu compte à quel point tu t'étais occupé d'elle jusqu'à la fin. Tu l'as consolée à la mort de papa, tu l'as soignée quand elle est tombée malade... Moi, je n'ai rien fait pour elle, Mike. Je suppose que je leur en voulais toujours de s'y être si mal pris avec moi quand j'étais petit. À l'époque, personne ne comprenait ce qu'était la dyslexie, et j'étais tout le temps en colère. Contre toi, entre autres, parce que tu étais tellement parfait… J'ai laissé tomber maman. C'est impardonnable. Toi, tu as toujours été là pour elle. Tu mérites tout ce qu'ils t'ont laissé, la maison, l'argent, tout. J'ai été un fils minable.

Michael le regardait intensément. Il avait encore cinq patients à voir, dont un vieil homme qui souffrait d'un zona, mais il prit le temps de lui répondre.

— Ce n'est pas vrai, lui assura-t-il. On était jeunes et bêtes, chacun à notre manière. Même si tu t'emportais facilement, tu as toujours été le plus beau, le plus charmant de nous deux. Je crois que j'avais peur que les parents t'aiment plus que moi, c'est pour ça que j'essayais d'être tout le temps irréprochable. Mais personne ne peut l'être. En fait, il y avait de la place pour nous deux, même si à l'époque j'étais persuadé du contraire. Ce n'est peut-être pas si facile que ça d'être jumeaux… La compétition commence dans le ventre de la mère.

À la naissance, Michael avait été deux fois plus gros que son frère, mais celui-ci avait vite rattrapé son retard.

— En tout cas, merci d'être venu me parler, Peter. Je me suis toujours senti coupable par rapport à l'héritage.

— Ne t'inquiète pas pour ça. Je ne suis pas à plaindre, répliqua Peter en souriant.

Il avait soulagé sa conscience ; quant à Michael, il semblait profondément touché. Leurs vieilles blessures se refermaient. Lire le journal de sa mère avait permis à Peter de prendre conscience de ce qu'il n'avait pas fait pour elle, ni pour son père avant elle.

Les deux hommes s'embrassèrent. Sur le chemin du retour, Peter se sentait heureux et enthousiaste. Il songea à se replonger dans les cahiers de sa mère, mais il avait besoin de temps pour digérer ce qu'il avait déjà lu. Au moins, il n'y avait plus de rancœurs entre son frère et lui ; cela suffisait à l'emplir de joie.

La semaine suivante, Peter prit l'avion pour Los Angeles. Il avait hâte de revoir ses fils. Il avait prévu de les emmener en week-end à San Francisco et souhaitait également discuter de leurs vacances d'été avec Alana. Depuis qu'elle avait demandé le divorce, ils ne s'étaient presque pas adressé la parole. Ben et Ryan lui avaient annoncé qu'ils passeraient un mois avec elle dans la maison des Hamptons quand les locataires auraient libéré les lieux. Peter en avait eu un pincement au cœur. Pas de doute, Alana avait tourné la page ; elle continuait sa vie sans lui. Les garçons n'étaient pas très bavards quant à la façon dont elle occupait son temps. Fort heureusement, elle avait accepté l'idée du week-end à San Francisco. De son côté, elle s'offrirait une escapade à Palm Springs avec des amis.

Cette fois-ci, Peter avait réservé une chambre d'hôtel non loin de chez son beau-père. Il récupéra Ben et Ryan à l'école et dîna avec eux au restaurant. Quand il les ramena le soir, il tomba nez à nez avec Alana. Aussi gênée que lui, elle disparut bien vite dans la maison. Peter ravala sa déception et son amertume.

Le lendemain, lorsqu'il passa chercher les garçons, Alana était déjà partie pour Palm Springs. Peter en fut soulagé.

Le vol jusqu'à San Francisco dura une heure, après quoi ils sautèrent dans un taxi pour rejoindre la ville.

Finies, les limousines – sauf avec leur mère et leur grand-père. Avec Peter, Ben et Ryan découvraient la frugalité. Du moins… pas tout à fait, car il avait trouvé une offre promotionnelle pour deux chambres attenantes au Fairmont Hotel, un établissement majestueux qui dominait Nob Hill, juste au-dessus de Chinatown et en face de la cathédrale de Grâce. Après avoir posé leurs valises, ils prirent le funiculaire au pied de l'hôtel pour descendre au marché de Ferry Building. Ils flânèrent parmi les étals de homards, crabes, huîtres, pains au levain et autres mets délicats, puis dînèrent dans un restaurant du centre commercial.

De retour à l'hôtel, Ben décréta qu'il avait envie d'un *root beer float*, cette boisson à base de bière de racine et de glace dont raffolent les enfants. Ryan eut beau lever les yeux au ciel, il ne se fit pas prier quand Peter en commanda trois au room service. Ben était en train de siroter le sien avec sa paille lorsqu'il déclara soudain :

— Maman a un amoureux. Il est super sympa.

Peter se sentit ébranlé au plus profond de lui-même.

— Ne l'écoute pas, papa, il ne sait pas ce qu'il dit, rétorqua Ryan, qui semblait prêt à étrangler son frère. Ils sont juste amis.

Le jeune adolescent avait compris depuis longtemps que l'idée du divorce venait de sa mère et que son père en était très affecté. Cela l'avait mis en colère. En outre, il avait bien plus de difficultés que son cadet à s'adapter à leur nouvelle vie à Los Angeles : New York, son père et ses amis lui manquaient.

— Si, c'est vrai ! protesta Ben, vexé que l'on mette en doute ses propos. C'est un ancien petit copain de maman, et ils sont retombés amoureux. Il s'appelle

Bruce, il est agent pour les acteurs de cinéma. Il nous a emmenés voir *Killer Ants*.

Ryan bouillonnait. Quant à Peter, il s'efforçait de rester impassible, alors que son cœur se brisait. Même s'il savait qu'Alana ne reviendrait pas, c'était douloureux d'apprendre qu'elle l'avait déjà remplacé. Pour tout dire, il s'en doutait depuis un moment... D'ailleurs, il connaissait le Bruce en question. C'était le type qu'ils avaient croisé lors d'une soirée à Los Angeles juste après le krach boursier et qui avait témoigné à Alana un intérêt plus qu'amical. À l'époque, elle avait assuré à Peter qu'il se faisait des idées. Était-ce pour Bruce qu'elle avait demandé le divorce ?

— Il a un avion, une Ferrari et une Rolls, ajouta Ben, qui n'avait pas conscience de retourner le couteau dans la plaie.

Ryan se jeta sur lui et le secoua violemment.

— Tu vas arrêter, imbécile ? Tu ne vois pas que tu fais de la peine à papa !

— Doucement, Ryan ! intervint Peter d'un ton sévère. Je vais très bien, tu n'as pas besoin de prendre ma défense ni de tuer ton frère. Et si ce qu'il dit est vrai, Ben a le droit d'en parler. Est-ce que Bruce est gentil avec vous ?

Ben acquiesça avec plus d'enthousiasme que son frère.

— Il viendra dans les Hamptons, cet été, précisa-t-il.

Cette perspective n'avait pas l'air de réjouir Ryan. Il trouvait Bruce sympathique, mais un peu envahissant. Et leur mère était folle de lui. Ryan l'avait entendue confier à une amie au téléphone qu'elle était amoureuse, et rien que pour cela il le détestait.

— Parlons un peu de vos vacances au lac, proposa Peter pour changer de sujet. Quand voulez-vous venir ? En juillet et en août, c'est là qu'on s'y amuse le plus. Ils organisent des régates de voiliers, des courses à la nage. Et il fait beau.

— On peut venir en juillet ? demanda Ryan, plein d'espoir. Maman veut nous envoyer en colo en Suisse, et je n'ai pas envie d'y aller.

— Moi non plus, renchérit Ben.

— Et en août, on va dans les Hamptons, ajouta Ryan.

— Dans ce cas, vous pourriez venir fêter le 4 Juillet avec moi, et rester quelques semaines ?

Face au sourire de ses garçons, Peter leur promit de régler la question avec leur mère. Ils n'allaient quand même pas partir en colonie au lieu de passer du temps avec lui ! Quand Alana prévoyait-elle qu'ils se voient, au juste ? Peter avait l'impression de ne plus exister pour elle.

Ce soir-là, il se coucha le cœur lourd. Sa femme avait un amant. Un agent de Hollywood – c'était parfait pour elle, son père devait approuver. Finalement, Peter n'avait jamais vraiment eu sa place parmi eux. Sa seule qualité avait été de posséder de l'argent, et aujourd'hui il n'en avait plus. Contrairement à ce qu'Alana prétendait, leur divorce n'avait rien à voir avec le fait qu'ils s'étaient « éloignés » l'un de l'autre. Sur ce point, Peter ne se faisait plus aucune illusion.

Le reste du week-end passa trop vite. Ils se baladèrent le long des jetées, visitèrent le Museum d'histoire naturelle et flânèrent dans Golden Gate Park, avant de dîner dans le quartier chinois. Le lendemain, ils explorèrent l'hôtel Fairmont, puis repartirent à Los Angeles, où Peter resta encore deux jours. Alana accepta que les garçons passent trois semaines au lac en juillet ; Peter les emmènerait ensuite une semaine à New York pour qu'ils revoient leurs amis (si ceux-ci étaient en ville), après quoi il les conduirait directement à la maison des Hamptons. Ces projets contentaient tout le monde.

À aucun moment, Peter ne fit allusion au nouvel amoureux d'Alana – ou plutôt, à l'ancien. Il avait quand même un peu d'amour-propre ! En revanche, il aperçut Bruce un jour où celui-ci la raccompagnait dans sa Ferrari. Les deux hommes échangèrent un bref signe de tête. Peter acceptait sa défaite, mais cela lui coûtait plus qu'il ne l'aurait imaginé. Pour sa part, il était à mille lieues d'envisager une nouvelle relation, alors qu'il ne savait toujours pas ce qu'il allait faire dans six mois et qu'il vivait comme un ermite au bord d'un lac. Il lui faudrait du temps pour digérer son échec et panser ses blessures affectives. Qu'avait-il à offrir à une femme, de toute façon ? Il pouvait à peine subvenir à ses besoins et à ceux de ses fils.

Peter et les garçons se séparèrent avec l'assurance de se voir longtemps en juillet. Plus que deux mois à attendre ! Peter allait compter les jours. Et tandis que l'avion survolait Los Angeles et mettait le cap à l'est, il s'efforça de chasser Alana et Bruce de ses pensées. Il avait un frère jumeau et deux merveilleux enfants. Pour l'instant, cela lui suffisait.

11

Peter savait qu'il n'aurait pas le temps de s'ennuyer dans les prochaines semaines. Non seulement il avait des recherches d'emploi à faire, mais il voulait aussi que la maison resplendisse pour la venue de ses fils. Il allait commander des meubles chez Ikea pour la chambre d'enfants, qu'il prévoyait également de repeindre. Ce ne serait pas le luxe auquel Ben et Ryan étaient habitués... Mais Peter était certain que cela ne les empêcherait pas de bien profiter de leur séjour au lac.

Le lendemain de son retour, il pensait rendre visite à Michael. Finalement, il passa la journée à envoyer des mails à des entreprises de Wall Street. Le soir, il décida de se replonger dans les journaux de sa mère. Il fut bouleversé par ce qu'il y lut. Son cancer s'était propagé aux os, et elle souffrait atrocement, comme en témoignait son écriture tremblante. Certains jours, elle semblait désespérée. Peter en eut mal au cœur, mais il tenait à aller jusqu'au bout de sa lecture. C'était la moindre des choses après l'avoir abandonnée comme il l'avait fait. Avec quinze ans de retard, il prenait enfin le temps de l'écouter.

À plusieurs reprises, sa mère évoquait les analgésiques que Michael lui prescrivait ; ceux-ci malheureusement ne suffisaient pas à soulager sa douleur. Tout ce qu'elle souhaitait, à présent, c'était qu'il abrège ses souffrances, comme il l'avait fait pour son père.

Peter fronça les sourcils et relut ce passage. Il n'avait pas rêvé, sa mère avait bien écrit que Michael avait « abrégé les souffrances de son père ». En d'autres termes, il l'avait euthanasié, et elle voulait qu'il fasse la même chose pour elle. Mais Michael refusait, arguant qu'elle avait encore de nombreux mois à vivre. Peter en resta bouche bée. Son frère avait donc tué leur père ? Avec de nobles intentions, sans doute, mais tout de même… Dans la suite de son journal, sa mère se plaignait surtout de la douleur, et du fait que lui, Peter, n'était pas venu la voir. Il était bien occupé à New York, disait-elle. Même mourante, elle lui trouvait des excuses…

Le lendemain matin, Peter, toujours ébranlé par sa lecture, voulut voir Michael à son cabinet, mais ne l'y trouva pas. À la place, il s'arrêta au restaurant pour prendre un café et bavarder avec Vi. Le chef de la police était là, lui aussi. Peter se rendit ensuite au magasin de peinture, puis flâna dans les rayons d'une petite boutique de meubles. Avant de rentrer, il fit un détour par la maison de Michael. Lisa étant au lycée, Maggie était seule dans sa chambre : elle lui cria de monter. Il la trouva assise dans son lit, en train de rédiger un message à son fils sur iChat. Elle était toute pimpante avec sa petite veste d'intérieur rose et ses cheveux brossés ; même ses cernes paraissaient moins sombres.

— C'était comment, Los Angeles ? s'enquit-elle gaiement.

— Génial. J'ai passé un super week-end à San Francisco avec les garçons. Ils vont venir ici pour le 4 Juillet.

— J'ai hâte de faire leur connaissance.

Maggie devina que Peter lui cachait quelque chose. Mais il ne souhaitait pas lui confier ce qu'il avait découvert la veille dans le journal de sa mère. Si Michael avait réellement euthanasié leur père, c'était sans doute qu'il n'avait pas vu d'autre solution. Le vieil homme se mourait dans d'atroces souffrances des suites d'un cancer du pancréas : il pouvait comprendre la décision de son frère. Quoi qu'il en soit, cela ne regardait pas Maggie.

— Comment te sens-tu ? lui demanda-t-il.

— Plutôt bien. Michael me couve trop, j'ai passé presque tout mon temps au lit. Mais il doit avoir raison, puisque je vais mieux… J'ai juste les jambes un peu raides. Elles le seraient sans ça, de toute façon.

Elle tourna un regard mélancolique vers la fenêtre.

— Il fait tellement beau dehors… Je rêve de pouvoir sortir.

Maggie savait qu'elle n'en avait plus pour très longtemps. Elle avait accepté cette réalité depuis des années.

— Tu devrais venir au lac, un jour, suggéra Peter. Michael pourrait t'emmener.

— Ce serait le paradis.

Chaque fois que Maggie sortait, son moral remontait en flèche. Peter regrettait que Michael se préoccupe uniquement de sa santé physique et pas plus de son bien-être mental.

— Au fait, j'ai eu des nouvelles de Bill, annonça-t-elle avec un sourire radieux. Il se plaît bien dans son école, et il voudrait trouver un travail à Londres à la fin de ses études. Il ne rentrera pas de sitôt.

Cela aussi, elle l'avait accepté, quoique difficilement. Peter songea que son neveu finirait par regretter de s'être exilé. Maggie ne vivrait pas éternellement. Bill était en train de rater de précieuses années à ses côtés. Il suffisait de la regarder pour le comprendre : elle était tellement frêle qu'elle semblait prête à s'envoler au premier coup de vent. Bill était-il trop jeune pour s'en rendre compte ? Il avait toujours connu sa mère malade, peut-être cela expliquait-il qu'il ne voie pas l'heure tourner.

— Pourquoi ne s'installe-t-il pas à Boston ou à New York ? demanda Peter. Au moins, il pourrait vous rendre visite plus souvent.

Maggie hésita avant de répondre. Puis elle décida de se montrer franche. Elle lui faisait confiance.

— La question, ce n'est pas de savoir dans quelle ville il habitera, expliqua-t-elle. En fait, Bill ne s'entend pas avec son père ; ça fait des années que ça dure. Au début, je pensais que c'était l'adolescence, mais il n'y a pas que ça. Ils se sautent à la gorge dès qu'ils se retrouvent dans la même pièce. Bill s'oppose à tout ce que Michael représente. Et je ne suis pas étrangère à ces tensions, précisa-t-elle d'un air coupable. Ils sont tous les deux hyperprotecteurs avec moi. Michael aime son fils, mais il devient vite agressif et se sent blessé par ses propos.

« À vingt ans, Bill en a eu marre ; il est parti. C'est peut-être mieux comme ça… Je crois qu'ils finiraient par se tuer. C'était l'enfer pour tout le monde quand Bill était à la maison. Même Lisa s'en mêlait, alors qu'elle adore son frère. Moi aussi, je l'aime. Je ne lui souhaite que le meilleur. Et le mieux pour lui, ce n'est vraiment pas de vivre ici.

Ainsi, Maggie était prête à se priver de son fils pour le bien de ce dernier. Peter en eut le cœur serré.

— Ça ressemble aux problèmes que j'ai eus avec Michael quand on était jeunes, fit-il remarquer.

— Non, c'est pire. Bien pire.

— Parfois, il n'y a pas assez de place pour deux mâles sur le même territoire. Chez nous, on était trois garçons, et j'étais clairement de trop. Je me sentais toujours en décalage avec mon père et mon frère, alors je suis parti, moi aussi. Il fallait que je fasse mon trou ailleurs. J'ai réussi, et je suis certain que Bill s'en sortira parfaitement. Peut-être reviendra-t-il plus tard…

Peter tentait de redonner espoir à Maggie, mais il n'était lui-même guère convaincu.

— Mike est assez dur, quand il est énervé, observa-t-il.

— Et Bill l'est encore plus, répondit-elle en souriant. Il est impitoyable avec son père. Et c'est toujours à mon sujet qu'ils se battent. Je n'ai pas envie qu'ils s'entre-tuent pour moi. C'est terrible de dire ça, mais ça a été un soulagement quand Bill est parti.

Peter ne put s'empêcher de se demander si sa mère avait ressenti la même chose à son propos. Il avait été une voix dissidente au sein de sa propre famille, en quête d'une justice qu'il n'avait jamais obtenue. Mais sa mère lui avait pardonné de s'être éloigné, comme Maggie le faisait avec Bill.

Peter la quitta peu après et retenta sa chance au cabinet médical. Michael rentrait tout juste de sa tournée à domicile ; il paraissait triste et fatigué. Il expliqua à Peter qu'il venait de perdre une patiente. Cela le minait toujours, même si la dame en question était morte à quatre-vingt-trois ans après une longue maladie.

— J'aurais dû être pédiatre, confia-t-il sombrement à son frère. Avec les gamins, on ne voit que des genoux écorchés.

Évidemment, lorsqu'un enfant mourait, le choc était bien pire. Mais cela arrivait plus rarement.

— Je m'attache trop à mes patients gériatriques. Je sais qu'ils finissent par partir, mais ça me déprime à chaque fois.

Peter ne pouvait rêver mieux comme entrée en matière. Tandis que Michael l'invitait à s'asseoir en face de lui dans son bureau, il évoqua de nouveau le journal de leur mère. C'était l'heure de la pause déjeuner. Avant de revenir au cabinet, Michael avait fait la surprise à Maggie de passer lui apporter de quoi manger. Il avait croisé Pru, qui faisait le ménage dans l'escalier.

— Ce que je vais te dire te paraîtra sûrement horrible, prévint Peter, nerveux.

Il n'avait absolument pas l'intention de se montrer insultant envers son frère, ni de déclencher un nouveau conflit avec lui. Mais il voulait des réponses à ses questions.

— Maman souffrait beaucoup quand elle a rédigé son journal, surtout vers la fin. Or, elle a écrit plusieurs fois que tu avais euthanasié papa et qu'elle souhaitait que tu fasses la même chose pour elle. Elle enrageait que tu refuses.

Michael sourit – le sourire doux et las d'un homme qui a vu trop de souffrance et de tristesse, dans son travail comme chez lui.

— Bien sûr que j'ai refusé, répondit-il. Et je n'ai pas non plus euthanasié papa, même s'il m'a supplié de le faire. J'ai fait le serment de ne pas provoquer la mort délibérément, et je prends cet engagement très à cœur. Maman pensait qu'il fallait que je mette fin aux souffrances de papa ; au final, il n'a pas eu besoin d'une intervention extérieure. Par contre, j'ai dit à maman que je lui avais fait une piqûre, pour qu'elle puisse croire qu'on l'avait libéré de sa douleur. Ça l'a soulagée. Quand elle m'a demandé la même chose pour elle, je lui ai dit que c'était trop tôt.

L'explication de son frère rassura Peter. Il lui aurait pardonné d'avoir aidé leur père à partir, mais il préférait qu'il n'en ait rien fait. Cette responsabilité aurait été lourde à porter, pour Michael comme pour lui.

— Les gens ne savent plus trop ce qu'ils disent, vers la fin, reprit Michael. Beaucoup de patients me demandent d'abréger leurs souffrances. Mais on doit laisser à Dieu le soin de les rappeler le moment voulu.

Tôt ou tard, Il rappellerait aussi Maggie, même si Michael faisait son possible pour repousser l'inévitable.

— Je n'aurais jamais dû te parler de ça, s'excusa Peter.

— Au contraire, tu as bien fait. Je ne veux plus qu'il y ait le moindre sujet de discorde entre nous, et cette question le serait forcément devenue. Pauvre maman, elle n'en pouvait plus, à la fin... Elle a vécu l'enfer après la mort de papa.

— C'est ce que j'ai compris en lisant son journal.

Ils restèrent silencieux plusieurs minutes, plongés dans leurs pensées.

— C'était comment, la Californie ? s'enquit soudain Michael.

— Très bien. Les enfants étaient en pleine forme. Et ma future ex-femme a un amant... Ça, ça fait mal. J'ai l'impression d'être un loser complet. Faillite, chômage, divorce – échec et mat en trois coups.

— Tu as toujours tes garçons, lui rappela Michael.

— C'est vrai. Ils vont venir ici trois semaines, cet été.

— J'ai hâte de faire leur connaissance. On a du retard à rattraper !

— Ça, c'est sûr, répliqua Peter en souriant.

Il se leva, conscient que son frère avait du travail.

— Au fait, je suis passé voir Maggie. Elle a l'air d'aller plutôt bien.

— Oui, elle m'a parlé de ta visite. D'ailleurs, j'aimerais que tu arrêtes de la draguer.

Michael plaisantait, bien sûr. Il savait qu'il pouvait avoir confiance en Peter. Ce dernier s'était toujours montré loyal à cet égard – contrairement à lui, qui avait couché avec plusieurs des petites copines de son jumeau dans leur jeunesse.

— De nous deux, c'est toi le beau gosse, ajouta-t-il.

— Mouais. Ça ne m'a pas aidé à garder ma femme, lâcha Peter tandis que Michael le raccompagnait à la porte. Tu veux venir pêcher, ce week-end ?

Son frère se mit à rire.

— On est comme Huckleberry Finn et Tom Sawyer ! Je vais voir avec Lisa si elle peut rester avec sa mère. Je n'ai pas envie de laisser Maggie seule. Elle subit déjà ça toute la semaine.

Les deux hommes s'embrassèrent, puis Peter repartit, rassuré. Il aurait été contrarié que son frère prenne la décision d'euthanasier son père sans le consulter au préalable – même si cela n'aurait pas été si étonnant, au regard de leurs relations à l'époque.

De retour à la maison, il commença à peindre la chambre des garçons. Hors de question de les faire dormir dans une pièce sombre et miteuse ; tout devait être propre et accueillant pour leur arrivée. Pendant qu'il travaillait, il repensa à ce que Maggie lui avait confié à propos des désaccords entre Bill et Michael. Peter avait préféré ne pas aborder la question avec son frère. Il se doutait qu'il s'agissait d'un sujet sensible.

Ce soir-là, il n'eut pas le courage de reprendre la lecture du journal de sa mère. Il avait besoin de temps pour digérer tout ça. Il se contenta de répondre à ses mails, puis se coucha tôt.

Le lendemain matin, il eut la surprise de découvrir un message d'une banque d'investissement basée à Londres, à qui il avait dû envoyer son CV quelque temps auparavant – il en avait écrit tellement qu'il ne s'en souvenait même plus. Son interlocuteur lui demandait s'il consentait à se rendre à Londres pour un entretien. Mais la question était plutôt de savoir s'il était prêt à y vivre… Car dans le cas contraire, cela ne servait à rien de faire le déplacement. Après réflexion, Peter décida que ses enfants pourraient très bien venir le voir à Londres… De toute façon, ils vivaient déjà à des milliers de kilomètres de lui. Il répondit donc par l'affirmative. Une heure plus tard, l'homme lui proposa un rendez-vous pour la semaine suivante, qu'il accepta. Toutes les opportunités valaient la peine d'être explorées. Et il s'agissait d'une entreprise de bonne réputation.

Le samedi, Peter annonça la nouvelle à son frère. Ce dernier l'avait rejoint au lac pour une partie de pêche. Michael lui souhaita bonne chance, mais à aucun moment il ne lui suggéra de prendre contact avec Bill. Père et fils étaient donc bien brouillés…

— Quand dois-tu y aller ? lui demanda-t-il tandis qu'ils se partageaient les prises du jour.

— Lundi.

Michael eut l'air triste.

— Je sais que c'est égoïste, mais j'espère que tu n'auras pas ce boulot. Pas tout de suite, du moins. Tu vas me manquer.

— Toi aussi, tu me manqueras. Ces derniers mois ont été super. Mais tu sais, cette fois-ci je ne partirai pas pour plusieurs décennies. Tu ne te débarrasseras pas de moi comme ça !

— J'espère bien.

Michael passa un bras autour des épaules de son frère. Ils sentaient tous les deux le poisson à plein nez.

— Maggie ne me laissera jamais entrer, plaisanta-t-il.

Ils éclatèrent de rire comme deux gamins. Tout en l'aidant à porter le seau jusqu'au coffre de la voiture, Peter songea qu'il y avait bien longtemps qu'il n'avait été aussi heureux. Il fit signe à Michael de la main, le visage éclairé d'un large sourire.

12

Peter laissa son pick-up à l'aéroport en allant prendre l'avion pour Londres. En plus des deux journées qu'il avait prévues pour le voyage et l'entretien, il pensait rester deux jours de plus au cas où l'entreprise demanderait à le revoir, ou si de nouvelles opportunités se présentaient. Il avait en effet envoyé son CV à d'autres banques d'investissement implantées à Londres et les relancerait peut-être.

Durant le vol, Peter regarda un film, mangea, puis dormit deux heures. Une hôtesse le réveilla juste avant l'atterrissage, et il put contempler les monuments familiers à l'approche de l'aéroport de Heathrow. D'habitude, il logeait au Claridge, mais cette fois-ci il avait été contraint de choisir un hôtel plus modeste. Peu importait : l'essentiel, c'était son rendez-vous. Dans le taxi qui le conduisait au centre-ville, il se demanda à quoi ressemblerait sa vie à Londres, s'il était amené à s'y installer…

Sa chambre d'hôtel se révéla tout à fait satisfaisante. Peter n'avait emporté qu'un bagage à main : celui-ci était de taille suffisante pour contenir un costume pour l'entretien, un jean, deux vestes en tweed, quelques chemises, deux cravates, une paire de mocassins et des baskets. Il n'avait pas prévu de tenue de soirée.

L'après-midi de son arrivée, il se promena dans Hyde Park et s'assit sur un banc pour profiter du soleil de mai et observer les passants.

Le soir, alors qu'il dînait dans un pub, l'idée lui vint de contacter son neveu. Mais pour lui dire quoi ? La dernière fois qu'il l'avait vu, Bill avait sept ans. Nul doute qu'il avait entendu parler depuis du conflit qui opposait son père et son oncle. Par ailleurs, trouver le bon William McDowell risquait d'être ardu… Peter aurait pu demander ses coordonnées à Maggie, mais il ne voulait pas lui donner de faux espoirs.

Le lendemain matin, il dénicha un annuaire dans le tiroir du bureau de sa chambre d'hôtel. Il existait sept William McDowell à Londres. Ne connaissant pas suffisamment les quartiers de la ville pour identifier ceux dans lesquels son neveu était susceptible d'habiter, Peter se résolut à essayer tous les numéros. Les deux premiers sonnèrent dans le vide. Le troisième, en revanche, bascula sur une boîte vocale, et Peter sut tout de suite qu'il était au bon endroit – grâce à l'accent américain d'une part, et parce que Bill avait exactement la même voix que son père d'autre part. Il lui laissa un message avec ses coordonnées et le nom de son hôtel, expliquant qu'il serait ravi de le voir si le cœur lui en disait. Sinon, il comprendrait.

Peter ne pensait plus à Bill lorsqu'il se rendit à son entretien. Il fit la connaissance du directeur associé et de trois autres responsables de la banque. L'un d'eux avait travaillé pour Lehman Brothers à New York ; ensemble, ils évoquèrent la triste fin de cette grande société.

Il était plus de seize heures lorsqu'il ressortit de l'immeuble. L'entrevue s'était bien passée. Le directeur lui avait appris qu'ils n'embauchaient personne dans l'immédiat, mais qu'ils espéraient le faire dans un futur proche – c'est dans cette optique qu'ils avaient commencé à rencontrer des candidats potentiels. Peter faisait office de favori, s'il ne voyait pas d'inconvénient à quitter les États-Unis. Il répondit qu'il était ouvert à cette possibilité – d'autant plus qu'ils promettaient de le loger gratuitement à Londres.

De retour dans sa chambre d'hôtel, Peter se débarrassa de sa veste de costume et de sa cravate, défit le premier bouton de sa chemise et se laissa tomber sur le lit. Alors qu'il s'assoupissait tout juste, le téléphone de la chambre se mit à sonner. C'était Bill.

— Je viens d'avoir ton message, dit-il d'une voix tendue. J'ai été surpris que tu m'appelles. Tu ne l'avais jamais fait.

— J'ai revu tes parents plusieurs fois, ces derniers temps, expliqua Peter. La banque pour laquelle je travaillais, Whitman Broadbank, a fait faillite il y a quelques mois, et depuis je me suis installé au lac Wickaboag. Disons que je prends quelques vacances… Là, je suis à Londres pour affaires, et je me suis dit qu'on pourrait peut-être se croiser.

Il y eut un long silence à l'autre bout du fil.

— Comment va ma mère ?

— Ça a l'air d'aller. Je ne lui ai pas dit que j'allais t'appeler. Je ne savais pas si j'arriverais à te joindre, alors j'ai préféré ne rien lui promettre. Tu serais d'accord pour dîner avec moi, ce soir ?

Le jeune homme hésita. Peter était-il digne de confiance ? Son oncle lui avait toujours été présenté comme un ennemi, mais il semblait normal au téléphone. Et puis, Bill était curieux de faire sa connaissance.

— Pourquoi pas, répondit-il finalement. Je peux passer te chercher à l'hôtel. J'habite dans le quartier.

— Il y a un pub correct en bas, j'y ai mangé hier soir. De bons steaks, de la bière tiède – le programme habituel, quoi.

En l'entendant rire, Peter sentit que son neveu se détendait. Ils convinrent de se retrouver sur place vers dix-huit heures : Bill avait des cours à réviser et ne voulait pas se coucher trop tard.

À l'heure dite, alors que Peter attendait au bar devant un whisky allongé d'eau, un jeune homme grand et mince, qui lui ressemblait de manière saisissante, s'avança vers lui. Peter eut l'impression de se regarder dans un miroir. Et il songea soudain que cela n'avait pas dû faciliter les relations entre Bill et son père… À chaque querelle, ce dernier revivait probablement son conflit avec son jumeau…

Quoi qu'il en soit, ni Michael ni Maggie n'avaient fait allusion à la ressemblance étonnante entre leur fils et lui. Les gènes jouaient parfois de drôles de tours.

— Tu as l'air surpris, observa Bill, la mine sérieuse.

— Tu as bien grandi, c'est tout.

Bill se hissa sur un tabouret et commanda une bière. Les deux hommes s'observèrent un moment, sans trop savoir quoi se dire. Peter ignorait tout de la vie de son neveu, en dehors du fait que celui-ci ne s'entendait pas avec son père. Et il pouvait difficilement engager la conversation sur ce sujet… C'est pourtant ce que fit Bill :

— J'ai accepté de te rencontrer uniquement parce que je sais que tu détestes mon père, lâcha-t-il en soutenant le regard de son oncle. Moi aussi, je le déteste.

— Voilà une affirmation bien radicale, répliqua Peter. Et je ne déteste pas Michael. On a eu de sérieux désaccords quand on était jeunes, mais ta mère nous a encouragés à faire la paix il y a quelques mois.

Quinze ans de guerre froide, ça suffit. À notre âge, on commence à se rendre compte que la vie est courte.

Bill se contenta de hocher la tête.

— C'est mon père qui t'envoie ? s'enquit-il, les yeux plissés.

— Non. Il ne sait absolument pas que je t'ai contacté. Je n'étais même pas sûr de le faire. C'est un peu bizarre d'appeler quelqu'un que tu n'as pas vu depuis quinze ans et de lui dire : « Salut, je suis ton oncle, et si on apprenait à se connaître ? »

— Pourquoi tu m'as appelé, alors ?

— Sans doute pour la même raison que celle qui t'a poussé à accepter de venir : la curiosité. Tu es mon neveu. Ta mère m'a dit que tu ne voulais plus les voir, et ça la rend triste. J'ai fait pareil à ton âge. J'avais besoin de couper avec Ware, ma famille, ton père et nos disputes incessantes. Je suis parti à l'université, puis j'ai fait une école de commerce. C'était bien, mais il y a des choses que je regrette aujourd'hui.

— Comme quoi ?

— Comme le fait de ne pas avoir passé plus de temps avec ma mère avant sa mort, par exemple. Mais j'étais trop en colère pour rentrer. Je ne suis revenu la voir qu'une seule fois.

— C'est pour ça qu'ils ont tout laissé à mon père.

— Sauf la maison du lac, le corrigea Peter. Mais ça, ça ne me dérange pas. Récemment, j'ai découvert les journaux de ma mère, et je me suis rendu compte que je lui avais vraiment fait de la peine. Michael a été un bien meilleur fils que moi, il est resté auprès d'elle jusqu'à la fin. De mon côté, j'étais trop occupé par ma petite vie, trop aveuglé par la colère que j'éprouvais contre ton père. Ta mère nous a aidés à dépasser tout ça.

Peter jeta un coup d'œil à son neveu, tout en avalant une gorgée de whisky. À cet instant, le maître d'hôtel vint les chercher pour les conduire à leur table. Bill reprit la conversation dès qu'ils furent installés.

— Je sais que je lui manque. Mais je ne peux pas supporter de voir ce que mon père lui fait. Si je suis parti, c'est parce que je n'avais aucun moyen de l'en empêcher.

— De quoi parles-tu ? D'après ce que j'ai vu, il prend grand soin d'elle, répliqua Peter, surpris par ces propos. Il la traite comme une poupée de porcelaine. Je ne crois pas qu'elle pourrait être entre de meilleures mains. Elle n'a jamais complètement recouvré la santé après son accident.

— C'est ce que mon père lui fait croire pour pouvoir la manipuler à sa guise et l'isoler des autres. Il la terrorise avec l'idée qu'elle peut mourir à tout instant. Un regard, une expression… Il prend sa tension, lui donne des médicaments, l'assomme de calmants et de somnifères en lui assurant qu'elle en a besoin. Il l'oblige à rester au lit pendant si longtemps qu'elle n'a même plus la force de se lever. Avant, je lui tenais tête, mais ça ne servait à rien. Il est médecin, ma mère est convaincue qu'il sait ce qui est bon pour elle. Sauf qu'il ne fait que ce qui est bon pour lui. Mon père veut contrôler tout le monde. Je crois que c'est pour ça qu'il l'a épousée : parce qu'elle est handicapée. Il a beaucoup plus de pouvoir sur elle que si elle était en parfaite santé. Elle ne voit personne en dehors de lui et de ma sœur. Lisa, tiens, parlons-en : mon père la traite comme sa femme. Et pendant ce temps-là, ma mère reste dans son lit, parce qu'il lui dit qu'elle est trop faible pour descendre avec eux.

Peter resta bouche bée. Il était abasourdi par le tableau que Bill lui peignait. Pourtant, il y avait bien un accent de vérité dans ce qu'il disait : Michael n'avait-il pas été un grand manipulateur dans sa jeunesse, prêt à mentir pour arriver à ses fins ?

— Tu insinues qu'elle n'est pas aussi malade qu'il le dit ?

L'idée ne lui avait jamais traversé l'esprit…

— Bien sûr que non ! Moi aussi, je serais malade si on me clouait au lit pendant des années, en me gavant de somnifères et en me répétant à tout bout de champ que la mort me guette. Toute ma vie, j'ai vu mon père à l'œuvre. Je ne dis pas que ma mère n'a gardé aucune séquelle de sa chute – je sais que les traumatismes crâniens peuvent avoir de graves conséquences. Mais je me suis renseigné là-dessus, et je peux te dire qu'elle s'est très bien remise de cet accident. Il n'y a aucune raison pour qu'elle soit dans son état actuel. C'est mon père qui a décidé qu'elle devait être malade, voilà tout. La preuve, il ne laisse aucun autre médecin l'examiner ! Il s'est même occupé de ses deux grossesses : il lui a fait garder le lit pendant huit mois pour la « protéger » ! La protéger de quoi, au juste ? Au contraire, elle aurait besoin d'exercices pour retrouver l'usage de sa jambe. Elle aurait besoin de prendre l'air, de voir du monde, de vivre. Mais il ne veut pas, dit-il, qu'elle s'expose aux « germes ». En réalité, il veut juste l'empêcher de fréquenter d'autres êtres humains ! Comme ça, il peut mieux la contrôler. L'isolement, c'est une forme de maltraitance. Tu as raison, il la traite comme une poupée – *sa* poupée. Ma mère est sa prisonnière, soumise à son bon vouloir. C'est une marionnette sans défense dont il tire toutes les ficelles par la seule force de l'esprit.

— Je crois que tu vas un peu loin, l'arrêta Peter. Pour lui non plus, ce n'est pas facile d'avoir une femme handicapée. Personne ne voudrait être à sa place.

— Détrompe-toi, il adore ça ! Il la garde dans cet état pour pouvoir lui dicter sa conduite. Elle le croit sur parole, et elle fait tout ce qu'il lui demande de faire. Je suis sûr qu'elle va mieux qu'il ne le prétend. Il est le seul à poser des diagnostics. Qui sait s'ils ne sont pas bidons ?

— Je ne veux pas me disputer avec toi, Bill – on vient à peine de se retrouver. Mais j'ai du mal à te croire. Michael n'est pas Machiavel. C'est un homme marié à une femme malade.

— Tu ne connais pas mon père, alors. Il est complètement dérangé. C'est un menteur pathologique – et crois-moi, j'ai fait des recherches sur le sujet. C'est à se demander s'il a une conscience. À ton avis, pourquoi il s'occupe de toutes ces personnes âgées ? Tu n'as pas d'idée ? Eh bien, c'est parce qu'elles lui laissent de l'argent. Cinq, dix, vingt mille dollars. Chaque fois, il joue la surprise, mais il n'attend que ça ! Si ça se trouve, il les tue... Ça ne m'étonnerait pas de lui.

Peter fut choqué par ces accusations. Bill brossait un portrait effrayant de son père. Même s'il avait détesté Michael dans sa jeunesse, Peter n'avait jamais pensé que ses mensonges et ses manipulations pouvaient avoir des objectifs si diaboliques. Et s'il y avait un défaut que Michael ne possédait pas, c'était bien la cupidité. Il s'était toujours contenté de peu, et n'avait pas manqué de critiquer Peter pour l'exubérance de son style de vie.

— Ce sont là de très lourdes charges que tu fais peser sur lui, observa Peter sobrement. Tu l'accuses d'assassiner ses patients par appât du gain.

— Je crois qu'il en est capable.

Leur conversation fut interrompue par l'arrivée d'un serveur, à qui ils commandèrent une *shepherd's pie* et des rognons, les spécialités du restaurant.

— Quand j'étais jeune, reprit Peter, je pensais que Michael manipulait nos parents, qu'il les montait contre moi. En vérité, il était plus facile à vivre, c'est tout. Je l'ai compris, maintenant. Moi, j'étais tout le temps en colère contre quelqu'un ou quelque chose.

Et Bill semblait bâti sur le même modèle…

— Tu avais peut-être de bonnes raisons d'être en colère, fit remarquer ce dernier.

— C'est ce que je croyais, mais je n'en suis plus si sûr. Je pense vraiment que ton père est totalement dévoué à ta mère. Il savait dans quoi il s'engageait quand il l'a épousée. Il l'adore, il est prêt à tout pour elle.

— Sauf à la laisser vivre une vie normale, répliqua Bill. Il lui parle de ses « nerfs » à longueur de temps. Il nous embêtait déjà avec ça quand on était petits. Moi, je pense que ses nerfs vont très bien, et surtout qu'ils iraient encore mieux si elle sortait davantage.

— Il n'empêche que ça ne doit pas être très drôle pour lui d'avoir une femme invalide. Pourquoi ferait-il une chose pareille ?

— Parce qu'il n'y a que comme ça qu'il se sent bien ! Il n'est pas aussi innocent que tu le crois. Je me demande même s'il n'essaie pas de la tuer, murmura Bill, les mâchoires crispées.

Peter eut de la peine pour le jeune homme. Il divaguait ou quoi ? Pouvait-il envisager sérieusement que son père puisse vouloir tuer sa mère ?

— Je sais que ça paraît insensé, mais je le pense vraiment. Toute ma vie, je l'ai vu convaincre maman qu'elle était fragile. Maintenant, il veut lui faire croire qu'elle va mourir. Et c'est ce qui risque d'arriver bientôt.

— Je ne suis pas sûr que la manipulation et la suggestion suffisent pour faire mourir quelqu'un, Bill, remarqua Peter.

— Peut-être qu'il l'empoisonne. Cette idée me rendait fou quand j'étais encore à la maison. Je suis convaincu que mon père est un psychopathe.

Peter ne répondit pas. Certes, il avait longtemps pensé que son frère était le diable incarné, mais il n'avait jamais posé d'étiquette comme celle-ci sur son comportement. Aujourd'hui, il le considérait comme un homme doux et aimant – c'était en tout cas sous ce jour que Michael se montrait à lui depuis leurs retrouvailles. Mais les paroles de Bill le troublaient. Quel visage de Michael était le vrai ? Les relations qu'ils entretenaient depuis quelques mois étaient-elles sincères, ou pure manipulation ? Michael était-il un saint ou un démon ?

— Il n'a aucune conscience, poursuivit Bill. Aucune intégrité. Il fait ce qu'il veut, et ce qu'il veut, c'est contrôler tout le monde.

— Mais pourquoi ? Qu'est-ce qu'il y gagne ?

— Il a beau prétendre le contraire, je crois qu'avec lui tout tourne autour de l'argent. Il a toujours quelque chose à gagner. D'ailleurs, ce n'est pas une coïncidence si ma mère a contracté le Parkinson il y a deux ans, juste après la mort de mon grand-père.

— Je doute qu'on puisse inoculer le Parkinson à quelqu'un par la seule force de l'esprit, répliqua Peter.

Les théories de Bill ne tenaient pas la route. L'accident de Maggie expliquait très bien ses problèmes de santé...

— Je ne sais pas ce qu'il lui fait, mais ce qui est sûr, c'est qu'elle est de plus en plus malade. Sa santé se dégrade à vitesse grand V. Or elle a hérité il y a peu de mon grand-père. Lui, c'était un type bien, modeste et travailleur. Son usine valait une fortune. Tu sais combien ma mère en a tiré ? Dix millions de dollars.

Ça vaut le coup d'attendre vingt-trois ans, tu ne crois pas ? Mon père savait que cet héritage viendrait. Un de ces jours, il va la tuer pour récupérer l'argent, et ça passera pour une mort naturelle.

Les deux hommes se regardèrent fixement. Peter ne savait pas quoi répondre. Les accusations de Bill étaient terrifiantes. Il n'y avait pas si longtemps, il l'aurait cru sur parole, mais plus maintenant. Il se demanda tout d'un coup si son neveu se droguait, ou s'il avait des problèmes psychiatriques... Son discours présentait tous les signes d'une paranoïa aiguë.

— Je sais ce que tu penses, soupira le jeune homme. Que je suis fou. Mais c'est mon père qui l'est. Tu verras, il finira par la tuer. J'ignore comment, mais il le fera. Pas un jour ne passe sans que je m'inquiète pour elle ; c'est pour cette raison que je suis parti. D'ailleurs, il me tuerait aussi s'il le pouvait. Il sait que je vois clair dans son jeu. C'est ce qui explique qu'il me déteste autant, et qu'il t'ait détesté avant moi – d'après ce que ma mère m'a dit, tu l'avais démasqué, toi aussi. Là, il a réussi à te berner, mais je suis prêt à parier qu'il ne t'aime pas plus qu'avant. Quant à Lisa, il lui a lavé le cerveau. Elle le vénère comme un dieu, et il la prend pour sa petite femme, sa bonniche. Moi, je n'ai jamais été dupe, même étant petit. Je le déteste depuis toujours. Malheureusement, toi et moi sommes les seuls à le connaître vraiment.

— Je ne suis pas sûr de partager tes convictions, répondit Peter avec honnêteté. Quand on était enfants, je le trouvais méchant : Michael menait nos parents par le bout du nez... et ils le croyaient toujours, même quand il mentait. Forcément, c'était lui le plus intelligent. Moi, j'étais dyslexique, alors tout le monde me prenait pour un débile. Je faisais des crises de colère, je me battais à l'école. J'ai été un enfant à problèmes jusqu'à ce que j'entre à l'université, où on m'a enfin aidé à surmonter mes difficultés d'apprentissage. C'est vrai que Michael se débrouillait toujours pour que je me fasse gronder à sa place, mais je crois qu'il cherchait simplement la reconnaissance de nos parents. Il voulait être le préféré. Il avait peut-être besoin de plus d'amour, ou bien il était jaloux de moi... Ça ne fait pas de lui un meurtrier. Moi aussi, je voyais clair dans son jeu, mais maintenant je suis persuadé qu'il n'est pas aussi mauvais que je l'imaginais et que tu le penses. Tout ce qu'il désire, aujourd'hui, c'est protéger ta mère et la garder en vie le plus longtemps possible.

— Jusqu'au jour où il la tuera, insista Bill. Je sais que je n'arriverai pas à te convaincre, mais j'ai raison. Et je ne peux rien faire pour l'en empêcher.

Peter aurait voulu le rassurer. Malheureusement, quoi qu'il dise, Bill resterait campé sur ses positions. Depuis qu'il avait pris conscience des qualités de Michael, Peter se rendait compte qu'il avait été trop dur avec lui par le passé. Cela l'attristait que Bill se soit exilé pour échapper à la lente agonie de sa mère. Il repensa alors à une remarque que son frère avait faite : lorsqu'elles n'arrivent pas à accepter la mort d'un être aimé, certaines personnes cherchent quelqu'un sur qui en rejeter la faute. C'était sans doute le cas de Bill, qui diabolisait son père pour se protéger de l'inévitable : sa mère allait mourir.

En guise de dessert, ils commandèrent du pudding, puis s'offrirent un verre de porto. Ce n'était pas le meilleur repas que Peter eût mangé, mais il en avait apprécié l'aspect roboratif typique de la cuisine anglaise. Et la soirée avait été plaisante, malgré tout. Son neveu possédait de bonnes connaissances en économie ; ils discutèrent du krach boursier jusqu'à une heure avancée. Si paranoïaque fût-il, Bill se révélait intelligent et sensé. Après tout, lui-même n'était-il pas passé pour un fou dans sa jeunesse, chaque fois qu'il avait évoqué la méchanceté de son frère ? Les gens ont peine à croire que la malveillance puisse exister à l'état pur. Dans le cas présent, néanmoins, Peter était certain que Bill se trompait. Michael avait changé, en bien.

Le lendemain, Peter passa la journée à se balader dans Londres, faisant étape dans ses lieux de prédilection : il déjeuna au Maze Grill et prit un verre au bar du Claridge en fin d'après-midi. Le soir, fatigué par ses pérégrinations, il commanda un repas au room service avant d'appeler son neveu. Il lui promit de lui donner des nouvelles de Maggie et de le prévenir si son état de santé se dégradait. Il lui enjoignit aussi d'aller la voir au plus vite. Il savait d'expérience que cela lui épargnerait de terribles remords par la suite. Avant de raccrocher, Bill exprima l'espoir que son oncle obtienne le poste à Londres. Peter n'était pas opposé à l'idée, mais pour l'instant, aucune proposition ne lui avait été faite.

Le vol jusqu'à Boston se déroula sans encombres. Entre le décalage horaire et le trajet en voiture, Peter arriva au lac Wickaboag à vingt heures passées. Malgré le peu d'exercice qu'il avait fait dans la journée, il était épuisé.

Le lendemain matin, Peter décida de rendre visite à Maggie. Après avoir entendu les sinistres prédictions de son neveu, il tenait à s'assurer qu'elle allait bien. Lorsque Pru lui ouvrit la porte, il trouva sa belle-sœur assise dans le salon près de son déambulateur, en meilleure forme qu'il ne l'avait vue jusque-là.

— Mais tu es toute belle, aujourd'hui ! s'exclama-t-il en s'asseyant à côté d'elle. Il suffit que je m'absente quelques jours pour que tu t'épanouisses comme une fleur !

— Michael me fait essayer un nouveau traitement contre le Parkinson. La FDA[1] vient juste d'autoriser sa mise sur le marché. Je ne me suis jamais sentie aussi bien depuis deux ans !

Une preuve, s'il en fallait une, que Bill se fourvoyait... Michael faisait tout ce qui était en son pouvoir pour que Maggie vive mieux et plus longtemps. Peter fut soudain tenté d'interroger sa belle-sœur sur le passé psychiatrique de son fils, mais il ne voulut pas lui faire de peine ; il paraissait évident que Bill souffrait de sérieux troubles paranoïaques. Il se contenta donc d'annoncer à Maggie qu'ils avaient dîné ensemble. Aussitôt, une ombre passa sur son visage. Bill l'avait déjà informée de cette rencontre.

— Il t'a parlé de Michael ? demanda-t-elle.

Elle eut sa réponse en le voyant hésiter. Peter poussa un soupir. Maggie connaissait bien son fils.

— On dirait moi au même âge, finit-il par dire en souriant. Visiblement, Michael a le chic pour énerver les jeunes mâles... Bill finira par se calmer, je suppose. Je lui ai dit qu'il se trompait. Ça m'embête de le voir dépenser autant d'énergie dans un combat inutile.

— J'espère qu'il mettra moins longtemps que toi à oublier ses rancœurs, murmura Maggie. J'aimerais tant qu'il vienne nous voir !

— Il le fera. Pour toi, au moins. À part ça, on s'est bien entendus, tous les deux.

Maggie eut un petit rire.

— C'est ton portrait craché, pas vrai ? Michael me taquinait avec ça. Bill pourrait être ton fils.

---

1. Food and Drug Administration, l'agence gouvernementale qui autorise la commercialisation des médicaments aux États-Unis. (*N.d.T.*)

— J'espère qu'on se reverra, en tout cas, répondit Peter sans relever sa remarque.

— Et ton rendez-vous, comment ça s'est passé ?

— Ils n'embauchent pas pour l'instant, c'était donc une fausse piste. Mais je finirai bien par trouver quelque chose.

Maggie acquiesça. Elle devinait que Peter s'inquiétait pour son avenir. Il ne pourrait pas rester éternellement dans la maison du lac à faire des travaux.

Après avoir bavardé un moment, il quitta sa belle-sœur, rassuré sur son état de santé. Son nouveau traitement avait opéré des miracles en très peu de temps. Peter n'imaginait pas une seule seconde que son frère puisse vouloir la tuer. Certes, Michael avait été un sale gosse, mais cela ne faisait pas de lui un meurtrier. Et ce n'était pas parce que ses patients âgés lui laissaient quelques milliers de dollars par testament qu'il les tuait ! S'il prenait soin d'eux, s'il leur rendait la vie plus douce à la fin, il méritait leur gratitude. Peter avait vu en lisant les journaux de sa mère combien Michael s'était montré attentionné.

Peter tourna dans l'allée qui menait à son cottage. Avec les températures qui remontaient, l'activité reprenait sur le lac, et l'on voyait quelques bateaux, le week-end. Il avait l'intention de louer un voilier quand ses enfants viendraient en juillet. Ses parents s'étaient débarrassés du sien depuis bien longtemps.

Il fut surpris de trouver un inconnu assis sur les marches du perron. Un électricien, à en juger par la ceinture d'outils qu'il portait par-dessus sa salopette et sa chemise à carreaux.

— Je peux vous aider ? s'enquit Peter.

L'homme acquiesça et attendit qu'il s'avance vers lui. L'espace d'un instant, Peter se demanda s'il devait s'inquiéter. La maison était isolée, et son visiteur semblait nerveux.

— Je suis venu vous parler de votre frère, annonça celui-ci d'un ton presque menaçant.

— Je vous écoute.

— Mon père était un de ses patients. Il est mort il y a deux semaines.

— Quel rapport avec moi ? le questionna Peter, se gardant bien de l'inviter à entrer.

— Je veux savoir ce qu'il a fait. D'après Walt Peterson, vous êtes quelqu'un de bien.

— Merci, mais mon frère aussi. Et c'est un bon médecin.

L'homme le regarda sombrement.

— Il a tué mon père.

— C'est une accusation très grave que vous portez là, monsieur.

De nouveau, Peter songea à la théorie de son frère sur les personnes qui cherchent un responsable à la mort de leurs proches. Michael semblait une fois de plus en faire les frais.

— Il se peut que mon père lui ait demandé d'abréger ses souffrances, mais ça n'excuse rien. Il avait un cancer du foie, et il est parti d'un coup, pendant la nuit qui a suivi une visite de votre frère. Il vivait seul. Je l'ai trouvé mort dans son lit le matin.

— Son heure était certainement venue, suggéra Peter en réprimant son agacement.

Il n'appréciait pas que ce type vienne l'intimider jusque chez lui.

— Non, son heure n'était pas venue. J'en suis certain. Le mois dernier, il avait consulté un oncologue à Boston qui lui avait donné encore six mois ou un an à vivre. Et deux semaines plus tard, il meurt dans son sommeil ? Je suis persuadé que votre frère l'a aidé à partir. Et ce n'est pas tout.

Il agita un document sous le nez de Peter.

— J'ai appris aujourd'hui que mon père lui avait laissé toute sa fortune ! Pourtant, il n'était pas sénile ! Votre frère a dû lui faire du charme, le convaincre d'une façon ou d'une autre de tout lui léguer. Il ne reste plus rien pour ma sœur et moi, ni pour nos enfants. Ce n'est pas juste. Quarante mille dollars !

Immanquablement, Peter songea à sa conversation avec son neveu. Puis il se souvint de sa propre réaction lorsqu'il avait découvert que ses parents avaient légué presque tous leurs biens à Michael. Il avait éprouvé la même colère que cet homme.

— Je veux faire pratiquer une autopsie, gronda celui-ci. Je vais aller voir la police !

— Quel âge avait votre père ? demanda Peter en prenant le document qu'il lui brandissait au visage.

— Soixante-dix-neuf ans. Il était malade depuis deux ans, c'est votre frère qui l'a soigné pendant tout ce temps.

— Peut-être que votre père a voulu lui exprimer sa gratitude pour l'avoir maintenu en vie aussi longtemps, avança Peter. Ce n'est pas parce qu'il lui a laissé de l'argent que mon frère l'a tué.

— Je suis sûr qu'il l'a incité à nous déshériter. Pourquoi mon père aurait-il fait une chose pareille ? Il aimait sa famille. Votre frère est un pervers !

— Attaquer mon frère ne vous ramènera pas votre père, observa Peter avec un soupir. Ça ne fera que compliquer les choses pour tout le monde. Pourquoi êtes-vous venu ici ? Qu'attendez-vous de moi ?

— Je veux que vous m'aidiez. Les policiers m'écouteront si vous m'accompagnez.

— Pas question ! s'indigna Peter. C'est mon frère, et surtout je n'ai aucune raison de croire qu'il a tué votre père, même s'il a reçu de l'argent de lui. Ce n'est pas une preuve de meurtre, bon sang !

— Mais ça prouve qu'il l'a influencé d'une manière ou d'une autre. Je vais demander qu'il soit exhumé.

— À votre place, je m'abstiendrais. Vous allez faire de la peine à beaucoup de gens. Je suis certain que mon frère est innocent.

— Et moi, je suis certain du contraire.

— Vous n'avez pourtant aucune preuve, rétorqua Peter.

— Alors laissons la police trancher.

L'homme se tut, pensif. Puis il reprit :

— Je pensais que vous m'aideriez.

— Et pourquoi ça ?

— Walt m'a dit que votre frère vous avait arnaqué pour l'héritage de vos parents. Vous devriez comprendre ce que je ressens. Et puis, il a quand même tué mon papa ! ajouta-t-il, les larmes aux yeux.

— Michael ne m'a pas « arnaqué », comme vous dites. Il méritait tout ce qu'il a eu. Et cela ne regarde personne à part nous.

— Vous refusez de m'aider, alors ? Très bien. Ça ne m'empêchera pas d'aller voir la police.

Sur ces mots, il remonta dans sa voiture et démarra en faisant ronfler le moteur. En passant devant Peter, il cracha par la vitre ouverte, le manquant de peu. Peter s'empressa de rentrer et d'appeler son frère pour l'informer qu'un cinglé en avait après lui. Mais Michael n'était pas inquiet : il connaissait le type, savait ce qu'il répétait partout en ville. Il avait déjà demandé à la police de faire des rondes devant chez lui. D'après lui, l'électricien était alcoolique et souffrait de bouffées délirantes ; quant à sa sœur, elle présentait des troubles psychiatriques depuis des années. Toute la famille avait un grain.

— Je suis navré qu'il soit venu t'importuner, dit-il sans la moindre trace d'affolement dans la voix. Je signalerai l'incident à la police. C'est ce que je t'expliquais, certaines personnes disjonctent quand elles perdent un être cher. Ça me gêne que ce vieux monsieur m'ait laissé toute sa fortune, et je rendrais volontiers l'argent à ses enfants si c'étaient des gens bien. Mais ce serait aller contre la volonté de mon patient. Ils dépenseraient tout en alcool et en drogue. Ces deux-là sont de la mauvaise graine, et leur père le savait. C'est pour ça qu'il m'a tout laissé.

— Bon, fais quand même attention à toi. Je ne voudrais pas qu'ils s'avisent de pointer une arme sur toi.

Michael se mit à rire.

— Ils n'en feront rien. Je suis trop rapide pour eux ! Et puis, le chef de la police est mon ami, il me protège.

— Ferme bien toutes les portes ce soir, insista Peter.

— Merci, frangin.

Peter raccrocha en secouant la tête. Cette histoire le perturbait. Son frère avait raison, l'homme était fou. Pauvre Michael, il avait bien besoin de ça… Se faire accuser du meurtre d'un patient ! Mais Peter savait que les démarches de l'électricien n'aboutiraient à rien. Michael était un saint, pas un assassin. Il fallait juste qu'il se montre prudent le temps que l'énergumène se calme.

13

Lorsqu'il retourna en ville quelques jours plus tard, Peter s'arrêta déjeuner au restaurant de Violet. Cette femme incarnait à ses yeux une figure bienveillante et maternelle. Trop occupée pour bavarder avec lui, elle insista néanmoins pour qu'il mange une délicieuse part de tourte aux pommes.

Peter passa ensuite faire quelques courses à la quincaillerie. Il voulait remplacer toutes les moustiquaires avant l'été. La maison embellissait à vue d'œil. Il s'apprêtait à raconter à Walt sa mésaventure avec l'électricien furieux, mais le vieil homme ne lui en laissa pas le temps.

— Je suis désolé pour ta belle-sœur, dit-il tristement.

Peter sentit son sang se glacer dans ses veines. S'il était arrivé quelque chose à Maggie, Michael l'aurait prévenu, non ?

— Comment ça, vous êtes désolé ? Qu'est-ce qu'il y a ?

Il avait envie d'attraper Walt par le col et de le secouer jusqu'à ce qu'il crache le morceau…

— On m'a dit qu'elle était à l'hôpital et qu'elle n'allait pas bien du tout. Une pneumonie, apparemment. Elle a été admise hier soir.

C'était une petite ville, les nouvelles circulaient vite. Peter sortit de la quincaillerie au pas de course, oubliant même de saluer Walt.

Lorsqu'il tenta de joindre Michael au volant de son pick-up, il tomba sur la boîte vocale. Il décida de se rendre directement à l'hôpital St. Mary. Là, on lui indiqua que Maggie avait été installée dans une chambre individuelle, par courtoisie envers Michael. Peter se rua dans l'escalier.

En entrant dans la pièce, il découvrit Maggie étendue sur le lit, les yeux clos, un masque à oxygène sur le visage. Elle avait le teint gris, comme le jour où il lui avait rendu visite alors qu'elle était plongée dans le coma après son accident de patin à glace. Quant à Michael, il était assis à côté d'elle, l'air anéanti.

— Que s'est-il passé ? demanda Peter d'une voix sourde.

— Elle a mal réagi au nouveau médicament. Ça a affecté son système respiratoire. Pourtant, elle l'avait très bien toléré les premiers jours…

Michael avait presque plus mauvaise mine que sa femme. Peter lui pressa l'épaule, avant de s'asseoir pour lui tenir compagnie. Régulièrement, son frère prenait les constantes vitales de Maggie. L'infirmière en chef fit une brève apparition, puis repartit aussitôt, sachant sa patiente entre de bonnes mains.

Après une attente qui leur parut interminable, Maggie ouvrit enfin les yeux. En voyant les deux frères assis auprès d'elle, elle sourit faiblement. On l'avait mise sous calmants, et une sonde d'intubation attendait à portée de main si nécessaire.

— Qu'est-ce que vous faites là, tous les deux ? murmura-t-elle.

— Oh, on passe le temps, plaisanta Peter. Comment te sens-tu ?

Il ne voulait pas lui montrer à quel point il était inquiet.

— Je me sens bizarre. Un peu endormie.

Maggie avait retiré son masque pour parler ; Michael le replaça doucement sur son visage. Une pince au bout de son index vérifiait le taux d'oxygène dans son sang. Celui-ci s'était révélé beaucoup trop bas lorsqu'elle était arrivée la veille au soir en état de détresse respiratoire. Michael avait appelé une ambulance à minuit, craignant que son cœur ne lâche s'il la conduisait lui-même à l'hôpital. Lisa était bouleversée. Mais son père n'avait pas voulu qu'elle les accompagne, préférant lui éviter de trop fortes émotions.

À dix-neuf heures, alors que Maggie s'était rendormie, Peter jeta un coup d'œil à sa montre.

— Tu veux aller manger un morceau ? chuchota-t-il à son frère.

Après une hésitation, Michael accepta. Il avait fait venir un jeune médecin de Warren, à qui il avait déjà fait appel par le passé, pour le remplacer au cabinet. Depuis qu'il était au chevet de Maggie, il n'avait rien avalé si ce n'est un peu de soupe que les infirmières lui avaient apportée.

Les deux frères se rendirent à pied au restaurant de Vi. Ayant appris dans la journée que Maggie avait été hospitalisée, celle-ci leur demanda des nouvelles sitôt qu'ils eurent passé la porte. L'expression de Michael parlait d'elle-même.

Jack Nelson, le chef de la police, dînait avec un de ses adjoints. Michael s'arrêta devant leur table et présenta Peter à son ami. L'homme se leva pour lui serrer la main.

— Je suis au courant pour Maggie, dit Jack d'un ton grave. Comment va-t-elle ?

— Elle tient le coup pour l'instant, répondit Michael. Je pense qu'elle a été prise en charge à temps.

— Si je peux faire quelque chose, n'hésite pas. Je demanderai à mes hommes de patrouiller devant chez toi tant que Lisa sera toute seule. Qu'elle m'appelle si elle a besoin de quoi que ce soit. Même d'une pizza.

— Merci, Jack, mais elle est hébergée chez une amie.

Michael et Peter s'installèrent à une table, et Vi leur servit une tasse de café fumant. Sur ses conseils, ils commandèrent le plat du jour, un pain de viande accompagné de purée de pommes de terre. C'était exactement ce dont ils avaient besoin.

— Si ses poumons lâchent, on la perdra, se lamenta Michael. Le Parkinson complique tout. C'est notre pire ennemi, à présent. Il faut attendre de voir comment elle s'en sort dans les prochains jours.

— Tu as prévenu Bill ?

Michael secoua la tête.

— C'est trop tôt. Je ne voudrais pas le faire revenir pour une fausse alerte.

— Je peux rester avec elle si tu le souhaites, ça te permettrait de te reposer un peu.

Étant enrhumée, Lisa ne pouvait pas rendre visite à sa mère. Le risque était trop grand qu'elle la contamine.

— Je ne la laisserai pas, répondit Michael. Ils m'installeront un lit de camp dans sa chambre. Je préfère garder un œil sur elle.

Ils repartirent à l'hôpital, non sans que Vi leur ait fourni une Thermos de café et de quoi grignoter. Peter quitta son frère aux alentours de onze heures, lui enjoignant de le prévenir s'il arrivait quelque chose. Michael lui en fit la promesse.

De retour chez lui, Peter découvrit un mail de Bill. Après la journée qu'il venait de passer, il faillit pleurer en le lisant. Son neveu avait perdu la tête. Il lui envoyait un article sur un désherbant, le paraquat, qui, lorsqu'il était ingéré en quantités infimes sous sa forme liquide, provoquait les mêmes symptômes que le Parkinson. Dans les pays sous-développés, on s'en servait pour se suicider. Il existait quelques cas reconnus d'empoisonnements dont la plupart s'étaient révélés mortels. Aux États-Unis, par mesure de précaution, le paraquat était vendu additionné d'une teinture, d'une substance odorante répulsive et d'un vomitif, mais on le trouvait pur au Canada et en Europe. Une gorgée de ce liquide vous conduisait rapidement à la mort, tandis qu'à doses infinitésimales il vous tuait à petit feu. Et Bill pensait que son père l'employait contre sa mère... Peter ne savait pas s'il fallait en rire ou en pleurer. Il n'avait jamais rien lu d'aussi ridicule. Ni d'aussi paranoïaque.

Le lendemain matin, il fut réveillé par la sonnerie du téléphone.

— Tu as reçu mon mail ? s'enquit Bill sans préambule.

Peter laissa échapper un grognement. Au moins, Michael ne l'avait pas appelé pendant la nuit. C'était bon signe.

— Oui, je l'ai reçu, répondit-il lentement. Il faut que tu arrêtes, Bill. Ton père n'est pas en train d'assassiner ta mère avec un désherbant. Il est médecin, nom de nom ! S'il voulait se débarrasser d'elle, il ne s'embêterait pas à aller chercher je ne sais quel produit au Canada.

Peter s'assit dans son lit et regarda le réveil : sept heures du matin, midi à Londres. À l'autre bout du fil, son neveu était en train de lui expliquer qu'il avait fait des recherches approfondies et que les effets du désherbant correspondaient en tout point aux symptômes de sa mère.

— Ta mère est malade, l'interrompit Peter. Elle est à l'hôpital.

Il détestait être porteur de mauvaises nouvelles, mais Bill le fatiguait avec ses accusations absurdes.

— Qu'est-ce qu'elle a ? demanda ce dernier, paniqué.

— Elle a fait une réaction à un nouveau traitement qu'elle prenait contre le Parkinson. Ça a attaqué ses poumons. Ton père craint qu'elle ne contracte une pneumonie. Mais pour l'instant, elle se bat. Je suis resté avec eux toute la journée d'hier, jusqu'à tard le soir ; crois-moi, il fait ce qu'il peut pour la sauver. Personne ne pourrait mieux s'occuper d'elle.

— S'il l'empoisonne depuis le début, il n'a qu'à rester là à pleurer en attendant qu'elle meure. C'est son meilleur alibi.

— Tu devrais aller voir un psy, Bill. Ou prendre des médicaments. Tu hallucines complètement.

— Je sais que j'ai raison. Ça fait des mois que je fouille Internet, et je connais tous les poisons. Le paraquat a déjà été utilisé dans des affaires d'empoisonnement.

— Pas par des médecins sur leur femme, répliqua Peter, exaspéré. Ta mère est malade depuis qu'elle a vingt ans. Il faut que tu te fasses à cette idée. Et même si elle survit à cet épisode-ci, ce que je souhaite de tout mon cœur évidemment, il y aura d'autres attaques. Il est temps que tu grandisses, Bill.

— Mais écoute-moi, bon sang, Peter ! Je te dis que je le connais ! C'est un psychopathe, un taré sans conscience ni morale !

— Moi aussi, je connais mon frère. C'est vrai qu'il peut être un vrai chameau, je le détestais aussi quand j'étais jeune. Mais je te jure qu'il aime ta mère. Il donnerait sa vie pour elle.

— Mon père n'en a rien à foutre des autres. Si ça se trouve, il a tué ses propres parents pour hériter de leur argent.

— Ils n'en avaient pas assez pour que ça vaille le coup, rétorqua Peter.

— Mon grand-père a laissé dix millions de dollars à ma mère. Mon père est tout à fait capable de la tuer pour ça, même s'il ne devait en récupérer que la moitié. Je suis prêt à parier qu'il l'a épousée pour cette seule raison. Dans l'état où elle était, personne n'aurait voulu d'elle, mais pour lui, c'était un bon placement en viager.

— Comment oses-tu dire ça ? Je te trouve bien cruel avec ta mère.

— J'aimerais que tu fasses quelque chose pour moi, le coupa Bill avec ferveur.

Quelle idée il avait eue de contacter son neveu ! Peter s'en voulait amèrement. Comme s'il avait besoin de se retrouver avec un cinglé sur les bras ! Il comprenait mieux pourquoi Maggie se disait soulagée que son fils soit parti vivre à Londres : il était fou !

— J'ai repéré un laboratoire d'analyses toxicologiques à Boston, expliqua le jeune homme. Ils pratiquent des tests de dépistage pour les poisons rares. Je les ai appelés hier, ils m'ont dit que si on leur apportait quelques cheveux de maman, ils pourraient vérifier la présence ou non de paraquat. Fais ça pour moi, je t'en prie. Après, je te laisse tranquille.

Peter ferma les yeux. Comment allait-il se débarrasser de lui ? De toute évidence, Bill perdrait la tête si sa mère venait à mourir. Il serait même capable de tuer son père pour le punir d'un crime que celui-ci n'avait pas commis.

— Écoute, je ne vais quand même pas entrer dans sa chambre, lui arracher une mèche de cheveux sous le nez de ton père et l'apporter à un charlatan que tu as trouvé sur Internet ! Reviens sur terre, enfin !

— Je t'en supplie...

Son neveu étouffa un sanglot. Peter n'était pas loin de pleurer lui aussi – de frustration. Accessoirement, il n'était même pas certain que Maggie vive assez longtemps pour que le plan de Bill soit mis à exécution.

— Je te jure que je ne t'appellerai plus jamais, insista ce dernier. Je te demande juste ce petit service. Fais-le pour ma mère, si tu tiens un tant soit peu à elle.

— J'aime ta mère. Et mon frère également.

C'était vrai, Peter s'en rendait compte à présent : les liens qu'il avait tissés avec Michael lui étaient précieux.

— Et je tiens aussi à toi, Bill, mais je refuse de me lancer dans cette entreprise absurde.

— Et pourquoi pas ? Imagine un instant que j'aie raison ? Imagine que tu lui sauves la vie ?

Le regard perdu dans le vide, Peter considéra cette question. Bill marquait un point : au pire, il passerait pour un imbécile en apportant trois cheveux dans un laboratoire de Boston pour découvrir quelle marque de laque Maggie utilisait. Mais si Bill avait vu juste ? Non, c'était impossible. L'idée était complètement folle – le fruit d'un esprit malade.

Le silence de Peter redonna espoir au jeune homme.

— Tu vas le faire, alors ? Ce n'est pas grand-chose, et personne n'en pâtira si je me trompe. Par contre, si j'ai raison... Ce poison peut provoquer des séquelles irréversibles, mais ma mère a des chances de s'en sortir si elle n'a pas ingéré des doses trop fortes. Il ne faudrait pas en revanche que mon père décide de les augmenter pour l'achever. Dis-moi que tu vas le faire, je t'en supplie, Peter. On n'a peut-être plus beaucoup de temps.

Peter eut l'impression que Bill l'aspirait dans son cauchemar.

— Je ne sais pas pourquoi j'accepte, finit-il par dire en soupirant. Mais si les résultats sont négatifs, je veux que tu me promettes de trouver un psychiatre à Londres et de m'oublier. Ta mère est très malade, il faudra que tu t'y fasses.

— Je te le promets.

— Envoie-moi le nom et l'adresse du laboratoire. Ma parole, je dois être aussi timbré que toi...

— Je te les ai déjà envoyés, répondit Bill. Merci, Peter. Merci beaucoup.

— Et comment suis-je censé arracher des cheveux à ta mère sans passer pour un fou auprès de ton père ?

— Je ne sais pas, moi, caresse-lui la tête... Tu trouveras une solution.

— Que ce soit bien clair, Bill, je pense toujours que tu te fourvoies. Mon frère n'est pas un assassin.

— Fais-le, s'il te plaît...

— Je t'ai dit que je le ferais. Mais ça ne mènera à rien.

— Tu crois que je devrais venir voir maman dès aujourd'hui ? interrogea le jeune homme.

— Parles-en à ton père. À ta place, je n'attendrais pas trop.

— Tu me tiendras au courant pour les résultats ?

— Oui, je t'appellerai.

Peter raccrocha, furieux contre lui-même. Une heure plus tard, il était à l'hôpital. Michael somnolait dans le fauteuil, et Maggie dormait profondément. Non sans se sentir ridicule, Peter s'approcha d'elle. Il réussit assez facilement à lui prélever quelques cheveux, qu'il fourra dans sa poche. Puis, avant que son frère ou sa belle-sœur ne se réveillent, il sortit discrètement dans le couloir et glissa les cheveux dans l'enveloppe qu'il avait apportée. Personne n'avait rien vu. Alors qu'il revenait s'asseoir à côté de Michael, celui-ci ouvrit les yeux et sourit.

— Comment va-t-elle ? chuchota Peter.

— À peu près comme hier. Un peu de fièvre, mais tant que ses poumons résistent, on a nos chances.

— Bon, tant mieux. Je dois aller à Boston pour régler un problème avec la banque, annonça Peter, mal à l'aise.

— Je peux t'aider pour quelque chose ?

Michael se demandait si son frère avait besoin d'argent.

— Non, ça va. Je ne vais pas t'embêter avec mes petits soucis. J'en ai pour quatre ou cinq heures, appelle-moi s'il y a quoi que ce soit.

Michael acquiesça. Les deux frères échangèrent un sourire, puis Peter quitta la pièce aussi silencieusement qu'il y était entré, avant de se presser en direction du parking avec l'enveloppe dans la poche. Il n'était même pas certain que le laboratoire de Bill existait vraiment…

Il lui fallut une heure et demie pour atteindre Boston ; durant tout le trajet, il ne put se défaire d'un sentiment de culpabilité. Il était en train de donner foi au délire de son neveu, alors qu'il n'imaginait pas un seul instant que Michael ait pu essayer de tuer Maggie. Cependant, lui démontrer qu'il avait tort était probablement la seule solution pour que Bill accepte enfin la vérité : si insupportable que cela puisse être, sa mère allait mourir. Restait à savoir si elle avait encore plusieurs jours devant elle, ou seulement quelques heures.

En arrivant à l'adresse indiquée, Peter fut surpris de découvrir un grand bâtiment à la pointe de la modernité. « Laboratoire médico-légal », indiquait une pancarte au-dessus de l'entrée. Plusieurs policiers attendaient à l'intérieur de l'établissement. Peter patienta cinq minutes à l'accueil, puis une technicienne lui tendit des formulaires à remplir.

— Qu'est-ce qu'on cherche ? s'enquit-elle.

— Des traces de paraquat, répondit-il le plus naturellement possible. Une suspicion d'ingestion.

— Vous nous avez apporté un échantillon ?

Peter lui donna l'enveloppe qui contenait les trois cheveux.

— Il nous faudrait les résultats au plus vite, précisa-t-il, se prenant au jeu.

L'employée nota « urgent » en lettres rouges sur le formulaire. Peter se rendait compte que ce passage au laboratoire donnait une légitimité aux suspicions de son neveu. Cela le déprima encore plus.

— On les aura demain. Vous êtes médecin ?

— Détective privé. J'enquête sur une affaire criminelle.

Il lui nota son numéro de BlackBerry. Maintenant, il se sentait non seulement stupide, mais aussi malhonnête.

— J'ai eu votre associé de Londres au téléphone ce matin, lui apprit la technicienne.

Bill les avait donc prévenus de son arrivée…

— Je vous recontacterai demain pour les résultats. Ça fera quatre cents dollars.

C'était peu cher payer pour sauver Maggie, si par un hasard insensé Bill avait raison. Peter n'osait imaginer les conséquences si le test se révélait positif…

Alors qu'il reprenait l'autoroute, il reçut un coup de fil de son neveu.

— Tu en es où ?

— Je viens de quitter Boston.

— J'ai appelé l'hôpital, ils m'ont dit que ma mère était dans un état critique. J'aimerais tellement pouvoir l'éloigner de mon père !

Peter se demanda si cette phrase ne résumait pas tout. Bill ne nourrissait-il pas quelque fantasme œdipien dans lequel il tuait son père pour posséder sa mère ?

— Tu vas rester avec elle, aujourd'hui ? s'enquit le jeune homme, inquiet.

— Dès que je serai rentré à Ware. J'en ai pour deux heures, maximum.

— J'arrive ce soir. Tu crois que tu pourrais m'héberger ?

— Bien sûr.

Comment réagirait Michael s'il l'apprenait ? Peter avait l'impression de sombrer dans une vaste pagaille. Sa tête allait exploser.

— On aura les résultats demain, précisa-t-il cependant.

— Oui, c'est ce qu'ils m'ont dit.

Il ne leur restait plus qu'à attendre.

Quand Peter entra dans la chambre d'hôpital, Maggie était réveillée. Elle parut heureuse de le voir.

— Comment te sens-tu ? lui demanda-t-il d'une voix douce.

Malgré sa respiration laborieuse, elle retira son masque à oxygène.

— Bien, répondit-elle bravement.

— Où est Michael ?

— Il est allé voir une dame qui a fait une crise cardiaque. Il ne peut quand même pas délaisser complètement ses patients !

Peter lui fit signe de remettre son masque, craignant qu'elle ne se fatigue. Il faillit lui annoncer que Bill était en route, mais il ne voulut pas la perturber, ni lui donner l'impression qu'elle allait mourir.

Une heure plus tard, Michael les rejoignit, encore vêtu de sa blouse blanche. Peter était en train de feuilleter un magazine, et Maggie somnolait. Michael jeta un coup d'œil sur l'écran du moniteur cardiaque, avant de prendre le pouls de sa femme. Celle-ci ouvrit les yeux et le vit froncer les sourcils.

— Je veux rentrer à la maison, murmura-t-elle en soulevant son masque.

Elle avait peur de vivre ses derniers instants. Or, elle avait toujours répété à Michael qu'elle souhaitait mourir chez elle, dans son lit. Le matin, elle avait parlé à Lisa au téléphone ; sa fille était encore trop enrhumée pour lui rendre visite, mais Maggie pourrait la voir si on l'autorisait à rentrer.

— On verra comment tu te sens dans un jour ou deux, répondit Michael d'un ton vague.

Dans le couloir, il expliqua à Peter que Maggie était plus en sécurité à l'hôpital, avec des défibrillateurs et des professionnels à portée de main pour la réanimer. Bien sûr, il connaissait les risques d'infection nosocomiale, mais elle était vraiment trop faible pour être soignée à domicile. Peter écouta son frère, la mine grave. La situation lui semblait désespérée.

— Comment ça s'est passé, à la banque ? s'enquit Michael.

— Bien. Alana voulait que je signe des documents pour la maison de Southampton.

Peter n'eut aucun mal à feindre l'agacement : il se sentait suffisamment en colère contre Bill pour que cela lui vienne naturellement.

— Et il fallait que tu ailles jusqu'à Boston pour ça ? Elle ne te facilite pas la vie, j'ai l'impression, observa Michael avec compassion.

— Ça, tu peux le dire.

Peter proposa à son frère d'aller dîner chez Vi. Si insensé que cela puisse paraître, et même s'il ne croyait pas un mot de ce que Bill racontait à propos du désherbant, Peter appréhendait de laisser Maggie seule avec Michael. Leur repas terminé, il offrit donc à ce dernier de lui tenir compagnie s'il décidait de passer la nuit auprès d'elle. Bill se débrouillerait sans lui : il lui avait indiqué où trouver la clé de la maison.

— Tu n'es pas obligé de rester, répondit Michael, touché. Elle est entre de bonnes mains, tu sais. Je pensais même rentrer pour voir un peu Lisa. S'il arrive quoi que ce soit, ils me préviendront et je serai à l'hôpital en cinq ou dix minutes. Je te tiens au courant.

— Très bien. Ça me semble être une bonne idée. Tu as besoin de sommeil, toi aussi.

Peter était soulagé que son frère ne reste pas avec Maggie. En admettant que Bill ait raison, quelles étaient ses intentions, à présent ? Laisser son épouse agoniser encore un peu avant de la ramener à la maison, et l'achever là-bas ? Délivrer le coup de grâce à l'hôpital ? Peter commençait presque à y croire.

Lorsqu'ils étaient partis au restaurant, l'infirmière leur avait expliqué que le cœur de Maggie allait mieux.

La veille, son état avait été plus que précaire, mais il s'était stabilisé depuis. Restaient ses problèmes respiratoires, et le risque omniprésent que ses poumons lâchent ou que la pneumonie s'installe. Dans un cas comme dans l'autre, elle mourrait.

En rentrant chez lui, Peter trouva son neveu assis sur le canapé avec une bière à la main, les traits ravagés par la fatigue. Quand le jeune homme se leva pour le saluer, Peter ne put s'empêcher de penser qu'il avait l'air parfaitement sain d'esprit. Mais pouvait-il vraiment l'être, pour imaginer que son père empoisonnait sa mère avec un herbicide ?

— Merci de m'accueillir chez toi, dit-il humblement.

— C'est rien. Je ne vois pas comment tu aurais pu loger chez ton père…

Les pensées se bousculaient dans la tête de Peter, au point qu'il en avait la migraine. Sans un mot, il alla prendre deux aspirines dans la salle de bains.

— Comment va ma mère ? s'enquit Bill.

Il n'avait pas osé lui rendre visite à l'hôpital, de peur de tomber sur son père.

— Toujours dans un état grave. Je comptais passer la nuit là-bas, mais Michael a décidé de rentrer chez lui. On devrait avoir la réponse à notre question demain matin.

— Qu'est-ce qu'on fera, quand on saura ?

Peter réfléchit un instant.

— Rien, j'espère. Avec un peu de chance, il n'y aura rien à faire.

— Et si on n'a pas de chance ?

— On verra à ce moment-là. Ce soir, je suis trop fatigué pour réfléchir. Tu peux dormir dans la chambre de mes fils, ajouta Peter en lui indiquant la porte au fond du couloir. Il y a un duvet dans le placard si tu n'as pas envie de faire le lit.

— Merci.

Peter alla s'enfermer dans sa propre chambre. Depuis le jour où il l'avait rencontré à Londres, ce neveu qu'il connaissait à peine avait mis sa vie sens dessus dessous. Et il l'avait entraîné dans cette folle mission de sauver Maggie d'un danger qui n'existait probablement pas… Peter s'allongea tout habillé sur son lit et s'endormit dans les minutes qui suivirent.

La sonnerie de son BlackBerry le tira du sommeil à huit heures du matin.

— Monsieur McDowell ? fit une voix à l'autre bout du fil.

Il grommela une réponse affirmative.

— Laboratoires Tilton à l'appareil. Nous avons les résultats concernant l'ingestion de paraquat.

Peter s'assit brusquement dans son lit.

— Les tests sont positifs, reprit la voix. Le sujet présente une forte concentration de paraquat. Possiblement mortelle. Il faut qu'il reçoive un traitement au plus vite. Je vous envoie le compte rendu par mail dans la matinée.

— Pouvez-vous le faire maintenant ? Nous devons alerter les autorités rapidement, dit Peter en se forçant à adopter un ton professionnel.

La tête lui tournait, son cœur battait à grands coups. Il avait envie de pleurer.

— Bien sûr. Je m'en occupe tout de suite.

Tandis que Peter s'extirpait de son lit, Bill apparut dans l'encadrement de la porte. Comme lui, il était vêtu de la même tenue que la veille.

— C'était qui ? demanda-t-il, persuadé qu'il était trop tôt pour que ce fût le laboratoire.

La mine sombre, Peter mit l'imprimante en marche. Il n'arrivait pas à y croire, et pourtant il n'y avait plus aucun doute possible. Son neveu n'était pas fou. C'est lui qui avait raison. Et il était peut-être déjà trop tard pour sauver Maggie.

— Je te dois des excuses, Bill. Les cheveux de ta mère contenaient bien du paraquat, à une dose potentiellement mortelle. Il faut agir vite. Mais comment procéder ? Je ne sais même pas quoi faire, se lamenta-t-il, les larmes aux yeux.

Bill le dévisagea un long moment, pétrifié. Même s'il avait été convaincu que son père empoisonnait sa mère, le choc de la réalité n'en était pas moins grand.

— Il faut bien commencer par quelque chose, finit-il par dire. L'hôpital ? La police ?

Peter réfléchit un instant. L'idée de laisser Maggie seule avec Michael n'était pas rassurante, mais l'urgence était de montrer les résultats des analyses à Jack Nelson. Il imprima le compte rendu en deux exemplaires et s'en saisit d'une main tremblante.

— La police d'abord, l'hôpital ensuite, décida-t-il.

Les deux hommes filèrent chacun dans leur chambre pour prendre une douche et se changer. Dix minutes plus tard, ils se retrouvaient dans le pick-up de Peter, en route pour Ware.

Pendant le trajet, ils n'échangèrent pas un mot, trop occupés à tenter de digérer la nouvelle. Peter écrasait la pédale d'accélérateur, tandis que Bill gardait les yeux tournés vers la fenêtre. Le jeune homme n'était pas en colère. Il avait peur pour sa mère, comme jamais auparavant. Toutes ses inquiétudes se vérifiaient d'un coup.

En quinze minutes, ils atteignirent le poste de police.

— Tu es prêt ? s'enquit Peter en regardant longuement son neveu. Ils ne vont pas nous croire, tu sais. Ton père est très ami avec le chef.

Peter espérait que les policiers ne seraient pas assez bêtes pour prévenir Michael. Car celui-ci, s'il était acculé, risquait de passer à la vitesse supérieure dans la mise en application de son plan.

— Oui, je suis prêt, répondit Bill.

Il suivit son oncle à l'intérieur du bâtiment. Peter déclina son identité à l'agent de garde et demanda à voir le chef, expliquant qu'il s'agissait d'une affaire personnelle et urgente. Quelques instants plus tard, Jack Nelson sortit de son bureau. Il parut effrayé en reconnaissant ses visiteurs.

— Maggie ? s'enquit-il d'une voix étranglée.

Peter acquiesça.

— On peut vous parler en privé ?

— Bien sûr.

Le chef les conduisit dans son bureau et leur fit signe de s'asseoir.

— Je suis désolé, dit-il sombrement. Quand est-ce arrivé ?

— Elle est encore vivante, le corrigea Peter, mais peut-être pas pour longtemps. Nous sommes venus vous parler d'une affaire très grave. Je sais que cela va vous paraître inconcevable – j'ai moi-même du mal à y croire –, mais les faits sont là. Mon neveu était convaincu depuis quelque temps que son père empoisonnait sa mère à petites doses. Après de nombreuses recherches sur Internet, il a pensé avoir trouvé le produit utilisé par Michael. Je sais, vous allez dire qu'il est fou, qu'il a tout inventé – c'est ce que je pensais aussi au début. Mais sur son insistance, j'ai apporté hier des cheveux de Maggie à un laboratoire toxicologique de Boston, et nous venons de recevoir les résultats des analyses : Maggie a bien été empoisonnée avec un désherbant, le paraquat. Il est présent dans son organisme en quantité suffisante pour la tuer.

Peter tendit le compte rendu à Jack Nelson, qui le parcourut rapidement, puis lança un regard furieux aux deux hommes.

— Vous avez perdu la tête, ou quoi ? C'est ridicule. Michael McDowell ne ferait pas de mal à une mouche, et encore moins à sa femme. J'en mettrais ma main à couper.

Il jeta le papier du laboratoire sur son bureau, avant de s'adresser à Peter en plissant les yeux.

— Je sais que vous êtes brouillé avec votre frère à cause du testament de vos parents. Vous essayez peut-être de vous venger, mais ça ne prend pas ! Je ne suis pas idiot !

— Moi non plus, je ne voulais pas y croire, répondit calmement Peter. Pour tout vous dire, j'ai pensé que mon neveu était cinglé. Mais il ne l'est pas, et Maggie est en danger de mort.

— Qu'est-ce qui vous fait dire que c'est Michael ?

— Ça fait des années qu'il maintient ma mère dans un état de faiblesse et de maladie, répondit Bill d'une voix tremblante. Et sa santé n'a cessé de se dégrader depuis la mort de mon grand-père, qui lui a laissé beaucoup d'argent. Mon père veut récupérer cet argent. C'est même pour ça qu'il l'a épousée.

Jack ne crut pas une seconde à cette hypothèse. Il savait que Maggie avait hérité de la scierie de son père et qu'elle l'avait vendue une fortune, mais il n'imaginait absolument pas que Michael puisse envisager de la tuer pour mettre la main sur l'argent. C'était une accusation scandaleuse, et ce d'autant plus qu'elle était formulée par le fils et le frère du mis en cause, tous deux en mauvais termes avec lui.

Néanmoins, Jack ne pouvait ignorer le compte rendu du laboratoire…

— Vous devez absolument arrêter Michael et protéger Maggie, lui enjoignit Peter.

— Ne me dites pas comment faire mon travail !

— Quel est votre plan, alors ?

Peter était pressé de retourner à l'hôpital.

— Je vais faire refaire les analyses, histoire de m'assurer que vous n'avez pas trafiqué ces résultats. Et je vais essayer d'obtenir un mandat de perquisition pour fouiller la maison de Michael. Par contre, je ne lui en parlerai pas. Il a déjà assez de soucis comme ça avec sa femme malade, je ne vais pas en plus l'accuser de l'empoisonner !

Jack tenait à préserver son ami tout autant que Maggie.

— Pour la suite, on verra. Mais je vous préviens, si je découvre que vous avez monté cette histoire de toutes pièces, je vous traînerai devant le tribunal tous les deux !

Peter et Bill acquiescèrent. Ils le croyaient sur parole.

— En tout cas, restez dans les parages, les temps qui viennent.

— Qu'allez-vous faire pour Maggie ? s'enquit Peter.

— Pour l'instant, je n'ai aucune raison de penser qu'elle a besoin d'être protégée de son mari. À supposer qu'elle ait été empoisonnée, rien ne prouve que Michael soit le coupable. Je transmettrai les résultats de ces tests à l'hôpital, au cas où les médecins voudraient mettre en place un traitement, et je leur demanderai de ne pas en informer Michael. C'est tout ce que j'ai l'intention de faire pour le moment.

— Et la maison, vous la fouillerez quand ? le pressa Peter.

— Dès que j'aurai obtenu un mandat de perquisition auprès du juge, répliqua sèchement le chef de la police. Quoi qu'il arrive, je vous recontacterai.

Jack se faisait l'impression d'être un traître, mais il était bien obligé d'accomplir son travail. Peter lui avait fourni un rapport d'analyses toxicologiques provenant d'un laboratoire réputé…

Jack prit leurs numéros de téléphone, puis demanda à Bill s'il y avait quelqu'un chez ses parents ce jour-là. Le jeune homme répondit que Pru Walker s'y trouvait certainement. Jack ne fit aucun commentaire et les congédia. Bill et Peter rejoignirent le pick-up, la mine sombre.

— Qu'est-ce qu'on fait, maintenant ? lâcha Bill tandis que son oncle mettait le moteur en marche.

— Je vais rester avec ta mère ; toi, tu disparais. Même si tu as envie de la voir, il vaut mieux pour l'instant que ton père ne sache pas que tu es ici. Il risquerait de s'alarmer et de commettre des actes précipités.

Bill partageait cet avis. Peter le déposa donc chez un ami qui saurait faire preuve de discrétion, puis il se rendit à l'hôpital. L'ambiance était paisible dans la chambre de Maggie. Celle-ci dormait, veillée par une infirmière, qui expliqua à Peter que Michael n'était pas encore passé ; il avait des patients à examiner. Elle ajouta que l'état de Maggie n'avait pas évolué, ni en bien ni en mal. Peter hocha la tête et s'assit sans un bruit dans un fauteuil.

Une heure plus tard, un technicien de laboratoire vint prélever un échantillon de sang et quelques cheveux à

Maggie. Elle remua à peine dans son sommeil. Peter en conclut que Jack Nelson avait ordonné des analyses. Une chance que Michael ne soit pas là pour voir ça…

Lorsque ce dernier poussa finalement la porte, Maggie était réveillée – quoique un peu groggy – et bavardait avec Peter. Une infirmière avait ajouté un produit dans sa perfusion ; peut-être un antidote au poison, avait espéré Peter, mais il s'était bien gardé de poser la question.

Visiblement de bonne humeur, Michael le remercia d'avoir tenu compagnie à sa femme. Peter s'efforça de faire comme si de rien n'était, mais son esprit était englué dans l'horreur de ce qui se tramait et assailli par les questions… Quand les policiers allaient-ils fouiller la maison ? Y trouveraient-ils seulement quelque chose ? C'était peu probable. Son frère était trop futé pour laisser des preuves derrière lui.

— Tu n'es pas obligé de rester, tu sais, fit remarquer Michael gentiment. Tu as l'air crevé.

— Ça va, je t'assure.

Peter se força à sourire. Les prochaines heures promettaient d'être longues… Il n'avait plus qu'à prier pour que son frère soit arrêté et que Maggie survive.

14

Quand Bill et Peter quittèrent son bureau, Jack Nelson fut partagé entre l'envie de pleurer et celle de hurler. Il ne croyait pas un mot de leur histoire. De toute évidence, les deux hommes essayaient de faire tomber Michael, avec qui ils avaient été en conflit l'un comme l'autre. Pourquoi aurait-il voulu tuer Maggie ? C'était complètement absurde. Jack n'avait nullement l'intention d'accuser Michael d'avoir empoisonné sa femme. Cependant, en policier consciencieux, il ne pouvait pas non plus négliger les résultats des analyses toxicologiques.

Il appela donc le directeur de l'hôpital St. Mary et lui faxa le compte rendu du laboratoire pour que les médecins puissent réagir au plus vite s'ils le jugeaient nécessaire. Il lui suggéra également d'affecter une infirmière à plein temps à la surveillance de Maggie. Ce n'était pas de Michael qu'il se méfiait, mais bien de Peter et de Bill. Pour lui, ces deux-là étaient suspects. Pourquoi portaient-ils de telles accusations contre Michael ? Peter avait peut-être lui-même tenté de tuer Maggie… Mais pour quelle raison ?

Le directeur accepta de ne rien dire à Michael. Jack lui avait expliqué que Maggie avait été victime d'une tentative d'empoisonnement et que l'information devait rester confidentielle : il ne servait à rien de causer plus de soucis à Michael qu'il n'en avait déjà. Le directeur s'engagea donc à traiter discrètement la patiente au charbon activé pour tenter d'éliminer le poison de son organisme. Ils ne pouvaient rien faire d'autre, le paraquat n'ayant pas d'antidote connu à ce jour.

Jack contacta ensuite un juge qu'il connaissait bien à la cour fédérale de Belchertown – le tribunal de Ware était fermé pour une durée indéterminée. Quand il apprit que Jack voulait perquisitionner chez Michael, le juge siffla entre ses dents.

— Mike McDowell ? Mais c'est n'importe quoi ! J'ai été à l'école avec lui, ma mère le considère comme un saint. On cherche à lui nuire, c'est évident.

— C'est ce que je pense aussi, répondit Jack sombrement. Mais j'ai sous les yeux les résultats d'une analyse toxicologique pratiquée par un labo très sérieux de Boston, et ils montrent que Maggie a été empoisonnée. On n'a pas le choix, il faut fouiller la maison. Même si je suis sûr qu'on n'y trouvera rien.

— Il a un mobile ?

— D'après son fils, il veut récupérer l'argent que Maggie a gagné en vendant la scierie de son père.

— Mike ne s'intéresse pas à l'argent. Ça n'a jamais été son truc.

— Je suis bien d'accord. C'est pour ça qu'il faut se débarrasser de cette perquisition : ensuite, on pourra se concentrer sur les vrais coupables, si cette histoire d'empoisonnement se confirme.

— Et les enfants ? s'enquit le juge. Peut-on les soupçonner ?

La question qu'il posait était terrible, il en avait conscience. Mais ce n'était pas l'affaire la plus moche ni la plus étrange qu'il ait eue à traiter. Des crimes horribles étaient commis tous les jours.

— Ça semble difficile, répondit Jack. Le fils n'était pas rentré chez lui depuis plus d'un an. Il vit à Londres et n'est revenu qu'hier soir pour voir sa mère. D'après lui, c'est son père qui la tue à petit feu depuis des années. Quant à la fille, c'est une gamine de seize ans très gentille, entièrement dévouée à sa maman.

— Hum... Bon, d'accord, je te prépare ce mandat, soupira le juge. Il sera prêt dans une demi-heure, tu n'as qu'à envoyer un de tes gars le chercher.

— Merci, Tom.

— Tu me préviens si vous trouvez quelque chose ?

— Bien sûr.

Deux heures plus tard, Jack sonnait à la porte des McDowell. Pru Walker était en train de passer l'aspirateur. Quelle ne fut pas sa surprise, en découvrant sur le seuil le chef de la police accompagné de trois agents ! Jack lui annonça qu'ils avaient un mandat de perquisition et lui demanda de ne rien dire de tout ceci à Michael.

— Mais pourquoi voulez-vous fouiller la maison ? lâcha-t-elle d'un air effrayé.

— On doit juste vérifier une accusation ridicule. Il faut bien qu'on travaille un peu pour mériter notre salaire, dit-il en souriant.

Les trois agents se dispersèrent dans la maison pendant que Jack les attendait dans la cuisine avec Pru. C'était une chance que Lisa soit au lycée : au moins, elle n'assistait pas à cette scène, et Jack n'avait pas à se justifier auprès d'elle.

Après avoir fouillé la chambre et la salle de bains de Maggie, les policiers redescendirent, les bras chargés de grands sacs transparents dans lesquels ils avaient fourré tous les flacons de pilules que Michael lui prescrivait. On eût dit qu'ils venaient de piller une pharmacie : les médicaments remplissaient tout un coffre de voiture. Ils ne trouvèrent aucune trace de produits chimiques ou de poison dans les chambres des enfants, et rien non plus sous l'évier de la cuisine, ni dans les placards. Jack fut soulagé. Il devait s'agir d'une grossière erreur, ou pire, d'un très sale tour que l'on jouait à Michael.

Pour finir, les agents examinèrent la cabane de jardin sous la supervision de Jack. Ce dernier tenait à s'assurer que tout était fait dans les règles. Pas question qu'on lui reproche plus tard un vice de procédure... Ses hommes portaient des gants pour prélever les indices et ne risquaient pas de brouiller d'éventuelles empreintes.

Ils ressortirent de la cabane avec plusieurs flacons enfermés dans des sachets soigneusement étiquetés. Deux des bouteilles ne portaient aucune inscription ; elles contenaient un liquide transparent et inodore. Jack serra les mâchoires. Pourvu que ce ne soit pas du paraquat ! Et si c'en était, pourvu qu'on ne retrouve pas les empreintes de Michael dessus...

En deux heures, la perquisition était terminée. Jack remercia Pru de sa coopération. La vieille dame regarda les deux voitures disparaître au coin de la rue. Elle n'avait pas la moindre idée de ce que les policiers comptaient faire avec tous ces médicaments et ces bouteilles.

De retour au poste de police, Jack remplit les papiers nécessaires pour le transfert des prélèvements au laboratoire. Puis il y envoya un de ses hommes, non sans avoir téléphoné au préalable pour exiger que les résultats lui soient communiqués au plus vite. Il ne lui restait plus qu'à espérer que les fameuses bouteilles ne contenaient rien de dangereux. Il n'avait aucune envie de découvrir que les accusations de Peter étaient fondées.

À l'hôpital, la situation restait toujours aussi préoccupante. L'état de santé de Maggie s'était dégradé : depuis le matin, elle avait de la fièvre et de plus en plus de mal à respirer. Les infirmières allaient et venaient en permanence, tandis que Michael l'examinait régulièrement, le visage décomposé. Peter se demandait s'il ne fallait pas prévenir Bill. Surtout, il espérait que le charbon parvienne à contrer les effets du paraquat... Selon les articles que son neveu lui avait montrés sur Internet, il s'agissait du seul agent neutralisant indiqué dans ce genre d'empoisonnement. Comme convenu, les infirmières avaient attendu que Michael s'absente pour administrer le traitement à Maggie, qui recevait également une grande quantité de liquide par perfusion. Michael s'en était d'ailleurs étonné, mais on lui avait répondu que c'était pour faire baisser la température. Il avait accepté l'explication.

Assis à côté de lui, Peter rongeait son frein. Son frère l'avait manipulé. Ces derniers mois n'avaient été qu'un leurre : sous sa prétendue bonté se cachait bel et bien un être diabolique, qui n'avait rien de mieux à faire qu'empoisonner sa femme... Cela dépassait l'entendement.

Peter priait pour qu'il n'ait pas trouvé le moyen d'inoculer une autre dose de paraquat à Maggie. Avec la quantité de poison qu'elle avait déjà dans son organisme, cela lui serait très probablement fatal. Combien de temps cela avait-il duré ? Peut-être des années, à en croire Bill... Peter aurait voulu que l'enquête progresse plus vite et que Michael soit mis hors d'état de nuire, mais il n'avait pas d'autre choix que d'attendre. Et les minutes s'étiraient tandis qu'ils regardaient Maggie dormir ou sortaient faire les cent pas dans le couloir pour se dégourdir les jambes. Peter se retenait à grand-peine d'attraper son frère par le col et de le plaquer contre le mur ; il fallait paraître normal, faire bonne figure. Cette journée lui sembla interminable.

En fin d'après-midi, il s'isola dans les toilettes pour appeler Bill, bien qu'il n'eût rien de nouveau à lui apprendre. Ils devaient attendre le lendemain pour en savoir plus. Quand Peter annonça à son frère qu'il passerait la nuit à l'hôpital avec lui, Michael le remercia, le regard empli de gratitude. À partir de cet instant, Peter ne le laissa pas une seconde seul au chevet de Maggie. Il le surveillait comme le lait sur le feu.

Jack Nelson reçut les résultats des analyses à six heures du matin. Ils confirmaient ceux que Peter lui avait apportés la veille : Maggie avait ingéré du désherbant en doses potentiellement mortelles. Les chiffres des deux comptes rendus étaient identiques.

À midi, un second appel lui apprit que les bouteilles non étiquetées découvertes dans la cabane de jardin contenaient du paraquat. Le produit avait été acheté à l'étranger, probablement au Canada, car il ne respectait aucune des normes imposées par les États-Unis. Une seule série d'empreintes avait été retrouvée sur les flacons ; elles correspondaient à celles que les policiers avaient relevées sur le rasoir électrique de Michael et sur son bureau. Personne d'autre n'avait manipulé ces bouteilles.

En raccrochant, Jack avait la nausée. Michael était son ami, il lui faisait une confiance absolue. Peut-être s'agissait-il d'un coup monté, d'un terrible malentendu, ou bien encore d'un malheureux accident... Cependant, les preuves semblaient accablantes.

Jack attrapa son chapeau et sortit de son bureau. Il demanda calmement à son adjoint d'appeler deux agents qui les suivraient à bord d'une seconde voiture.

À l'hôpital, les quatre hommes prirent l'ascenseur ensemble. Jack connaissait le numéro de chambre de Maggie ; il y entra accompagné de son adjoint, pendant que les deux agents attendaient dans le couloir. Dès qu'il vit son ami, Michael se leva de son fauteuil et s'approcha de lui en souriant. Peter, lui, se raidit devant l'expression torturée du chef de la police.

— Merci infiniment d'être venu, dit Michael avec chaleur.

Maggie, qui respirait toujours difficilement, dormait depuis plusieurs heures, veillée par une infirmière. Michael ignorait que la présence de cette dernière avait été exigée par Jack... Soudain, celui-ci se redressa de toute sa hauteur et déclara, d'un ton officiel et néanmoins empli de regrets :

— Michael McDowell, vous êtes en état d'arrestation pour suspicion d'empoisonnement et tentative de meurtre sur votre femme. Vous avez le droit de garder le silence...

Alors que Jack récitait la formule habituelle, Michael éclata de rire. Sur son visage, aucun signe d'inquiétude ni de nervosité. L'innocence incarnée.

— C'est une blague ?

— Non. Vous pouvez me suivre sans faire d'histoires, ou bien je vous passe les menottes, prévint Jack en montrant la paire de bracelets qui pendait à sa ceinture.

Il n'en avait pas fait usage depuis des années...

— Je n'ai jamais rien entendu d'aussi ridicule. Maggie est ma femme, et c'est aussi ma patiente. Je ne l'empoisonne pas !

— Ce n'est pas ce que disent les analyses toxicologiques.

— Qui a demandé ces analyses ? s'enquit Michael avec de grands airs.

— C'est moi, répondit Jack.

Michael posa alors sur son frère un regard soupçonneux. Il lui sembla qu'il n'avait pas l'air surpris par la scène qui se déroulait sous ses yeux. Il paraissait certes malheureux, mais aussi rassuré.

— Ça vient de toi, je parie. Tu es amoureux d'elle, hein ? Comment as-tu pu me faire ça ? siffla-t-il, comme prêt à mordre.

— Et toi, comment as-tu pu lui faire ça, à elle ? répliqua Peter.

— Allons-y, Michael, dit Jack en lui touchant le bras.

L'adjoint s'avança pour le menotter.

— Arrêtez ! Ne me touchez pas !

— Je dois vous conduire au poste, insista le policier d'un air gêné.

Il l'entraîna dans le couloir.

— J'espère qu'elle s'en sortira, murmura Jack en passant devant Peter.

Malgré d'intenses recherches, les médecins n'avaient pas trouvé d'antidote contre le paraquat. La seule solution consistait à purger la patiente, en espérant que ses organes vitaux n'avaient pas subi de dommages irréversibles.

Peu après le départ de la police, une équipe médicale entra dans la chambre et s'affaira autour de Maggie. Peter appela Bill pour le prévenir que son père avait été arrêté. À présent, ils allaient devoir annoncer la nouvelle à Lisa avant qu'elle ne l'apprenne d'une autre source. Les médias ne manqueraient pas de s'emparer de l'affaire, et celle-ci ferait grand bruit dans la région.

Pressé de retrouver sa mère, Bill arriva vingt minutes plus tard à l'hôpital, où son oncle l'attendait dans le hall. Ils rejoignirent ensemble la chambre de Maggie. Entourée de deux médecins et d'une infirmière, celle-ci avait enfin rouvert les yeux. Elle leva un regard stupéfait vers son fils.

— Bill… Que fais-tu ici ? demanda-t-elle faiblement.

— Je suis venu te voir, maman.

— Tu as croisé ton père ?

Bill secoua la tête. Peter et lui s'étaient mis d'accord pour attendre avant de lui dévoiler la vérité. Elle était encore beaucoup trop malade pour recevoir un tel choc. Peter constata toutefois avec joie qu'elle semblait plus alerte. Son corps commençait peut-être à éliminer les toxines, ce qui signifiait certainement que Michael ne lui avait pas administré de poison depuis un moment.

Elle tourna la tête vers Peter en souriant.

— Où est Michael ?

— Il est parti il n'y a pas longtemps, répondit-il vaguement.

Maggie était soulagée de pouvoir profiter de son fils sans avoir à supporter l'hostilité entre son père et lui. Un docteur venait de lui annoncer qu'elle allait mieux, mais la présence de Bill trahissait la gravité de son état.

— C'est papa qui t'a demandé de venir ? demanda-t-elle en lui prenant la main.

— Non, je l'ai décidé tout seul.

Une fois les deux médecins repartis, l'infirmière s'assit discrètement dans un coin de la chambre. Elle avait assisté aux événements de l'après-midi et avait été choquée par l'arrestation de Michael.

Bill s'installa au chevet de sa mère. Il se retenait de pleurer de soulagement tant il était heureux de la voir vivante. Avec un peu de chance, son père avait été arrêté à temps…

Après avoir bavardé un moment avec elle, il l'embrassa sur la joue et lui promit de revenir bientôt. Peter et lui se rendirent alors chez Michael pour attendre le retour de Lisa. Pendant ce temps, Jack Nelson était assis à son bureau, anéanti. Il venait de perdre un ami. Bill et Lisa avaient failli être orphelins de leur mère, danger qui n'était pas encore complètement écarté. Quant à Maggie, elle n'avait plus de mari mais ne le savait pas encore… La journée avait été éprouvante. Et l'enquête ne faisait que commencer.

15

Après le départ de Bill et de Peter, Maggie reçut la visite de deux toxicologues expérimentés venus de Boston à la demande du directeur de l'hôpital. Son cas était pour le moins inhabituel : ils n'avaient jamais rien vu de tel à Ware.

Les deux spécialistes se déclarèrent satisfaits du traitement qui lui était administré. L'équipe médicale de St. Mary la soignait avec diligence, enchaînant prises de sang, prélèvements de peau, radios et scanners. Sa fièvre était retombée. Elle respirait mieux. En revanche, chaque fois qu'elle se réveillait, elle demandait d'une voix faible où était passé Michael... Non seulement il n'était pas venu la voir pendant l'après-midi, mais il ignorait aussi ses appels, ce qui ne lui ressemblait pas.

Dans la soirée, un médecin du centre antipoison de Boston, qui avait fait le trajet en hélicoptère, expliqua à Maggie qu'elle avait été empoisonnée. Un peu groggy, elle ne comprit pas tout de suite ce qu'il lui disait. Comment avait-elle pu être empoisonnée à l'hôpital ? Était-ce un accident ? Michael était-il au courant ? On lui répondit qu'il s'agissait d'un acte volontaire, mais personne ne lui donna plus de détails. Et elle était trop faible pour insister.

Elle recevait toujours des perfusions de sérum, et les médecins envisageaient de la mettre sous dialyse si jamais ses reins montraient des signes de défaillance. On lui donnait de l'oxygène pour l'aider à respirer, et son cœur était surveillé de près. C'étaient ses poumons qui suscitaient le plus d'inquiétude.

La nouvelle de son empoisonnement avait plongé Maggie dans la peur et la confusion ; pour ne rien arranger, le traitement lui donnait la nausée. Ce soir-là, elle sombra dans le sommeil, accablée de fatigue et de questionnements.

En se garant devant chez son frère, Peter jeta un regard las sur la maison. Il n'était pas pressé de voir Lisa. La soirée s'annonçait difficile. Bill non plus n'était pas enchanté à l'idée de retrouver sa sœur, avec qui il ne s'entendait guère. Depuis toujours, elle lui reprochait de s'opposer à leur père et d'être un mauvais fils. Cela faisait deux ans qu'il n'avait eu aucun contact avec elle.

Lisa était dans sa chambre lorsqu'ils arrivèrent. En entendant la porte s'ouvrir, elle sortit sur le palier et fut choquée de découvrir son frère. Elle pensa aussitôt que sa mère était morte.

— Maman… ? murmura-t-elle, le visage blême, en regardant tour à tour Bill et son oncle.

— Elle est vivante, répondit Peter. Pour l'instant, du moins.

L'absence de son père ne surprenait pas Lisa – elle le croyait à l'hôpital, au chevet de Maggie. En revanche, elle était contrariée de ne pas avoir réussi à le joindre de tout l'après-midi. C'était pour elle la seule anomalie de la journée.

— Qu'est-ce que tu fais là, alors ? demanda-t-elle à son frère.

— Maman est très malade. N'est-ce pas normal que je vienne ?

Lisa descendit l'escalier, en jean et pieds nus. Son père l'avait préparée à ce jour depuis longtemps. Elle savait que ce serait terrible, mais elle était prête. Dernièrement, Michael lui avait confié que l'état de santé de sa mère se dégradait. Malgré sa tristesse, elle n'était donc ni surprise ni effrayée.

— Comment va-t-elle ? voulut-elle savoir.

— On espère qu'elle va guérir, répondit Peter en se dirigeant vers la cuisine.

Sur la table, une assiette de poulet froid et une salade de pommes de terre attendaient Michael.

Peter fit signe à la jeune fille de s'asseoir, tandis que Bill déambulait nerveusement dans la pièce. Ce moment tant redouté se révélait encore plus dur qu'il ne l'avait imaginé.

— On doit te dire quelque chose, Lisa, commença Peter. Ça ne va pas être facile dans les temps qui viennent, pour aucun de nous. Il va y avoir des histoires dans le journal de demain. Il se pourrait même que des journalistes se présentent ici.

— Pourquoi ? s'étonna la jeune fille.

— Il s'est passé quelque chose de grave.

Peter n'aurait jamais cru qu'il lui faudrait un jour annoncer une telle nouvelle à sa nièce. L'intrigue qu'ils avaient démêlée avec Bill était digne d'un roman.

— Qu'est-ce que tu racontes ? Pourquoi des journalistes viendraient ici ? Ils veulent du mal à papa ?

Aux yeux de Lisa, son père était forcément une victime innocente. Il l'avait formée à ne voir en lui que le meilleur. Le maître de la manipulation dans toute sa splendeur…

— Non, personne ne veut faire de mal à ton père, répondit Peter. En revanche, ta mère a été empoisonnée. Nous ne savons pas exactement comment ni pourquoi, mais c'est un crime très grave.

Ils savaient parfaitement comment et pourquoi… Peter préférait néanmoins procéder par étapes. Lisa n'avait que seize ans : c'était encore une enfant, même si son père l'avait dressée à prendre la place de sa mère et à se comporter comme une adulte.

Elle écarquilla les yeux, choquée.

— Quelqu'un a essayé de la tuer ?

— C'est ce qu'on pense, répondit-il en lui touchant la main.

— On sait qui a fait ça ?

Peter prit le temps de choisir soigneusement ses mots. Mais rien ne pouvait estomper l'horreur des faits.

— Ton père a été arrêté, il est en prison. Il va y avoir une enquête et on en saura plus dans les jours qui viennent. Pour l'instant, c'est le principal suspect. Il est le seul à part toi à avoir été assez proche de ta mère pour le faire.

Lisa poussa un hurlement et bondit sur son frère.

— C'est toi qui as manigancé tout ça, hein ? l'accusa-t-elle en le rouant de coups.

Bill n'eut aucun mal à lui saisir les poignets et à la maintenir à distance. Comme sa mère, Lisa était un petit bout de femme, tandis que lui était grand et fort.

— Je n'ai rien fait, se défendit-il, les yeux emplis de larmes. C'est papa le coupable, dans l'affaire. Par contre, je m'en doutais depuis longtemps.

Si sa sœur n'avait pas été aussi jeune, il lui aurait confié ses soupçons bien plus tôt. Mais elle avait six ans de moins que lui : à leur âge, cela représentait une grosse différence.

— Il veut la tuer pour récupérer l'argent de papi.

— N'importe quoi ! Papa n'en a rien à faire de cet argent ! s'indigna Lisa. Il me l'a dit quand papi est mort. Il considère que c'est l'héritage de maman, pas le sien.

— Dans ce cas, il l'a empoisonnée pour rien. Ou bien il t'a menti, répliqua Bill tristement. C'est un malade.

Lisa tenta de le frapper à nouveau. Elle aurait voulu qu'il souffre autant qu'il cherchait à les faire souffrir, elle et son père.

— Non, ce n'est pas vrai ! cria-t-elle. Tu le détestes depuis toujours. Tu es jaloux, parce que tu ne vaux rien à côté de lui ! Personne ne te croira. Ici, tout le monde sait que papa est un saint !

Bill secoua la tête.

— Il a essayé de tuer maman, Lisa. Il y travaille depuis des années, en lui faisant croire qu'elle est malade et en la gavant de médicaments. Il la drogue à tel point qu'elle est trop faible pour sortir de son lit.

— Elle *est* malade !

— Non. C'est ce qu'il veut qu'elle pense, c'est ce qu'il veut qu'on croie, pour qu'on ne se doute de rien quand il lui donnera le coup de grâce.

Michael avait mis au point un plan ingénieux, qui aurait fonctionné si Bill n'avait pas vu clair dans son jeu.

— Papa n'a pas essayé de la tuer ! s'obstina Lisa.

Puis, paniquée et hors d'haleine, elle se tourna vers Peter.

— On ne peut pas le laisser en prison. Je veux le voir.

— C'est impossible pour l'instant, répondit Peter d'un ton peiné. Il va être traduit en justice, il faut qu'il trouve un avocat. La situation est grave, Lisa.

— Les policiers ne croiront pas à cette histoire. Demain, ils le laisseront sortir. Jack est son meilleur ami !

L'espace d'un instant, Peter craignit que Lisa ne s'évanouisse. Sa vie était en train de s'écrouler comme un château de cartes. Tous ses repères se brouillaient. Sa mère risquait de mourir d'un instant à l'autre, et le père sur lequel elle s'était toujours appuyée se retrouvait en prison pour tentative de meurtre... Cela faisait beaucoup d'émotions à absorber.

— Attendons de voir comment évolue l'enquête, répliqua sombrement Peter.

— Mais enfin ! On ne peut vraiment pas le faire sortir de prison ?

— Non. Pas pour le moment.

Ni plus tard, selon toute probabilité...

Lisa s'adressa alors à son frère avec un regard empli de haine.

— Tu as inventé tout ça pour nuire à papa. Je ne te le pardonnerai jamais !

Bill se contenta de détourner les yeux. Même si son père était jugé coupable, Lisa continuerait de voir en lui un innocent. Et elle ne serait sans doute pas la seule... Dans cette ville, pour qu'un jury rende un verdict de culpabilité contre Michael McDowell, les enquêteurs avaient intérêt à réunir des preuves irréfutables.

— Je sais que c'est un choc pour toi, Lisa, intervint doucement Peter. Ça va être dur pour nous tous. Et particulièrement pour ta mère.

— Toi aussi, tu détestais mon père, répliqua la jeune fille. Tu ne lui as pas adressé la parole pendant quinze ans. Tu es comme Bill ! Vous avez monté cette histoire pour vous débarrasser de lui. Si ça se trouve, c'est vous qui voulez récupérer l'argent. Parce que je sais qu'il s'en fiche, lui !

— La question, ce n'est pas l'argent, répondit Peter d'un ton ferme. Il y a eu tentative de meurtre contre ta mère. On n'est même pas sûrs qu'elle s'en sorte !

Mais Lisa resterait fidèle à son père, quoi qu'il arrive… Michael avait manipulé une enfant innocente, il en avait fait sa marionnette, son petit robot prêt à prendre la place de sa mère le moment venu. En traitant Maggie comme une non-personne, il avait faussé les relations qu'elle avait avec sa fille, renforçant ainsi ses propres liens avec Lisa. C'était effrayant.

— De toute façon, ma mère va mourir, rétorqua-t-elle. Papa l'a maintenue en vie pendant des années. C'est grâce à lui si elle est encore vivante !

Les deux hommes comprirent que cela ne servait à rien d'essayer de lui faire entendre raison. Michael avait bien trop d'emprise sur elle. Lisa supporterait encore moins de le voir condamné que de perdre sa mère…

Quand Peter lui annonça que Bill et lui resteraient pour la nuit afin de ne pas la laisser seule, elle éclata en sanglots.

— Je ne veux pas de vous ici ! hurla-t-elle. Je veux voir mon père ! Je veux que vous le fassiez libérer !

Elle tourna les talons, se rua dans l'escalier et s'enferma dans sa chambre en claquant la porte. Peter en eut mal au cœur. Et Bill semblait tout aussi bouleversé.

— Je savais que ça se passerait comme ça, lâcha celui-ci en se laissant tomber sur une chaise. Il lui a lavé le cerveau. Il n'y a que lui qui compte pour elle.

— Moi aussi, je le croyais innocent au début, lui rappela Peter. Et je te prenais pour un fou. Elle finira par accepter la vérité, surtout quand Maggie commencera à aller mieux.

Peter gardait espoir. Sa nièce était une jeune fille intelligente.

— Je ne suis pas aussi optimiste que toi, répliqua Bill. Lisa m'a toujours détesté parce que je n'hésitais pas à traiter mon père de menteur. Il est doué : il ne se fait pas souvent prendre. Il déforme tout, et ensuite il se débrouille pour que les gens le croient.

Bill dressait là le portrait d'un véritable sociopathe, d'un homme assez tordu pour empoisonner sa femme et manipuler sa propre fille. Dieu seul savait ce qu'il avait fait subir à ses patients âgés…

Peter fit un saut au lac pour récupérer le sac de Bill et quelques affaires personnelles. Une heure plus tard, il était de retour. Ne voulant pas dormir dans le lit de Michael et de Maggie, il s'étendit sur le canapé, avec l'impression désagréable de s'imposer. Personne n'avait dîné ce soir-là, et Lisa n'était pas ressortie de sa chambre. Peter était allé frapper à sa porte à plusieurs reprises, voulant s'assurer qu'elle ne commettait pas d'acte désespéré par amour pour son père. Chaque fois, il l'avait entendue pleurer, et elle lui avait crié de la laisser tranquille. Quant à Bill, il couchait dans son ancienne chambre, malgré le flot de mauvais souvenirs que cela ravivait en lui. D'avoir révélé au grand jour les agissements de son père ne l'emplissait pas de joie, bien au contraire. Certes, il avait eu raison, mais cela lui rappelait avec violence toutes les années où il avait été en conflit avec lui, persuadé envers et contre tous que son père les abusait.

La maison fut silencieuse cette nuit-là, alors même que personne ne dormit bien. Au matin, Peter prépara le petit déjeuner ; Lisa toucha ses céréales du bout de sa cuiller sans les manger. Elle ne prononça pas un seul mot jusqu'à ce qu'elle parte au lycée. Dans le journal que le livreur avait déposé devant la porte, l'arrestation de Michael s'étalait en première page. Peter s'inquiétait pour sa nièce, mais c'est elle qui avait insisté pour aller en cours. Personne ne croirait à ces mensonges, disait-elle.

Peu après le départ de la jeune fille, Pru Walker fit son apparition. En voyant les deux hommes assis ensemble à la table de la cuisine, elle prit peur.

— Comment va Maggie ? demanda-t-elle aussitôt.

— On ne sait pas encore si elle est vraiment sortie d'affaire. Je vais aller la voir tout à l'heure, je vous tiendrai au courant.

Pru avait été stupéfaite de lire dans le journal que Michael avait été placé en détention provisoire pour tentative de meurtre. Elle n'en croyait pas un mot.

— Un homme comme lui ne ferait jamais ça, remarqua-t-elle tout en débarrassant les assiettes du petit déjeuner. Ce doit être une erreur.

Bill et Peter s'abstinrent de répondre.

Pendant que le jeune homme montait dans sa chambre pour consulter ses mails, Peter se prépara à partir à l'hôpital. S'il était toujours très inquiet pour l'état de santé de Maggie, au moins était-il rassuré par le fait que Michael ne pouvait plus lui nuire à présent.

Il fut heureux de trouver Maggie réveillée. Bien que le médecin lui ait dit qu'elle n'était pas encore hors de danger, son état semblait s'être nettement amélioré. À l'arrivée de Peter, l'infirmière s'éclipsa, lui demandant de la prévenir lorsqu'il repartirait. Peter eut l'impression que la vigilance et la tension s'étaient relâchées autour de Maggie, ce qui était sans doute bon signe.

— Peter, qu'est-ce qui se passe ? demanda-t-elle d'une voix angoissée.

Elle ne comprenait rien à cette histoire d'empoisonnement. Et Michael avait disparu ! Cela faisait bientôt vingt-quatre heures qu'elle ne l'avait pas vu. Qui plus est, personne ne lui avait apporté le journal du jour, ce que son mari ne manquait jamais de faire.

Heureusement, songea Peter : il craignait fort qu'elle ne réagisse aussi mal que sa fille.

Tandis qu'il prenait place dans le fauteuil que l'infirmière venait de libérer, il se demanda comment annoncer la nouvelle à sa belle-sœur. Pour la deuxième fois en quelques heures, il allait briser un cœur, bouleverser une existence... Mais il était trop tôt. Maggie était trop faible pour entendre la vérité sur son mari.

— On a retrouvé des traces de poison dans ton organisme, expliqua-t-il. Les médecins font ce qu'ils peuvent pour en limiter les effets. Ils ne savent pas comment il t'a été administré, ni depuis combien de temps. Quelqu'un l'a probablement glissé dans ta nourriture.

Selon le médecin du centre antipoison, l'assassin avait dû lui donner une goutte ou deux de paraquat à un rythme régulier. Une quantité plus importante l'aurait tuée en quelques jours, sinon immédiatement.

Peter nota soudain que les mains de Maggie ne tremblaient plus. Les signes du Parkinson semblaient s'estomper à mesure que son organisme se libérait du poison. Des tests étaient en cours pour déterminer si elle était réellement atteinte de cette maladie, ou si le poison en avait simulé les symptômes. Le toxicologue penchait pour la deuxième solution.

— Où est Michael ? répéta Maggie, les yeux écarquillés. Est-ce qu'il s'occupe de tout ça ?

Il était le seul médecin en qui elle avait entièrement confiance.

Peter détourna le regard.

— Il n'est pas là, se contenta-t-il de répondre.

Maggie se laissa retomber sur l'oreiller, encore plus inquiète. Michael était son sauveur, son ange gardien. Une pensée effrayante lui traversa alors l'esprit :

— Il a été empoisonné, lui aussi ? Il est malade ?

— Non. La police est en train d'enquêter pour savoir ce qui s'est passé exactement.

Peter en resta là. De toute façon, elle était déjà épuisée.

Les médecins ne savaient dire combien de temps serait nécessaire pour que l'organisme de Maggie soit complètement débarrassé du paraquat. Ils partageaient néanmoins l'avis de Bill : ses symptômes neurologiques indiquaient qu'elle avait été empoisonnée sur une longue période. Quand ils lui avaient demandé ce qu'elle prenait comme médicaments, elle avait été incapable de leur répondre avec précision. Il fallait poser la question à Michael, avait-elle dit. Elle savait seulement qu'il lui donnait des somnifères et des calmants, et plusieurs autres comprimés dont elle ignorait le rôle. Ces médicaments, associés au paraquat, avaient sans doute contribué à altérer davantage sa santé. Les médecins ressortaient actuellement les dossiers datant de son accident de patin à glace, pour vérifier si les symptômes qu'elle présentait aujourd'hui avaient un rapport avec ses blessures de l'époque. Il apparaissait que peu d'entre eux étaient directement liés à sa chute ou à son coma, en dehors de sa jambe raide et des maux de tête dont elle avait souffert la première année.

À l'instar de son neveu, Peter était maintenant convaincu que Michael avait commencé à empoisonner Maggie bien avant qu'elle ait hérité de son père. Il préparait son coup depuis longtemps, en la détruisant physiquement et psychologiquement pour pouvoir mieux la manipuler. Michael était un monstre. Contrairement à ce que Peter avait cru pendant un temps, son frère n'avait pas changé du tout. Il était encore pire qu'avant.

Lorsque Bill arriva, Maggie s'était assoupie. Peter n'avait pas bougé de son fauteuil. Au bout de quelques minutes, elle ouvrit les yeux.

— Salut, maman, murmura Bill en souriant. Je t'aime.

— Moi aussi, mon chéri.

Maggie étouffa un sanglot, tout en serrant la main de son fils dans la sienne. Elle avait repris des forces.

— Tu as vu ton père ? lui demanda-t-elle.

— Arrête de t'agiter, maman. Il faut que tu te concentres sur ta guérison. Tu ne veux pas faire une petite sieste ?

Elle ferma les paupières ; Peter et Bill échangèrent un regard. Mais Maggie rouvrit les yeux peu après, observant les deux hommes tour à tour. Elle devinait qu'ils lui cachaient quelque chose.

— Je m'inquiète pour ton père, insista-t-elle. Est-il blessé ? A-t-il eu un accident ?

— Non, il va bien, lui assura Bill.

Avec un peu de chance, sa mère serait bientôt en meilleure forme qu'elle ne l'avait été depuis des années et Bill espérait qu'elle serait capable de supporter la vérité. Michael l'avait grandement affaiblie en l'obligeant à garder le lit et en la gavant de médicaments. Il avait joué avec sa santé mentale, instillant dans son esprit la peur de l'infection, de l'accident et des germes susceptibles de la tuer à tout instant, et multipliant les commentaires sur ses « nerfs fragiles ». Il l'avait isolée du monde, avant de donner à leur fille des responsabilités d'adulte pour amoindrir Maggie encore davantage. Et comme il n'était pas parvenu à contrôler leur fils, il l'avait poussé à partir, tout en essayant de convaincre sa mère qu'il était fou. À l'époque, Maggie n'avait pas su quoi penser. Mais là, tandis qu'elle regardait Bill, elle ne voyait en lui que le jeune homme solide et sain d'esprit qu'il était.

— Tu vas rester ? lui demanda-t-elle avec espoir.

— Oui, pendant un moment.

Bill avait prévenu son école qu'une urgence familiale le retenait à Ware pour plusieurs semaines. Il avait demandé que ses devoirs lui soient envoyés par mail – c'était le mieux qu'il puisse faire pour l'instant. Au besoin, il était prêt à mettre ses études entre parenthèses jusqu'à la fin du semestre. Sa mère passait avant tout.

Maggie finit par se calmer ; les émotions l'avaient épuisée. Un peu plus tôt dans la journée, Bill et Peter avaient prétexté que Michael était parti s'occuper d'un patient victime d'une crise cardiaque. Finalement, Peter dit qu'il était rentré voir Lisa, et Maggie accepta sereinement cette explication. De toute façon, elle ne savait plus très bien depuis combien de temps elle ne l'avait pas vu…

L'après-midi touchait à sa fin lorsque Maggie s'endormit profondément. Bill et Peter purent quitter l'hôpital. Une dure soirée les attendait avec Lisa ; de plus, Jack Nelson les avait prévenus que les journalistes tournaient comme des mouches autour du poste de police et qu'ils risquaient bien de venir traîner aussi devant la maison des McDowell.

Peter reçut justement un appel de Jack alors qu'ils arrivaient sur le parking.

— Je veux vous voir demain avec votre neveu, annonça le chef de la police d'un ton sévère.

Voilà bien longtemps que Jack n'avait été aussi ébranlé par une affaire. Il continuait d'espérer qu'il s'agissait d'une erreur ou d'un empoisonnement accidentel. Tout le monde dans cette ville savait à quel point Michael aimait sa femme. Ils en avaient eu la preuve pendant des années.

Deux fois dans sa carrière, Jack avait été confronté à des crimes passionnels. L'un d'eux avait été commis par un ami qui, ayant trouvé sa femme dans les bras d'un autre homme, les avait abattus tous les deux, avant de retourner l'arme contre lui. En entendant les coups de feu, un voisin avait prévenu la police. Alors jeune officier, Jack avait été le premier à arriver sur les lieux… Il en avait pleuré. Dans le cas présent, si les accusations contre Michael s'avéraient justifiées, Jack en serait encore plus bouleversé. Ils étaient tellement proches ! Et on parlait là d'une tentative d'assassinat, l'œuvre d'un esprit malade. Il priait pour qu'une autre explication émerge.

16

Le lendemain matin, Jack marqua une hésitation avant de pénétrer dans la cellule de Michael. Le poste de police de Ware en possédait plusieurs pour les gardes à vue ; il avait décidé d'attendre quelques jours avant de le transférer à la maison d'arrêt de Northampton pour sa mise en accusation. Jack souhaitait discuter de l'affaire avec lui en toute discrétion, afin de voir comment l'aider au mieux. Il avait profité de ce que ses hommes étaient sortis pour récupérer les clés.

Assis sur la couchette, Michael sourit à son vieil ami. Il se montrait d'un calme remarquable malgré l'environnement déprimant – les cellules de Ware étaient vieilles et sinistres, avec les W-C installés juste à côté du lit.

— C'est gentil de passer me voir, lança-t-il comme si Jack s'était arrêté à son cabinet pour bavarder.

C'était d'ailleurs ce qu'il faisait souvent, quand ils ne se retrouvaient pas au restaurant pour déjeuner ou pour dîner.

— Cette histoire est vraiment ridicule, n'est-ce pas ? observa Michael en lui laissant un peu de place sur le lit.

— Je l'espère.

Toute la nuit, Jack avait tenté de trouver une explication rationnelle aux résultats des deux comptes rendus d'analyses.

— Qu'est-ce qui s'est passé, à ton avis ? demanda-t-il à Michael. Cela reste entre toi et moi, bien sûr. Mais si tu es coupable, ne me dis rien. Garde ça pour ton avocat.

— Je n'ai pas d'avocat. Et je ne suis pas coupable. Quant à savoir ce qui s'est passé, je n'en ai aucune idée. Une erreur du labo, peut-être ? Maggie prend beaucoup de médicaments, parfois il peut y avoir des interactions qui provoquent des réactions chimiques bizarres… La seule chose dont je suis sûr, c'est que je n'ai pas empoisonné ma femme. Je l'aime.

Jack lui tapota l'épaule. Si seulement il pouvait le tirer de ce mauvais pas ! Michael ne méritait pas d'être en prison. C'était un type bien, qui s'était dévoué aux autres toute sa vie. Impossible de croire qu'il ait pu chercher à tuer sa femme…

Michael releva brusquement la tête, comme si une sombre pensée venait de lui traverser l'esprit.

— C'est peut-être mon frère qui a essayé de me piéger. Petit, il était vraiment odieux. Je pensais qu'il avait changé, mais… Si ça se trouve, il est revenu pour se venger à cause de l'héritage de nos parents. Ou alors, il est là pour Maggie, ajouta-t-il tristement. Il a toujours été amoureux d'elle.

— Tu crois que c'est réciproque ? s'enquit Jack.

Un triangle amoureux, voilà une autre explication envisageable… Quand Jack avait vu Peter la veille, ce dernier ne lui avait pas semblé éprouver autre chose que de l'amitié pour sa belle-sœur, mais il était sans doute suffisamment intelligent pour cacher ses sentiments.

— Oui, c'est possible que Maggie soit amoureuse de Peter. Je ne suis pas très excitant, comme garçon, observa Michael avec un petit sourire, et mon frère a toujours été le plus beau de nous deux. Ils sont sortis ensemble au lycée. Parfois, les femmes retournent vers leurs amours de jeunesse pour mettre un peu de piment dans leur vie. En plus, Maggie a beaucoup de temps libre. Elle passe des heures sur Internet. Peut-être qu'ils avaient gardé contact et qu'ils ont organisé ça ensemble. Qui sait si Peter n'a pas divorcé à cause d'elle ?

Michael incriminait non seulement son frère, mais aussi sa femme. Et, visiblement, cela l'attristait.

— Quant à Bill, c'est de la mauvaise graine, comme son oncle, poursuivit-il. J'ai essayé de le remettre dans le droit chemin quand il était plus jeune, mais je n'ai pas réussi. Bill a toujours été un menteur.

Jack acquiesça. Il savait que Michael avait eu des soucis avec son fils et qu'il avait été soulagé, malgré sa peine, de le voir partir.

— J'espère qu'on trouvera assez de preuves pour t'innocenter, Michael. Je n'aime pas te savoir ici. Ta place est chez toi.

Il était bien décidé à faire toute la lumière sur cette affaire. Comme le disait son ami, il s'agissait peut-être d'un complot fomenté contre lui par son frère et son fils... Quoi qu'il en soit, Jack considérait Michael comme une victime, au même titre que Maggie.

— Tout ce que je peux dire, c'est que tu ne trouveras pas de preuves pour m'accabler, répondit Michael. Il n'y en a pas.

Jack le croyait volontiers.

— Tu sais, j'ai lu pas mal de choses hier soir sur le paraquat, lui confia-t-il. Il paraît que ce produit est souvent utilisé dans les pays pauvres pour se suicider, parce qu'il ne coûte pas cher. Est-ce que tu crois que Maggie aurait pu vouloir mettre fin à ses jours ?

Elle était gravement malade et vivait recluse chez elle. Et si elle en avait eu marre ? Peut-être avait-elle entraîné son mari dans cette histoire sans le vouloir ? Ou peut-être Peter s'était-il servi d'elle… Jack avait fait quelques recherches sur lui, et ce n'était un secret pour personne qu'il n'avait plus un sou. Il avait bien plus besoin de l'argent de Maggie que Michael.

— Ce n'est pas impossible, concéda ce dernier à contrecœur. Maggie est mourante, elle a conscience qu'on ne guérit pas d'un Parkinson. Si elle a décidé de se suicider, ce n'est pas étonnant qu'elle ne m'en ait pas parlé : elle sait combien je me bats pour la maintenir en vie.

Puis il ajouta, sur le ton du secret :

— Ça fait des années qu'elle a des problèmes psychiatriques. Depuis l'accident, en fait. Et ça peut se comprendre, vu ce qu'elle endure et ce qu'elle a comme perspectives d'avenir. J'essaie de ne pas y penser, mais elle est probablement suicidaire. Oui, elle a pu s'empoisonner elle-même sans que je ne m'aperçoive de rien.

Jack trouvait cette explication crédible. Mais dans ce cas, pourquoi n'y avait-il aucune empreinte de Maggie sur les bouteilles d'herbicide ? Restait la solution du coup monté, ourdi par Peter. Jack était prêt à croire n'importe quoi du moment que Michael en ressortait innocent. Il se targuait d'avoir le nez pour démasquer les menteurs et les criminels, et il était convaincu que Michael McDowell n'appartenait à aucune de ces deux catégories.

— Tu ferais mieux de te trouver un avocat, lui conseilla-t-il.

— Je ne sais même pas qui appeler, lâcha Michael d'un air abattu.

Jack lui donna les noms de professionnels qu'il connaissait à Northampton, Hadley et Springfield.

— Ne t'inquiète pas trop, dit-il en posant une main sur son épaule. On va te faire sortir d'ici et tirer cette affaire au clair, je te le promets.

— Merci, Jack. À bientôt.

Michael s'allongea sur le lit et ne tarda pas à s'endormir. La visite de Jack l'avait rassuré. Ici, personne ne le croyait coupable – les policiers en parlaient entre eux depuis la veille. En tant que médecin, Michael prenait soin d'eux, de leur famille, de leurs parents. Le Dr Mike ne tuait pas les gens comme ça, et encore moins sa femme malade.

Avant d'aller voir Maggie à l'hôpital, Peter et Bill firent un détour par le poste de police afin de s'y faire prélever leurs empreintes et rencontrer Jack Nelson. Ils avaient accepté de se soumettre à ces formalités pour coopérer à l'enquête. Alors qu'ils s'essuyaient les mains, le chef les fit entrer dans son bureau ; il revenait tout juste de la cellule de Michael. Lorsqu'il leur demanda de lui décrire leurs relations avec le suspect, Bill et Peter reconnurent sans peine qu'elles avaient été conflictuelles. Ce dernier précisa néanmoins que son frère et lui s'étaient rapprochés depuis quelques mois et avaient passé beaucoup de temps ensemble.

— Vous a-t-il donné l'impression qu'il était malheureux avec sa femme, ou lassé de s'occuper d'elle ? s'enquit Jack.

Peter secoua la tête.

— Non, pas du tout. Il m'a paru profondément dévoué à Maggie. C'est pour ça que, dans un premier temps, je n'ai pas cru à cette histoire d'empoisonnement. Je pensais que mon neveu était fou, dit-il en adressant un sourire d'excuse à Bill.

— Êtes-vous amoureux d'elle ?

Peter eut l'air surpris.

— De Maggie ? Bien sûr que non. C'est la femme de Michael. Je l'aime comme une sœur.

— Quelle est votre situation familiale, actuellement ?

— Je suis en cours de divorce.

Peter fronça les sourcils. Était-il considéré comme suspect ? Jack Nelson semblait lui chercher un mobile. Mais il n'en avait pas… à part peut-être l'argent. Les policiers le soupçonnaient-ils de s'intéresser à l'héritage de Maggie ?

— Depuis combien de temps échangez-vous des mails avec l'épouse de votre frère ? demanda Jack d'une voix dure.

— On ne s'est jamais écrit.

— Vous avez un emploi ?

Jack connaissait déjà la réponse grâce à ses recherches sur Google. Mais il était curieux d'entendre ce que Peter avait à dire.

— Je suis au chômage en ce moment, mais je cherche un travail. Mon entreprise a mis la clé sous la porte en octobre dernier, lors du krach boursier.

Jack Nelson acquiesça. Peter se décida alors à aborder un autre sujet qu'il voulait porter à la connaissance du chef de la police. Il en avait discuté avec son neveu avant de venir.

— Un homme s'est présenté chez moi récemment, sur les conseils de Walt Peterson. Il prétend que mon frère a poussé son père à lui léguer tout son argent. Il a même suggéré que Michael l'avait euthanasié. Je crois que ça vaut la peine d'être creusé, conclut-il poliment.

Jack le fusilla du regard.

— Vous ne connaissez vraiment pas votre frère, vous. Et ne me dites pas comment mener une enquête ! Michael prend soin de la plupart des personnes âgées du comté. Il ne les tue pas, que je sache ! Mais merci quand même pour l'info, ajouta-t-il avec aigreur.

De toute évidence, le chef de la police était du côté de Michael. Il avait même insinué que Peter et Maggie entretenaient une liaison – auquel cas Peter n'aurait eu aucun intérêt à la tuer, soit dit en passant. Mais Jack Nelson pensait peut-être qu'il avait cherché à piéger son frère pour se débarrasser de lui. Quelle idée machiavélique ! Peter se demanda soudain si ce n'était pas Michael qui la lui avait soufflée. Cela lui ressemblait bien.

Quelques minutes plus tard, Jack Nelson mit fin à l'entretien. Les deux hommes prirent la direction de l'hôpital.

— On dirait qu'il cherche à me faire porter le chapeau, observa Peter, contrarié.

— Ou à moi, renchérit Bill.

Dans le journal qu'il venait d'ouvrir, l'arrestation de Michael occupait la première page. Le journaliste ne semblait pas croire à sa culpabilité, lui non plus. Il décrivait en long et en large ses talents et ses bonnes actions, sans s'appesantir sur la tentative d'empoisonnement en elle-même. On apprenait seulement qu'une enquête était en cours et que Michael se trouvait actuellement en garde à vue, en attendant d'être traduit devant le juge dans les jours à venir pour la lecture des chefs d'accusation. La nature des preuves qui pesaient contre lui était gardée sous silence. Enfin, il était précisé que la police n'excluait pas l'existence d'autres suspects. Peter sentit un frisson glacé lui parcourir l'échine.

— Je serai furax si je finis en prison à cause de toi, dit-il à son neveu avec un rire nerveux.

— Tout ça ressemble à un coup de mon père. Il nous fera pendre tous les deux s'il le peut.

— Pour ça, il faudrait qu'ils aient des preuves, et ils n'en ont pas, répliqua Peter. C'est lui qui l'a empoisonnée. La vérité est de notre côté.

Avant de rejoindre Maggie, Peter et Bill firent un crochet par le restaurant. Dans la salle, toutes les conversations tournaient autour de l'arrestation de Michael. Chacun avait un nouvel angle d'analyse à offrir, une nouvelle théorie à proposer, et presque personne ne doutait de l'innocence du docteur. Sauf Vi, qui n'hésita pas à donner son point de vue à Peter et à Bill lorsqu'elle vint leur servir le café.

— Je n'ai jamais aimé ton frère, déclara-t-elle avec sa franchise coutumière. Toi, tu étais un petit emmerdeur, toujours à te battre et à t'attirer des ennuis, mais au fond tu n'étais pas méchant. Alors que Michael… Il me faisait penser à Eddie Haskell, tu sais, ce gamin dans la série *Leave it to Beaver*. Très poli, mais complètement hypocrite. Je dois même te dire que quand j'ai appris la nouvelle de son arrestation dans le journal, ça ne m'a pas étonnée. Je sais que tout le monde l'adore, mais moi, j'ai toujours douté de son honnêteté.

Peter la dévisagea, abasourdi. Elle était bien la seule personne en ville à tenir ce discours à propos de Michael.

Sur le chemin de l'hôpital, Peter dit à son neveu qu'il souhaitait révéler la vérité à Maggie. Cela ne lui semblait pas correct qu'elle soit la seule à ignorer que Michael était en prison pour tentative de meurtre, qui plus est à son encontre.

Lorsqu'ils entrèrent dans sa chambre peu avant midi, Maggie avait bien meilleure mine. Les analyses de sang du matin avaient révélé une baisse significative des toxines dans son organisme. Bien qu'elle restât sous étroite surveillance, elle respirait mieux et son regard paraissait plus vif.

Cependant, elle s'inquiétait de plus en plus de l'absence de son mari. Jamais il n'avait disparu ainsi auparavant. Elle ne parvenait pas à le joindre sur son téléphone, et les excuses qu'on lui présentait avaient toutes l'air bidon. Ces dernières heures passées à attendre Bill et Peter avaient mis sa patience à rude épreuve. Dès l'instant où ils pénétrèrent dans la pièce, elle leur demanda où était Michael.

Peter ne se faisait pas d'illusions : la nouvelle serait tout aussi difficile à accepter pour elle que pour Lisa – sinon plus. Mais à présent qu'elle était plus vaillante, ils n'avaient aucune raison valable de lui mentir. Tout le monde à Ware ne parlait que de cette affaire, y compris à l'hôpital.

— Sois franc avec moi, Peter, lui enjoignit-elle. Est-ce que Michael a eu un accident ? Il ne répond pas au téléphone, et Lisa non plus.

Bill et Peter avaient en effet insisté auprès de la jeune fille pour qu'elle ne dise rien à sa mère. Lisa s'était donc contentée de lui envoyer des textos. Toute la nuit, Maggie avait craint que Michael ne soit mort et que personne n'ait eu le cœur de le lui avouer. Ne pas savoir, c'était pire que tout.

— Non, Michael n'a pas eu d'accident, répondit Peter.

Maggie sembla se détendre. Il s'approcha d'elle et lui prit la main, tandis que Bill restait debout au pied du lit. Tous deux étaient conscients de la responsabilité qu'ils endossaient en annonçant une nouvelle comme celle-ci à une femme dont la santé était aussi fragile...

— Maggie, tu sais que tu as été empoisonnée..., commença Peter lentement.

— Oui, je le sais, et je voudrais justement en parler avec Michael. Je ne comprends pas comment ça a pu arriver. Est-ce qu'il y a eu un problème avec mes médicaments ? Une erreur au laboratoire pharmaceutique ?

— Ce n'était pas une erreur, lui assura Peter. Du moins, c'est peu probable. Tu as été empoisonnée avec un désherbant extrêmement toxique, qui a sans doute été introduit dans ta nourriture. C'était intentionnel, Maggie.

— Qui aurait pu faire ça ? demanda-t-elle, effrayée.

— On ne sait pas encore. Mais peu de personnes avaient accès à ce que tu manges, et vu les symptômes que tu présentes depuis des années, ça dure depuis très longtemps.

Peter parlait d'une voix calme, prenant soin de bien choisir ses mots.

— Et Michael, qu'est-ce qu'il en dit ? voulut savoir sa belle-sœur.

— Michael est en prison, répondit-il doucement. Il est soupçonné d'avoir tenté de te tuer.

Ces mots atteignirent Maggie avec la force d'un coup de poing. Elle se redressa brusquement dans son lit en dévisageant Peter les yeux écarquillés.

— Tu plaisantes ?

— Malheureusement, non. Les analyses toxicologiques montrent que tu as été empoisonnée. Michael avait les moyens de le faire, et il avait aussi un mobile. Il faut attendre les conclusions de l'enquête, mais avec les preuves qui ont été réunies, il risque d'être inculpé dans les jours qui viennent. Si ce n'est pas lui, alors il va devoir s'expliquer sur beaucoup de points... Les policiers ont perquisitionné chez vous, ils ont emporté un certain nombre de choses – d'après Pru, principalement des médicaments et deux ou trois bricoles qui venaient de la cabane de jardin.

Maggie resta sans voix. Puis, subitement, elle pensa à sa fille.

— Oh, mon Dieu… Comment va Lisa ?

— Comme on peut s'y attendre. Elle vénère son père. Elle dit que tout est notre faute, à Bill et à moi, et elle est convaincue que Michael est innocent.

Bill acquiesça.

— Moi aussi, j'en suis convaincue ! s'exclama Maggie en se laissant retomber contre ses oreillers. Est-ce que je peux l'appeler ?

Peter secoua la tête. Il comprenait sa réaction. C'était dur pour elle d'apprendre que l'homme en qui elle avait placé toute sa confiance et tout son amour pendant vingt-trois ans avait peut-être essayé de la tuer – et qu'il avait failli réussir.

— Tu étais mourante, Maggie, lui rappela-t-il. Ce n'était pas dû au hasard.

Des larmes se mirent à rouler sur les joues de sa belle-sœur.

— Ce n'est pas possible. Michael ne ferait jamais une chose pareille.

Elle devinait pourtant dans le regard de son fils et de son beau-frère qu'ils étaient persuadés du contraire, et cela l'horrifiait.

— Les gens font des choses étranges, parfois, dit Peter avec philosophie. Pendant toute ma jeunesse, j'ai pensé que Michael était dangereux. Il m'a fait changer d'avis quand je suis revenu dans la région, mais finalement, j'avais sans doute raison dès le départ… Attendons de voir ce que donne l'enquête. Pour l'instant, en tout cas, les choses ne se présentent pas très bien pour lui. Il est le seul à avoir pu te faire ça. L'utilisation du produit était très réfléchie, il fallait savoir le doser avec précaution sous peine de te tuer sur le coup. D'après les médecins, tu n'as pas la maladie de Parkinson. C'est le poison qui en donnait l'impression.

Maggie détourna le visage et pleura en silence. Elle vivait le pire moment de son existence. Peter la plaignait de tout son cœur, mais il se retint de la prendre dans ses bras : la situation était déjà suffisamment compliquée, il ne voulait pas donner de fausses impressions après ce que le chef de la police avait insinué le matin. Peter aimait Maggie comme une amie, comme une sœur.

— Que dit Michael ? demanda Maggie d'une voix à peine audible.

— Qu'il est innocent. Mais la présence de paraquat dans ton organisme prouve qu'il ne l'est pas. Ou, du moins, que quelqu'un est coupable.

Personne d'autre n'avait été assez proche de Maggie pour pouvoir l'empoisonner ainsi sur le long terme – à part Lisa, mais il était inconcevable qu'elle eût quoi que ce soit à voir dans cette affaire. Michael, en revanche, avait eu les compétences et le mobile, si la théorie de Bill concernant l'héritage de son grand-père se confirmait. Dix millions de dollars, c'était une belle somme, sans doute suffisamment alléchante pour que Michael passe à l'acte. Les informations regorgeaient de faits divers de ce genre. Mais par respect pour Maggie, Peter préféra ne pas évoquer devant elle la question de l'argent.

— Je ne peux pas croire qu'il ait fait ça, murmura-t-elle, pâle comme la mort et blessée au plus profond d'elle-même.

Et pourtant, malgré ses nerfs prétendument fragiles, elle accusait le coup avec autant de grâce et de sagesse qu'elle en montrait pour tout le reste.

Les rumeurs qui commençaient à circuler au sein du poste de police n'étaient pas très encourageantes pour Michael. Outre les analyses toxicologiques et les preuves découvertes dans la cabane de jardin, Jack Nelson devait à présent examiner la requête des proches d'un des patients âgés de Michael. Après avoir lu dans le journal que leur médecin était soupçonné d'avoir empoisonné sa femme, les enfants de ce vieux monsieur s'étaient subitement mis en tête que le Dr McDowell avait aussi assassiné leur père. Ils demandaient que son corps soit exhumé puis autopsié. Le lendemain, Jack reçut trois autres appels similaires. Dans chaque cas, Michael avait touché un héritage du défunt… Ces histoires ressemblaient trop à celle que Peter lui avait rapportée pour qu'il n'en tienne pas compte. Redoutant la suite des événements, Jack signa l'autorisation d'exhumation.

Le moment vint de transférer Michael à la maison d'arrêt de Northampton pour sa première comparution devant le juge. Il avait contacté un des avocats recommandés par Jack, et le juriste avait accepté d'assurer sa défense. Après avoir plaidé non coupable de tentative de meurtre avec préméditation, Michael fut placé en détention provisoire dans l'attente de son procès. Une fois de plus, la nouvelle fit la une des journaux locaux.

Les empreintes de Michael retrouvées sur les bouteilles de paraquat et le fait qu'il ait été le seul à avoir eu accès à la nourriture de Maggie en dehors de leur fille de seize ans – et de Pru Walker, qui n'avait toutefois aucune raison de vouloir tuer sa patronne – constituaient deux éléments extrêmement accablants. Quant à la guérison spectaculaire de Maggie au cours de la semaine qui suivit, elle ne fit que s'ajouter à la liste des preuves à charge. Maggie ne s'était jamais sentie aussi bien depuis des années.

Un policier vint à l'hôpital pour lui demander qui lui préparait ses repas à la maison. Elle répondit que sa fille se chargeait habituellement du dîner, tandis que son mari s'occupait du déjeuner. Lorsqu'il n'avait pas le temps, Prudence Walker le remplaçait. Le policier lui posa quelques questions concernant ses médicaments, puis il repartit.

Maggie ne comprenait pas pourquoi son mari ne cherchait pas à la contacter, alors qu'il avait droit à un appel par jour. De son côté, elle n'avait aucun moyen de le joindre. Cet homme qui avait été une présence constante dans sa vie pendant vingt-trois ans avait soudainement disparu. Elle refusait cependant de croire au pire. Il pourrait forcément lui fournir une explication rationnelle sur toute l'affaire. Pourquoi restait-il muet ?

Ce silence la bouleversait presque autant que les accusations qui pesaient contre lui. Elle avait partagé la vie de Michael, s'était reposée sur lui nuit et jour, lui avait fait une confiance aveugle, et voilà que tout d'un coup il s'était comme évaporé. Avait-il trop honte pour l'appeler ? L'arrestation avait dû lui provoquer un choc, à lui aussi. Maggie le plaignait. Comme sa fille, elle n'avait aucune envie qu'il finisse en prison.

En une semaine, Jack Nelson se retrouva avec neuf cadavres en attente d'être exhumés. L'affaire prenait une bien mauvaise tournure. Michael continuait de clamer son innocence, et Jack voulait le croire, mais il était devenu impossible d'accuser Bill ou Peter à sa place. Chaque jour, les preuves s'accumulaient contre lui.

Maggie avait à peine quitté l'hôpital que Lisa la suppliait pour qu'elles aillent voir son père. Mais Maggie n'en avait pas encore la force, et elle craignait qu'une telle expérience ne soit traumatisante pour sa fille. Certes, il lui tardait de retrouver Michael ; seulement, elle ne voulait pas l'embarrasser en lui rendant visite en prison. Elle lui avait écrit deux lettres dans lesquelles elle lui exprimait tout son amour, son soutien et sa foi en son innocence. Il n'avait pas répondu. Peut-être l'empêchait-on de lire son courrier ?

Un après-midi, après être passé chez sa belle-sœur, Peter s'arrêta au bureau du greffier du comté, situé dans la grand-rue. Par curiosité, il voulait savoir s'il existait un registre où seraient consignés tous les testaments dans lesquels figurait le nom de Michael.

En pénétrant dans le bureau, il eut la surprise de retrouver une connaissance : le greffier n'était autre que le grand frère d'un ancien camarade de classe. Ils bavardèrent un moment – Peter apprit avec tristesse que l'ami en question avait trouvé la mort quelques années plus tôt dans un accident de voiture. Informé des problèmes que Peter et sa famille traversaient, Bob lui exprima sa compassion. Lui aussi avait été stupéfait de l'arrestation de Michael.

Peter lui exposa la raison de sa venue. Dresser la liste des personnes dont son frère avait hérité permettrait probablement d'apporter de nouveaux éléments à l'enquête en cours.

— Nous n'aurons pas trace ici des legs qu'il a pu recevoir en liquide, répondit Bob. Seulement des terrains ou des propriétés. Mais je veux bien jeter un œil. Sinon, tu n'as qu'à aller voir le directeur de la banque, il se souviendra peut-être de certaines sommes qui ont été versées à Michael. Si tu veux, je lui passe un coup de fil, c'est l'oncle de ma femme.

Peter ne put s'empêcher de sourire. Cela avait parfois du bon de vivre dans une petite ville où tout le monde se connaissait...

Bob l'appela quelques jours plus tard : au fil des ans, pas moins de quatre maisons avaient été léguées à Michael. Elles n'étaient pas bien grandes et n'avaient pas beaucoup de valeur, mais il les avait toutes vendues. Bob promit à Peter de lui envoyer un compte rendu détaillé, avec copie à Jack Nelson. Quant au directeur de la banque, il lui apprit que plusieurs donations avaient été faites à Michael, lequel avait selon lui hérité au total de deux à trois cent mille dollars. Une somme considérable.

Peter était sous le choc : combien donc de personnes âgées son frère avait-il assassinées ? Quoi qu'il en soit, il n'avait plus de doute sur ses motivations. Michael avait tenté d'amasser une petite fortune. Et s'il avait réussi à tuer sa femme, son magot aurait été décuplé. Que prévoyait-il de faire avec tout cet argent ?

Maggie, cependant, persistait à nier la réalité. Elle trouvait un millier d'excuses invraisemblables pour expliquer ce qui s'était passé. Lisa, elle, n'adressait toujours pas la parole à son frère et à son oncle, qu'elle accusait d'avoir piégé son père.

Comme Maggie refusait toujours de l'accompagner à la prison, la jeune fille décida de s'y rendre seule. Un après-midi en sortant du lycée, après s'être renseignée sur les jours et les horaires de visite, elle prit un bus pour Northampton. En chemin, elle laissa un message à sa mère annonçant qu'elle allait faire ses devoirs chez une amie.

Maggie s'était remise à marcher avec l'aide de son déambulateur ; elle n'en avait même presque plus besoin. Elle retrouvait enfin l'équilibre après s'être sentie chancelante pendant des années. Elle ne prenait plus de somnifères, plus de calmants, plus aucun des mystérieux comprimés dont Michael la gavait depuis deux décennies. Elle avait l'impression de renaître – ou plutôt, de redevenir la jeune femme qu'elle avait été avant de se marier. L'accident de sa jeunesse ne lui avait laissé en réalité aucune séquelle, si ce n'est une légère boiterie qui s'estompait de jour en jour grâce aux exercices que son kinésithérapeute lui faisait pratiquer. Bientôt, elle demanda à Bill de remiser son fauteuil roulant et son déambulateur au garage ; elle se déplaçait à présent sans aide.

Et pourtant, mieux elle allait, plus elle se faisait du souci pour Michael. Elle soutenait en dépit du bon sens qu'il n'avait aucune responsabilité dans la survenue de ses problèmes de santé. Elle ne pouvait envisager qu'il soit coupable de ce dont on l'accusait.

Arrivée à la prison, Lisa présenta sa carte d'étudiante, inscrivit son nom sur un registre et patienta dans une salle d'attente où des femmes édentées et des hommes couverts de tatouages se criaient des obscénités. L'atmosphère était tendue, l'air empestait à cause des poubelles qui débordaient. Quand on l'appela, Lisa n'en menait pas large. Elle fut conduite jusqu'à un box. Là, pour la première fois depuis plusieurs semaines, elle se retrouva face à son père. Vêtu d'un pyjama bleu marine qui ressemblait à une tenue de chirurgien, il était impeccable, rasé de près et soigneusement peigné. On l'aurait cru assis à son bureau… Lisa et lui étaient séparés par une vitre épaisse qui les obligeait à communiquer par l'intermédiaire d'un téléphone. À peine assise, la jeune fille éclata en sanglots. Alors, Michael sourit, et elle se sentit submergée par l'amour et la gentillesse qui se lisaient dans son regard. Il lui montra l'appareil, qu'elle décrocha sans cesser de pleurer.

— Sèche tes larmes, mon bébé, murmura-t-il d'une voix douce. Tout va s'arranger. Je vais bientôt sortir d'ici.

Il semblait en être convaincu.

— Cette histoire est absurde, poursuivit-il. Je suis sûr qu'ils n'iront pas jusqu'au procès. Comment va maman ?

En posant cette question, son regard s'était légèrement assombri. Lisa n'aurait su expliquer pourquoi.

— Elle va beaucoup mieux. Mais elle dit que tu n'as pas répondu à ses lettres... Tu nous manques à toutes les deux.

Michael eut un grand sourire qui rappela à sa fille des jours meilleurs. Elle n'avait même pas l'impression qu'ils se trouvaient dans une prison. Il avait l'air tellement normal ! Elle s'imagina attablée en face de lui dans la cuisine, et cela la rassura. Car autour d'eux, les visiteurs l'effrayaient tout autant que les détenus, sinon plus. Que faisait son père parmi ces gens ?

— J'ai rencontré mon avocat, lui expliqua-t-il. Le juge va sans doute prononcer un non-lieu. Je n'ai pas empoisonné ta mère, Lisa. Tu le sais.

— Bien sûr que je le sais, papa. C'est horrible, ce qu'ils racontent dans le journal. Et ils disent aussi des choses sur tes patients.

— Ne lis pas ces bêtises. Ce ne sont que des mensonges.

Lisa acquiesça.

— À mon avis, c'est ton oncle qui a manigancé tout ça, reprit Michael. Pour se débarrasser de moi, séduire ta mère et récupérer l'argent de ton grand-père. C'est particulièrement vicieux. Mais Peter a toujours été une brebis galeuse. Papi et mamie le savaient bien. C'est pour ça qu'il me déteste. Il a voulu se venger.

— Je le hais, déclara Lisa avec ferveur.

Et elle haïssait aussi son frère, qui croyait comme Peter à la culpabilité de Michael. Heureusement, Lisa avait encore sa mère de son côté.

— Peter est souvent à la maison ? demanda Michael d'un ton détaché.

— Oui, assez souvent. Il vient voir si tout va bien. Au fait, Bill est rentré.

Une ombre passa sur le visage de Michael.

— La place de ton frère est en hôpital psychiatrique, mais ta mère n'a jamais voulu que je le fasse interner. Si j'ai accepté qu'il parte à Londres, c'était pour l'éloigner de toi. J'avais peur qu'il te fasse du mal.

— Tu crois qu'il s'en prendrait à moi ? s'étonna Lisa.

Même derrière les barreaux, Michael continuait son petit jeu de manipulation. Il avait jeté l'éponge avec Maggie, mais il lui restait encore sa fille, qui lui vouait une confiance absolue. Hors de question de la perdre. Il l'avait sous sa coupe, comme Maggie auparavant. Aujourd'hui, celle-ci n'avait plus besoin de lui, elle était libre et n'hésiterait pas à témoigner contre lui. Mais Michael savait que Lisa ne le trahirait jamais : c'était la chair de sa chair. Quant à Bill… Était-il seulement son fils ? Il ressemblait tellement à Peter !

— Je crois que ton frère est capable de tout, répondit-il à Lisa, semant en elle les graines de la terreur et du conflit.

Diviser pour mieux régner, c'était son credo.

— Ton oncle est pareil. Méfie-toi d'eux, Lisa. Et aussi de ta mère. Elle n'est pas méchante, mais elle a de sérieux problèmes psychiatriques – Bill les a hérités d'elle. Tu es la seule à être saine d'esprit dans cette famille.

— Avec toi, papa, répliqua Lisa.

En entendant leur conversation, n'importe qui aurait eu envie de vomir. Bill et Peter, eux, se seraient retenus à grand-peine d'étrangler Michael : il empoisonnait l'esprit de sa fille comme il avait empoisonné le corps de sa femme. Depuis sa prison, il fallait qu'il continue à la contrôler, à en faire sa marionnette.

— Ne t'inquiète pas, ma puce, on va me libérer bientôt. Tu reviendras me voir ?

Lisa opina, les joues baignées de larmes.

— N'en parle pas à maman, elle se ferait trop de souci.

De nouveau, Lisa acquiesça. Il avait raison.

— Je reviens bientôt, c'est promis.

Une sonnerie retentit, annonçant la fin de la visite. Ils articulèrent un « Je t'aime », puis une porte s'ouvrit derrière Michael. Celui-ci agita la main tandis qu'un adjoint du shérif le faisait sortir du box. Lisa quitta la prison le cœur léger. Elle avait revu son père.

De retour chez elle, elle monta directement dans sa chambre sans rien dire à sa mère et refusa d'en descendre pour dîner. Maggie ne mangeait plus au lit ; elle s'était remise à cuisiner, occupant enfin la place qu'on lui avait volée pendant des années. Par conséquent, Lisa ne retrouvait plus ses marques, mais elle s'en fichait. Elle faisait confiance à son père : tout allait s'arranger, puisqu'il l'avait promis et qu'il ne lui mentait jamais.

17

Jack Nelson fixait un regard désespéré sur les rapports d'autopsie posés sur son bureau. Neuf corps avaient été exhumés. Sur chacun d'eux, en haut d'une fesse, apparaissait une trace de piqûre que personne n'avait remarquée avant la mise en bière. Bien sûr, il s'agissait des patients de Michael ; c'était donc lui qui les avait examinés au moment de leur mort et qui avait signé leur certificat de décès. Dans les neuf cas, il avait noté « crise cardiaque » comme cause du décès. Selon le coroner, le point d'injection minuscule correspondait à l'inoculation de succinylcholine, un myorelaxant employé pour paralyser les muscles respiratoires en vue d'une chirurgie ou d'une intubation. Seul un anesthésiste compétent aurait su comment le doser ; or, Michael avait pratiqué cette spécialité au début de sa carrière, avant de rejoindre le cabinet de son père. En cas de surdosage, le patient mourait par suffocation, mais les symptômes ressemblaient à ceux d'une crise cardiaque. Tant que la personne était encore vivante, le produit restait virtuellement indétectable ; après la mort, seule la marque de piqûre trahissait son utilisation. Le coroner avait effectué des prélèvements et confirmé la présence de succinylcholine dans les tissus des neuf victimes. Comme Jack Nelson le comprit avec horreur, les preuves ne laissaient aucun doute.

Il était impossible pour le moment de savoir si Michael avait euthanasié ses patients à leur demande, ou bien s'il les avait assassinés. Mais chacun d'eux lui avait laissé de l'argent – *tout* leur argent, dans la plupart des cas. Jack ne pouvait plus épargner son ami. Il devait se rendre à l'évidence : Michael s'était livré à des meurtres systématiques dans la communauté gériatrique. Plus cruel encore, il avait empoisonné sa jeune épouse, faisant d'elle une invalide, et détruisant sa vie. C'était un psychopathe.

Michael fut présenté devant le juge et se vit cette fois-ci inculpé de neuf meurtres, en plus des poursuites pour tentative d'assassinat sur sa femme. Avec ça, difficile d'échapper à la condamnation… Écœuré, Jack ne put regarder son ami en face pendant la lecture de l'acte d'accusation. Michael, parfaitement calme, plaida non coupable pour chacun des crimes qu'on lui reprochait.

Peu après, Jack était dans son bureau quand son lieutenant l'informa que Peter McDowell souhaitait s'entretenir avec lui.

— Je vous dois des excuses, déclara Jack sans préambule, tandis que Peter pénétrait dans la pièce. Je m'étais trompé au sujet de votre frère.

À sa décharge, les psychopathes étaient des êtres fourbes. Ils commettaient les pires horreurs sans sourciller, sans ressentir la moindre culpabilité ni le moindre remords par la suite. Il leur manquait cette part d'humanité qui nous différencie des robots. Jamais Jack n'aurait cru que Michael appartenait à cette catégorie de personnes.

— J'ai toujours su qui il était vraiment, répondit Peter. Par contre, ce n'est pas facile pour Maggie et Lisa.

Jack acquiesça avec compassion.

— Lisa rend visite à son père deux fois par semaine, signala-t-il. Sa mère est au courant ?

— Je ne crois pas, mais je lui en parlerai. À mon avis, Lisa n'a rien à faire dans un endroit pareil. Et Dieu sait ce que son père lui raconte.

Jack partageait cette opinion. Lisa était une jeune fille innocente, et Michael avait prouvé sa dangerosité, tant sur le plan physique que psychologique.

— Qu'est-ce qui vous amène, aujourd'hui ? s'enquit-il d'un ton las.

— Je veux faire exhumer mes parents…

Peter avait mis plusieurs semaines à prendre cette décision. Aujourd'hui, il ne doutait plus de ce que sa mère avait écrit dans son journal à propos de l'euthanasie de son père. Michael lui avait menti, comme d'habitude.

Des ampoules de succinylcholine avaient été retrouvées dans son bureau. Michael se sentait tellement à l'abri de tout soupçon qu'il n'avait rien caché, pas même le poison dont il s'était servi contre sa femme. Les preuves s'accumulaient contre lui, à tel point que Maggie ne clamait plus son innocence. C'était difficile à admettre, mais l'homme qu'elle croyait avoir épousé n'avait jamais existé.

— La moitié des habitants de Ware veulent faire exhumer leurs parents, marmonna Jack tout en passant les formulaires à Peter.

Il n'avait aucune raison de s'opposer à sa requête : celle-ci était raisonnable et, de surcroît, susceptible d'apporter des preuves supplémentaires au dossier.

Après avoir rempli les papiers, Peter prit congé du chef de la police. Même s'ils n'avaient jamais été proches dans leur jeunesse – l'amitié entre Jack et Michael en avait exclu toute possibilité –, Peter le plaignait aujourd'hui. Jack s'était fait avoir, comme tout le monde. Son frère était un manipulateur de génie.

En repartant du poste de police, Peter s'arrêta chez Maggie. Elle fut contrariée d'apprendre que sa fille rendait visite à Michael. Quand Lisa rentra du lycée, elle aborda calmement le sujet avec elle. Lisa explosa aussitôt, vexée que son secret ait été dévoilé.

— Bien sûr que je suis allée le voir ! Tu croyais que je le laisserais tout seul là-bas ? Comment as-tu pu lui faire ça ? Tu ne lui as pas rendu visite une seule fois !

Elle oubliait qu'il avait tenté de la tuer. Elle oubliait aussi que sa mère avait cherché à le contacter pour qu'il la rassure, qu'il la convainque de son innocence, mais qu'il n'avait pas répondu. Silence radio. Comme si elle n'avait jamais existé pour lui.

— Je ne crois pas qu'il ait envie de me voir, observa-t-elle d'un air peiné.

— Et ça t'étonne ? répliqua Lisa. On l'accuse de t'avoir empoisonnée. C'est à cause de toi qu'il est en prison. Pourquoi voudrait-il te voir ?

Maggie fut surprise par la virulence de sa fille.

— Ah, parce que c'est ma faute ? Et toutes ces personnes âgées qu'il est soupçonné d'avoir tuées, c'était leur faute, aussi ?

Michael menait Lisa par le bout du nez, mais Maggie n'avait pas l'intention de le laisser embrigader sa fille.

— Je ne veux plus que tu ailles le voir en prison, déclara-t-elle fermement. Tu es trop jeune pour fréquenter ce genre d'endroit. C'est dangereux.

Elle se retint d'ajouter que son père lui causait plus de tort que n'importe quel criminel qu'elle risquait d'y rencontrer.

— Tu ne pourras pas m'empêcher d'y aller ! hurla Lisa.

Elle monta dans sa chambre en courant et claqua la porte derrière elle.

Lisa ne dînait plus jamais en bas. Elle prenait de quoi manger dans le frigo et retournait directement dans sa chambre. En un mot, elle s'isolait – et c'était exactement ce que son père voulait ; c'est pour cela qu'il lui faisait croire que son frère et sa mère étaient fous, quand il était le seul à l'être. Comme Maggie, Bill et Peter avant eux, Lisa subissait ses manœuvres psychologiques. Face à un psychopathe, on ne pouvait qu'être victime.

Le soir, Maggie raconta leur dispute à Bill. Il partageait entièrement son point de vue : ce n'était pas bon pour Lisa de rendre visite à son père en prison.

— Je vais bientôt devoir reprendre les cours, observa Bill pensivement. Pourquoi vous ne viendriez pas à Londres avec moi, toutes les deux ? Dans un mois, je suis en vacances. On pourrait aller quelque part en Europe, comme ça Lisa ne verrait plus papa. Elle peut même faire sa rentrée à Londres, en septembre. Ce serait peut-être mieux pour elle.

— Je ne suis pas sûre qu'elle soit de cet avis, répliqua Maggie.

De son côté, cela faisait des années qu'elle n'avait pas voyagé. Elle en avait rêvé, mais Michael avait décrété que sa santé était trop fragile, que c'était trop risqué. À présent, le monde s'ouvrait à elle... En y repensant un peu plus tard, elle trouva l'idée de Bill excellente. Ils avaient besoin de changer d'air, d'échapper aux histoires affreuses que les journaux racontaient sur Michael et qui pesaient comme une chape de plomb au-dessus de leurs têtes. On les avait prévenus que le procès ne se tiendrait pas avant décembre ou janvier, le temps que le procureur et son avocat préparent leurs arguments. En attendant, s'éloigner de Ware était une bonne solution. Restait à convaincre Lisa... Toutefois, avait-elle son mot à dire ? C'était pour son bien que Maggie la séparait de son père.

Elle annonça sa décision à Bill le lendemain matin. Il avait prévu de retourner à Londres la semaine suivante pour assister aux derniers cours du semestre et passer ses examens. Il aurait ensuite un mois et demi de vacances. Sa mère lui annonça avec un grand sourire qu'elle pensait louer une maison en Italie ou dans le sud de la France.

Quand elle appela Peter pour lui faire part de ses projets, son beau-frère approuva aussitôt. Il fallait qu'elle quitte cette maison où elle avait été alitée pendant vingt ans, aux côtés d'un mari qui avait tenté de la tuer à petit feu.

— Qu'est-ce que je peux faire pour t'aider ? s'enquit-il.

Peter s'était toujours montré prévenant envers elle, et il ne manquait pas de temps libre en ce moment. Depuis un mois, leur existence tournait exclusivement autour de l'enquête. Peter s'inquiétait par ailleurs de la venue de ses fils. À mesure que la date approchait, il n'était plus certain de vouloir les accueillir ici, dans une ville où leur oncle faisait l'objet de tous les ragots et la une de tous les journaux. Le lac avait beau être agréable, Peter doutait qu'il fût très bénéfique pour les garçons de se retrouver au cœur de ces commérages.

Mieux valait peut-être envisager un autre point de chute… Quoi qu'il en soit, il lui semblait important que Maggie quitte la région, et encore plus essentiel que Lisa prenne ses distances avec son père – que cela lui plaise ou non.

— J'ai juste à faire ma valise, répondit Maggie avec pragmatisme. Et j'aime bien l'idée de Bill : il propose d'inscrire Lisa à Londres pour la rentrée. Je m'occuperai de ça une fois sur place.

Si elle voulait partir en même temps que son fils, Maggie avait une semaine pour se préparer. Elle pensait en être capable. Sur Internet, elle réserva une chambre pour Lisa et elle au Claridge, où elle avait séjourné plusieurs fois avec ses parents lorsqu'elle était étudiante. Bill disposait de son propre studio.

Avant son départ, Maggie hésita à aller voir Michael, mais elle y renonça. Le silence de son mari était lourd de sens. Elle savait à présent qu'il était coupable, et le fait qu'il continuait de manipuler leur fille prouvait qu'il n'avait aucune limite.

Comme il fallait s'y attendre, Lisa se mit dans tous ses états quand sa mère lui dit qu'elles allaient partir à Londres en même temps que Bill. Elle refusa catégoriquement de passer l'été en Europe, et encore plus d'y poursuivre ses études.

— On ne peut pas rester ici, se justifia Maggie. On va être assaillies par les journalistes. Chaque fois qu'il y aura une nouvelle révélation à propos de ton père, ils viendront nous harceler.

— Je ne l'abandonnerai pas !

— C'est lui qui nous a abandonnées ! rétorqua Maggie. Il a essayé de me tuer, je te rappelle !

Elle s'emportait si rarement que Lisa fut surprise par sa véhémence.

— Ce n'est pas vrai ! sanglota-t-elle.

Lisa était en plein déni. Son père l'avait retenue trop longtemps dans ses filets. Mais Maggie avait bien l'intention de la libérer de cette influence néfaste, car sa survie et son bien-être psychologique en dépendaient. Michael était un criminel, un destructeur, un homme dont l'esprit tordu se révélait tout aussi dangereux que les poisons qu'il utilisait.

— Lisa, il faudra bien un jour que tu regardes les choses en face, dit Maggie d'une voix douce. Moi aussi j'aimais ton père, mais il a commis des crimes terribles. Nous devons partir, prendre du recul. Cela nous fera du bien de nous retrouver tous les trois à Londres.

— Je n'irai pas, décréta Lisa en croisant les bras sur sa poitrine d'un air boudeur.

— Tu n'as pas le choix.

Ce jour-là, Maggie comprit que sa fille n'avait pas seulement perdu son père ; elle avait aussi perdu sa place, ce rôle de quasi-épouse que Michael lui avait attribué afin d'écarter sa femme. À présent, Lisa se sentait inutile. Elle ignorait tout du comportement d'une jeune fille de seize ans. Le chemin serait long pour qu'elle retrouve une vie normale.

Au cours des jours suivants, Maggie prépara les valises de sa fille en plus des siennes. La veille du départ, Lisa la supplia de l'autoriser à voir son père une dernière fois. Elle accepta malgré elle, à condition de l'accompagner. Une fois sur place, néanmoins, elle resta dans la salle d'attente pendant que Lisa se rendait au parloir. Jack Nelson, qui était venu déposer des dossiers à Northampton, aperçut Maggie et la rejoignit pour lui tenir compagnie. Le silence se fit aussitôt dans la pièce.

— Je ne crois pas que ce soit une bonne chose que Lisa vienne ici, chuchota-t-il.

— Je suis bien d'accord, mais elle voulait faire ses adieux à son père. On part à Londres demain.

Jack fut heureux de l'apprendre. Leur vie à Ware était terminée. Les dégâts étaient irréparables. Dans toute la ville, des gens regrettaient leur docteur bien-aimé, le saint homme qu'ils avaient connu, tandis que d'autres pleuraient les parents qu'il avait tués. Michael avait incarné le bien et le mal à lui tout seul… Maggie prenait une sage décision en quittant la région.

Lisa ressortit du parloir le visage baigné de larmes, sans même avoir profité des dix minutes auxquelles elle avait droit. La mine sombre, Jack murmura à Maggie qu'il la tiendrait informée des avancées de l'enquête. Elle le remercia, puis escorta Lisa hors de la prison.

— Que s'est-il passé ? demanda-t-elle.

— Je lui ai dit qu'on partait. Il a répondu que j'étais comme toi et Bill, une menteuse, une traîtresse qui n'hésitait pas à abandonner ceux qu'elle prétend aimer. Il a raccroché le téléphone et il est parti, comme ça. J'ai eu beau taper à la vitre, il ne s'est même pas retourné.

Maggie l'attira dans ses bras tandis que Lisa se remettait à sangloter. Au fond d'elle, elle était soulagée : en repoussant sa fille, Michael l'avait libérée. À présent, Lisa pourrait entamer son processus de guérison, comme eux tous.

Sur le trajet du retour, Lisa ne prononça pas un seul mot. Mais Maggie savait qu'elle avait fait le bon choix. En permettant à sa fille de rendre une dernière visite à son père, elle lui avait donné l'occasion de découvrir qui il était vraiment. Un homme qui rejetait les siens, qui tuait ses semblables, et qui confondait « aimer » et « contrôler ».

Ce soir-là, pour la première fois, Lisa descendit manger avec sa mère, son frère et son oncle. Et bien qu'elle fût trop bouleversée pour participer à la conversation, elle les écouta sans hostilité. Peter leur confia qu'il était heureux de leur décision, même s'ils allaient lui manquer. Lui aussi prévoyait de partir bientôt. Il était venu à Ware pour panser ses blessures et parce qu'il n'avait nulle part où aller ; mais aujourd'hui, plus rien ne le retenait ici. N'ayant pas l'intention de relire les carnets de sa mère, il les avait confiés à Jack Nelson comme éléments de preuve. Tout était terminé. Pour eux tous, c'était la fin de l'innocence.

18

Après le départ de Maggie et de ses enfants, Peter se sentit bien seul au lac. Il faisait un temps magnifique, et la maison était prête à recevoir les garçons, qui devaient arriver une semaine plus tard. Cependant, malgré son enthousiasme à l'idée de leur montrer le lieu où il avait passé toutes ses vacances étant petit, Peter hésitait encore à les y accueillir. L'arrestation de Michael avait tout changé. Et bien qu'il n'eût aucune destination sur laquelle se rabattre, il lui semblait grotesque de faire venir Ben et Ryan dans la ville où leur oncle avait sévi.

Un après-midi, alors qu'il lisait sur la terrasse, il reçut un appel de Jack Nelson.

— J'ai une mauvaise nouvelle, annonça celui-ci d'un ton grave.

— C'est quoi, cette fois-ci ?

Peter était certain que cela concernait son frère. Ces derniers temps, toutes les mauvaises nouvelles avaient un rapport avec lui – et elles étaient nombreuses.

— Vos parents, répondit Jack.

Peter comprit aussitôt.

— On a identifié des traces de la même substance retrouvée chez les autres personnes exhumées. Michael les a drogués, eux aussi.

Peter remercia Jack et raccrocha, écœuré. Son frère avait tué leurs parents. Certes, ceux-ci étaient mourants à l'époque, mais le geste n'en restait pas moins terrifiant. Pour Peter, ce fut la goutte d'eau : plus question de rester ici.

Il passa la nuit à réfléchir à une solution de repli et en trouva finalement une qui lui plaisait beaucoup. Maggie et ses enfants étaient encore en Angleterre pour quinze jours, après quoi ils devaient partir en Italie, où ils avaient loué une maison en Toscane. Pourquoi ne pas les rejoindre à Londres pour une semaine ? Rien ne l'empêchait ensuite de rester quelque temps en Europe avec ses fils – il avait bien envie de leur faire découvrir l'Espagne. Certes, il n'avait pas prévu de dépenser autant d'argent, mais il avait vraiment besoin de changer d'air. Et ils pourraient toujours limiter les dépenses en logeant dans des hôtels bon marché et en mangeant dans de petits restaurants. Ben et Ryan n'avaient jamais eu l'occasion de rencontrer leur tante et leurs cousins. Lisa n'avait que deux ans de plus que Ryan, et, même s'il était plus âgé, Bill saurait s'amuser avec eux.

Au matin, Peter téléphona à Maggie pour lui soumettre son idée, qu'elle trouva excellente : elle avait hâte de faire la connaissance de ses neveux. Peter appela ses fils dans l'après-midi. Il ne les avait pas encore informés de ce qui s'était passé à Ware, se contentant d'évoquer des problèmes familiaux.

— Changement de programme, annonça-t-il à Ryan. Il y a eu de l'agitation, ici. Au départ, je voulais attendre votre arrivée pour vous en parler, mais finalement, ça ne sert à rien.

Il donna à son fils aîné une version légèrement édulcorée de l'arrestation de Michael et des crimes qu'il avait commis.

— Ça fait peur, commenta Ryan, stupéfait. Tu crois que Michael ira vraiment en prison ?

— J'en suis sûr. Et pour longtemps.

Peter espérait même que son frère y finirait ses jours. Il le méritait, après ce qu'il avait fait. Ryan ignorait que son oncle avait tué ses grands-parents, qu'il n'avait jamais connus. Il était trop jeune pour l'entendre. Maggie, en revanche, était au courant, et cela ne l'avait pas surprise. Michael était devenu un étranger aux yeux de tous. Avec les meurtres odieux qu'il avait perpétrés, il semblait miraculeux que Maggie fût encore en vie.

— Alors, qu'est-ce que tu penses de mon idée ? demanda Peter à Ryan.

— Ça me tente bien d'aller à Londres. Et on pourra peut-être pêcher, en Espagne.

Ryan s'était fait une joie de passer des vacances au lac, mais il était bonne pâte : voyager en Europe lui plaisait aussi. De son côté, Ben se réjouit de rencontrer ses cousins, même s'il regrettait que Bill soit si vieux.

Peter échangea quelques mots avec Alana pour régler les questions pratiques concernant le trajet des enfants en avion. Son ex-femme lui sembla très froide au téléphone. Il lui promit de lui ramener les garçons à Southampton au bout de trois semaines, après quoi il rentrerait au lac pour mettre la maison en vente. Il ne voulait plus avoir d'attaches dans la région. Il trouverait un petit appartement à New York et se remettrait à la recherche d'un emploi. Peut-être sa situation se débloquerait-elle à l'automne ?

La veille de son départ, Peter envoya un mail à Jack Nelson pour lui indiquer comment le joindre s'il y avait du nouveau. Michael était accusé de onze meurtres ; Peter espérait que cela s'arrêterait là.

Au matin, il contempla le lever du soleil sur le lac. Une régate était organisée ce jour-là. Peter songea aux parties de pêche qu'il avait faites récemment avec son frère, et aux nombreuses fois où ils avaient rejoint le ponton flottant à la nage quand ils étaient gamins. Tout ça, c'était du passé. Un passé qu'il voulait laisser loin derrière lui.

Il se rendit à l'aéroport de Boston en pick-up et prit l'avion pour Londres. Arrivé à l'hôtel – celui dans lequel il avait séjourné lorsqu'il avait rencontré Bill pour la première fois –, il appela Maggie, qui l'invita à dîner avec ses fils le lendemain soir. Nul doute que Ben et Ryan seraient impressionnés par le luxe du Claridge. Ben avait déjà demandé à voir la relève de la garde et les écuries royales de Buckingham Palace. Ryan, lui, tenait à visiter la Tour de Londres, en particulier les salles où les prisonniers avaient été torturés. Si l'on ajoutait à cela le musée de cire, le séjour promettait d'être riche.

Maggie retrouvait chaque jour un peu plus de forces. Débarrassée du paraquat et de tous les calmants et autres somnifères que Michael lui administrait, elle se sentait en pleine forme.

— Comment va Lisa ? lui demanda Peter.

— Elle se bat. Elle a toujours du mal à croire que son père ait pu la manipuler avec autant de cruauté. Et depuis si longtemps…

— C'est vraiment dur, pour elle, reprit Maggie. On est allées voir des écoles aujourd'hui.

— Qu'est-ce qu'elle en pense ?

— Ça ne la réjouit pas. Mais je crois que c'est la meilleure solution. Je ne veux plus retourner à Ware, à part pour le procès. J'ai décidé de vendre la maison et de louer un appartement ici.

— Moi aussi, je veux vendre la maison du lac. Je vais retourner à New York.

Le lendemain, Peter fut aux anges de revoir ses enfants. Ben se jeta dans ses bras, tandis que Ryan affichait un sourire radieux. Les deux garçons notèrent que leur père avait maigri – les événements récents l'avaient marqué. Peter les ramena à l'hôtel pour qu'ils puissent prendre une douche et se changer, puis ils sautèrent dans un taxi qui les déposa devant le Claridge. Maggie, Lisa et Bill les attendaient dans le hall. Ils avaient réservé une table dans un restaurant du quartier recommandé par le concierge.

— Qu'est-ce qu'elle a, sa jambe ? chuchota Ben à l'oreille de son père en voyant Maggie boiter.

L'intéressée se retourna.

— Je suis tombée en faisant du patin à glace sur un lac, il y a très longtemps, expliqua-t-elle avec un sourire.

Elle en parlait à présent sans la moindre gêne.

— Ça a dû faire mal !

— Tu l'as dit. Je me suis cogné la tête, et j'ai dormi cinq mois !

Pendant ce temps, Ryan et Lisa discutaient de leurs groupes de musique préférés. La jeune fille fut impressionnée d'apprendre que son cousin les avait presque tous vus en concert. Quant à Bill, il parlait de ses examens avec Peter. Il rédigeait actuellement un devoir sur la faillite de Lehman Brothers.

Ils passèrent tous les six une agréable soirée au restaurant. Lisa se montra bien plus bavarde qu'elle ne l'avait été depuis des mois, et Ben amusa la galerie, comme à son habitude. Ryan et Lisa semblaient bien s'entendre. Fiers de leur progéniture, Maggie et Peter échangèrent un regard. La même pensée venait de leur traverser l'esprit : que de chemin parcouru !

Lisa décrivit à son cousin la maison qu'ils avaient trouvée sur Internet pour leur séjour en Italie, tandis que Peter et Bill échangeaient leurs impressions sur l'Espagne, où le jeune homme s'était rendu plusieurs fois depuis qu'il vivait en Europe. Plus tard, Peter invita sa nièce à se joindre à eux pour les visites qu'ils avaient prévues le lendemain. Il fit la même proposition à Maggie, sans être certain qu'elle se sentirait la force de les accompagner. Elle lui assura le contraire.

À la fin de la soirée, Peter et les garçons raccompagnèrent la petite troupe au Claridge, avant de regagner leur hôtel en taxi. Épuisés par leur voyage en avion, Ben et Ryan s'endormirent d'un coup. Peter se coucha heureux. Pour la première fois depuis longtemps, il avait l'impression de retrouver une vie normale.

Le lendemain, ils prirent un bus à impériale jusqu'à la Tour de Londres avec Maggie et Lisa. Les enfants s'émerveillèrent devant les objets morbides qui étaient exposés, écoutant avec intérêt les explications du guide.

L'humeur était joyeuse lorsqu'ils déjeunèrent. La matinée avait été parfaite, et il leur restait encore à visiter les écuries de Buckingham Palace.

Alors qu'ils terminaient le dessert, Ben déclara qu'il aimait beaucoup le nouvel amoureux de sa mère. Ryan lui jeta un regard noir.

— Ne t'inquiète pas pour moi, le rassura Peter. Ça ne me dérange pas, tant qu'il est gentil avec vous.

— Oh oui, il est gentil ! répondit Ben, la bouille maculée de crème glacée. J'adore sa Ferrari et son chien.

Cette remarque déclencha un éclat de rire général. Mais Lisa semblait soudain silencieuse. Il lui arrivait encore de se replier sur elle-même, et elle se montrait toujours réservée avec son oncle. Jusqu'à la fin de l'après-midi, elle resta en retrait. De retour à l'hôtel, elle demanda à sa mère :

— Vous allez divorcer, avec papa ?

Maggie s'était allongée sur son lit. La journée avait été longue et elle n'avait pas l'habitude de marcher autant, même si l'exercice physique lui faisait du bien.

— Je n'y ai pas encore réfléchi, répondit-elle après un silence.

Pour l'instant, elle se souciait davantage du procès. Mais il était évident que Michael resterait en prison un certain nombre d'années et qu'elle n'avait plus rien à faire avec lui.

— Oui, je suppose qu'on divorcera. Je ne vois pas d'autre solution.

Lisa acquiesça. Elle ne pouvait plus défendre son père.

— Et tu penses te remarier un jour ? s'enquit-elle nerveusement.

Maggie éclata de rire.

— Je n'en suis pas là ! Tout de suite, ça me paraît complètement inconcevable.

Elle avait encore tant d'épreuves à surmonter dans les mois à venir ! L'idée d'entamer une nouvelle relation à son âge la terrifiait. Et son expérience avec Michael lui avait coupé toute envie de faire confiance à un autre homme.

— Papa dit que tu as une liaison avec Peter. C'est vrai ?

— Quoi ? Bien sûr que non ! s'exclama Maggie, scandalisée. J'ai aimé ton père jusqu'au dernier jour.

— Mais tu ne l'aimes plus.

Maggie secoua la tête. Elle avait été amoureuse de l'homme qu'il prétendait être, certainement pas de celui qu'il était vraiment. Pendant vingt-trois ans, il avait fait semblant de l'aimer pour pouvoir mieux la contrôler. D'ailleurs, il n'avait toujours pas cherché à la joindre, et elle était certaine maintenant qu'il n'en ferait jamais rien : elle n'existait plus pour lui.

Ce soir-là, Lisa et sa mère commandèrent de quoi manger au room service. Bill était resté chez lui pour terminer son devoir. Quant à Peter et ses fils, ils allèrent au cinéma voir un film de science-fiction – des robots qui s'attaquaient les uns les autres, exactement ce qu'ils aimaient.

Le reste de la semaine fila à vitesse grand V. La veille de leur départ pour l'Espagne et l'Italie, Peter invita tout le monde à dîner dans un restaurant chic, puis ils se séparèrent devant le Claridge en se promettant de garder contact. Ryan et Lisa ne cessaient de toute façon de s'échanger des textos. Au moment de se dire au revoir, Ben serra Maggie très fort dans ses bras et exprima le regret qu'ils n'habitent pas tous à Los Angeles.

En Espagne, Peter et les garçons visitèrent Madrid, Séville et Tolède, lézardèrent sur une plage de la Costa Brava et passèrent quelques jours féeriques sur l'île de Majorque. Peter appela plusieurs fois Maggie. Eux aussi étaient ravis de la villa qu'ils avaient louée.

— Tu l'aimes bien, hein, papa ? observa Ryan un soir.

Peter parut surpris.

— Oui, bien sûr. C'est ma belle-sœur, et je la connais depuis qu'on est tout petits.

— Peut-être, mais elle te plaît bien, non ? insista Ryan en levant les yeux au ciel.

Peter se mit à rire.

— Ce n'est pas ce que tu penses. On est seulement amis.

— Comment ça se fait que tu n'as pas de petite copine ?

Tous les pères divorcés de ses amis en avaient – des filles très jolies et beaucoup plus jeunes qu'eux, généralement. Mais ce n'était pas le genre de Peter. Pour tout dire, il ignorait ce qu'était son « genre » : cela faisait quinze ans qu'il n'avait pas flirté.

— Je ne sais pas, répondit-il. Je ne me suis pas encore remis de la séparation avec ta mère. J'aimais bien être marié, et je ne me sens pas encore célibataire. En fait, je me sens… rien. J'ai envie de passer du temps avec vous, c'est tout.

Peter n'était pas d'humeur à chercher une nouvelle partenaire, alors que son frère allait bientôt être condamné à la prison à perpétuité pour avoir tué leurs parents et empoisonné sa femme. Sans compter que, huit mois plus tôt, il avait vu son existence s'écrouler. Cela faisait beaucoup à digérer. Peter en avait discuté avec Maggie un jour où ils se baladaient dans Londres, et elle partageait son sentiment. Ni l'un ni l'autre n'étaient prêts à refaire leur vie. Pour l'heure, il espérait surtout retrouver un emploi.

Son vœu fut exaucé alors qu'il était encore à Madrid avec Ben et Ryan. En consultant ses mails, il eut la surprise de découvrir un message de l'entreprise qui l'avait fait venir à Londres pour un entretien. Ils avaient mis le temps, mais leur offre était très alléchante : la promesse de devenir associé au bout de deux ans, une participation aux bénéfices, des actions, un appartement de fonction assez grand pour accueillir ses enfants – bref, tout ce dont il rêvait. Seule la ville le faisait hésiter : avait-il vraiment envie de s'installer à Londres, alors qu'il se sentait prêt à reconquérir Wall Street ? Il décida d'en discuter avec ses fils le soir même.

— Qu'est-ce que vous diriez si j'acceptais un job en Angleterre, les gars ? Pour quelques années, du moins.

— Moi, ça me va, répondit Ryan.

Il savait que son père avait besoin de se remettre au travail. Contrairement à sa mère, qui passait son temps chez la manucure, chez le coiffeur ou avec ses amis, Peter n'était pas heureux lorsqu'il était désœuvré.

— Tu viendrais quand même nous voir à Los Angeles ? demanda Ben, inquiet.

— Évidemment. Et vous viendriez me voir aussi. On pourrait même aller faire du ski en Suisse, pour Noël ou le premier de l'an. Los Angeles-Londres, ça se fait bien, en avion.

Les garçons étaient d'accord. Le trajet ne serait pas beaucoup plus long que jusqu'à New York.

Après s'être laissé quelques jours de réflexion, Peter accepta la proposition. On lui demandait de prendre ses fonctions le 15 septembre, ce qui lui laissait le temps de fermer la maison du lac et de faire un saut à Los Angeles. Il eut un frisson en songeant qu'il serait alors officiellement divorcé…

Ryan envoya un message à sa cousine : « Mon père a trouvé un job à Londres. On se verra là-bas. À bientôt, Ryan. » À quoi elle répondit sans attendre : « Cool ! L. »

19

Après leurs vacances réussies en Espagne, Peter déposa les enfants à Southampton à la fin de la troisième semaine de juillet, comme convenu avec Alana. Celle-ci avait organisé une grosse fête pour son anniversaire et souhaitait que Ryan et Ben soient présents. Bruce serait là aussi, évidemment. Désormais, il faisait partie du décor.

Même s'ils regrettaient de devoir quitter leur père, les garçons se réjouissaient de passer un mois à Southampton avec leurs amis. Ils retrouvaient leurs anciennes habitudes. Et ils savaient qu'ils reverraient bientôt Peter.

Ce dernier prit l'avion de New York à Boston, récupéra son pick-up au parking de l'aéroport, puis rentra au lac. La maison lui parut bien morne. Il se sentait seul après avoir passé trois semaines avec ses enfants dans des lieux animés.

Le mois qui suivit, il occupa son temps entre le sport et les préparatifs de son départ pour Londres. Tous les jours, il nageait jusqu'au ponton, où il s'allongeait un moment avant de rejoindre la plage. Le reste du temps, il faisait ses cartons, étonné par la quantité de bazar qu'il avait accumulée en six mois. Il en jeta une grande partie et emballa le reste.

Quand tout fut prêt, il prit rendez-vous avec l'agent immobilier et mit la maison en vente – à un prix raisonnable, pour qu'elle parte vite. Peter était pressé de s'en débarrasser et de refermer ce chapitre de sa vie.

Cela le perturbait de savoir son frère emprisonné non loin de là, dans l'attente de son jugement. Mais il n'avait aucune envie de le voir. Au contraire, il voulait s'éloigner de Ware le plus possible. Un après-midi, Jack Nelson vint l'interroger, accompagné d'un enquêteur. L'entretien se déroula paisiblement. Les policiers souhaitaient connaître ses impressions au sujet de Michael. Peter leur confia qu'à ses yeux son frère n'avait jamais eu de conscience. Il leur donna quelques exemples de mensonges que Michael avait été capable d'inventer dans sa jeunesse, et décrivit la façon dont il avait manipulé leurs parents. Le tableau n'était pas très reluisant.

— Pourquoi refuse-t-il de plaider coupable et de passer un accord avec le juge ? demanda Peter.

Le chef de la police secoua la tête.

— Je le lui ai suggéré, mais il tient à avoir son jour de gloire au tribunal, et un procès avec jury. Ça va être un vrai cirque, les journalistes vont venir des quatre coins de l'État.

Peter redoutait ce moment – et Maggie encore plus, car il lui faudrait témoigner contre son mari.

Après être restés bavarder quelques instants, les deux policiers prirent congé. Pour Jack, comme pour tant d'autres personnes, Michael était devenu un mystère.

Peter ne retourna qu'une fois à Ware pour annoncer ses projets à Vi. Celle-ci le serra fort dans ses bras. Toute cette histoire l'avait attristée, et elle regrettait de ne pas avoir eu l'occasion de rencontrer ses fils.

Peter ne s'attarda pas. Cette ville le déprimait plus que jamais. Trop de malheurs s'y étaient produits.

Après ces longues vacances, il lui tardait de reprendre le travail. Dix mois s'étaient écoulés depuis octobre. Le premier week-end de septembre, Peter ferma la maison et remit les clés à l'agent. Il espérait ne plus jamais avoir à revenir ici. La veille, il avait vendu son pick-up au magasin de véhicules d'occasion ; le propriétaire lui avait prêté une voiture pour son dernier jour. Avant de partir, Peter alla saluer Walt Peterson dans sa quincaillerie.

— On dirait que le fils prodigue repart, le taquina le vieil homme.

— Pas sûr que ce soit moi, le fils prodigue.

— J'imagine que tu reviendras pour le procès ?

Peter acquiesça. Maggie serait là aussi, bien sûr, mais seulement accompagnée de Bill. L'expérience serait trop traumatisante pour Lisa.

— Michael était un bon médecin, affirma Walt.

Peter ne fit aucun commentaire. Comme toutes les personnes dont les parents avaient été assassinés, il ne pouvait plus dire cela de son frère. Michael avait quand même laissé une traînée de cadavres derrière lui.

Le lendemain matin, Peter rendit sa voiture de prêt et emprunta une navette pour rejoindre l'aéroport de Boston. Le trajet était long, et il eut tout le loisir de penser à son jumeau enfermé dans la prison de Northampton. Il avait beau l'avoir détesté dans sa jeunesse, il n'aurait pu imaginer qu'ils en arriveraient là.

Avec le décalage horaire, Peter atterrit à Los Angeles en début d'après-midi. Les garçons lui parurent bien réservés lorsqu'il se présenta à la porte – surtout son fils aîné. Au bout de deux minutes, Ben vendit la mèche :

— Maman va se marier, et ça met Ryan en pétard.

Peter eut une drôle de sensation en entendant la nouvelle. C'était si définitif ! Il savait qu'Alana fréquentait Bruce depuis neuf mois, mais le fait qu'ils se marient lui donnait l'impression de n'avoir jamais existé.

— C'est un connard, maugréa Ryan.

— Connard dans quel sens ? Je croyais qu'il était sympa avec vous.

— C'est un frimeur. Tout ce qui compte pour lui, c'est le fric.

Il avait donc cela en commun avec leur mère, songea Peter. Alana le lui avait maintes fois prouvé au cours de l'année écoulée. Elle-même tenait cet intérêt pour l'argent de son père, un vrai maître en la matière. Peter lui reconnaissait des qualités en tant que maman, mais on ne pouvait pas dire qu'elle s'était distinguée comme épouse... Alana l'avait laissé tomber à la première occasion.

— Il est prévu pour quand, ce mariage ? demanda-t-il.

— Pour Noël, répondit Ben.

— Bon. Très bien. Qu'est-ce que vous diriez d'aller skier pendant leur voyage de noces ?

Le visage de Ryan s'illumina.

— Est-ce que Lisa pourrait venir avec nous ?

— Je demanderai à Maggie.

Les deux cousins s'écrivaient beaucoup. Ryan trouvait Lisa très sophistiquée – il faut dire qu'elle avait deux ans de plus que lui.

Le soir, ils dînèrent au restaurant, puis allèrent faire un bowling. Peter détestait jouer le rôle du père divorcé qui cherche à divertir ses enfants. Mais il n'avait pas de maison où les accueillir, ici en Californie. Il leur promit de trouver un appartement qui leur plairait à Londres – ce ne serait pas trop difficile avec le salaire et la participation que son nouvel employeur lui garantissait.

Par certains côtés, Peter avait apprécié la simplicité de cette dernière année. Cela lui avait permis de distinguer ce qui était important pour lui de ce qui ne l'était pas. Il avait découvert qu'il pouvait vivre sobrement sans être malheureux pour autant. Bien sûr, il avait traversé une période délicate, qui l'avait vu perdre son frère à jamais. Mais il avait aussi gagné une sœur, une amie, en plus d'une nièce et d'un neveu. Ses enfants partageaient son point de vue : leur mère étant fille unique, ils étaient heureux de connaître leur tante et leurs cousins.

Trois jours plus tard, Peter s'envolait pour Londres. Comme Alana devait fêter Thanksgiving à Baltimore dans la famille de Bruce et partir en lune de miel dans les Caraïbes autour de Noël, elle accepta de lui laisser les enfants pour les deux fêtes. Peter prit donc l'avion le cœur léger. Il allait enfin pouvoir avoir un chez-soi et y accueillir Ben et Ryan.

À Londres, il ne perdit pas une minute. Il visita cinq appartements le premier jour, trois autres le second. Le dernier qu'on lui montra, un duplex avec trois chambres dans un magnifique immeuble ancien, était parfait : intérieur masculin, gros fauteuils en cuir confortables, salon douillet équipé d'un immense écran plat... Et il se trouvait juste en face de Regent's Park, où il pourrait jouer au ballon avec les garçons. Dès qu'il eut signé le contrat de location, il appela Maggie pour lui annoncer la nouvelle. Elle l'invita à dîner le soir même. Peter avait encore quelques jours devant lui avant de prendre son nouveau poste.

Il se présenta chez Maggie et Lisa les bras chargés d'un énorme bouquet de fleurs. Bill était là lui aussi, même s'il avait préféré garder son appartement – il avait une nouvelle petite amie et tenait à sa liberté. L'ambiance fut à la fête tandis que chacun racontait ses vacances d'été et évoquait ses projets pour l'automne. Lisa venait de faire sa rentrée à l'École américaine de Londres et ne s'y déplaisait pas. Elle s'entendait bien avec les autres élèves et avait même des vues sur un garçon… Maggie et elle s'étaient adaptées facilement à leur nouvelle vie. La maison qu'elles avaient trouvée leur correspondait parfaitement : aménagée dans une ancienne écurie, celle-ci avait été décorée de motifs gais et fleuris par sa propriétaire, partie vivre à Hong Kong. De toute évidence, Maggie et Lisa s'y sentaient chez elles.

— Cette maison est vraiment faite pour nous, confia d'ailleurs Maggie à Peter après le repas.

Lisa s'était retirée dans sa chambre.

— Oui, ça ne m'étonne pas. J'ai hâte que vous veniez voir mon appartement. Il n'est pas mal non plus.

— Au fait, comment vont tes garçons ?

— Bien, même s'ils étaient un peu contrariés la dernière fois. Alana va se remarier, et ça ne plaît pas trop à Ryan. Elle connaît le type depuis des lustres. Il m'a l'air correct, mais c'est un frimeur comme on en trouve beaucoup à Los Angeles – ça va plutôt bien à mon ex-femme. J'emmènerai les enfants skier pendant qu'elle sera en voyage de noces, aux vacances de Noël.

Peter vit une ombre passer sur le visage de sa belle-sœur. Le procès devait se tenir début janvier.

Récemment, le procureur lui avait envoyé une série de questions, dont certaines étaient très déplaisantes. Elle aurait voulu les montrer à Peter, mais elle n'en avait pas le courage. Pas ce soir.

Heureux de se revoir, ils restèrent longtemps à bavarder. Avant de partir, Peter les invita à dîner chez lui le week-end suivant.

— Je vous préviens, ce sera pizzas et plats de chez le traiteur !

Il allait lui falloir du temps pour trouver ses marques et s'habituer aux particularités du pays. Rouler à gauche, notamment – chose que Maggie n'avait nullement l'intention d'essayer, elle qui n'avait pas conduit depuis vingt-quatre ans.

— Je suis si contente que tu sois là, à Londres, dit-elle à Peter en le raccompagnant à la porte. C'est bien d'être entouré de sa famille, tu ne trouves pas ?

C'est vrai, ils se soutenaient et s'entraidaient, et ce encore plus maintenant qu'ils vivaient à cinq mille kilomètres de leur ville d'origine. Pour eux tous, c'était un nouveau départ.

Dans le taxi qui le ramenait chez lui, Peter repensa à Maggie. Il l'avait trouvée jolie et détendue. Elle s'était offert de nouvelles tenues qui la rajeunissaient. De son côté, il se sentait en meilleure forme que jamais – sans doute l'effet des vacances avec ses enfants et de la vie saine qu'il avait menée au lac. Il était fin prêt pour son nouveau poste.

Alors que Peter et Maggie songeaient chacun de leur côté à l'agréable soirée qu'ils venaient de passer ensemble, ils ignoraient combien leurs enfants étaient devenus proches. Dès que son oncle fut parti, Lisa envoya un texto à Ryan :

« Ton père est venu à la maison, ce soir.

— Cool. Vous avez mangé quoi ?

— Des pizzas.

— J'aurais bien aimé être là.

— Moi aussi, j'aurais aimé que tu sois là. Viens vite nous voir. Ou même, viens habiter ici ! répondit Lisa, qui le pensait sincèrement.

— Ma mère et mon grand-père seraient furax.

— Ils s'en remettraient.

— Ouais… Pas sûr. Fais une bise de ma part à mon père la prochaine fois que tu le croises. »

Avant de répondre, Lisa regarda un long moment le clavier de son BlackBerry. Elle était encore partagée au sujet de Peter, cet homme qui avait dénoncé son père et que ce dernier lui avait toujours présenté comme un ennemi. Mais elle aimait ses cousins presque comme des frères.

« OK, finit-elle par écrire. Bisous et à bientôt, L. »

20

Peter apprécia tout de suite son nouveau travail. Il s'entendait bien avec ses collègues et les associés, mais aussi avec la grande majorité de ses clients. On lui avait réservé un bureau magnifique ; au bout de quelques semaines, il s'y sentit comme chez lui. Londres était une grande ville, très animée – comme New York, en plus charmant et raffiné... Bref, il était heureux.

Les dimanches soir, Peter, Maggie et ses enfants dînaient ensemble. Soit chez lui, soit chez Maggie. Bill aimait venir regarder les chaînes sportives sur l'immense écran de son oncle. Par certains côtés, ce dernier était devenu le père qu'il n'avait jamais eu. Et pour Peter, le fait de passer du temps avec son neveu compensait un peu l'absence de ses fils. Bill était un jeune homme brillant, et ils prenaient plaisir l'un comme l'autre à se voir ou à aller assister à des matchs ensemble. Maggie remerciait souvent Peter de se montrer aussi généreux avec son fils.

— Ce n'est pas un sacrifice, lui assurait ce dernier. J'en profite autant que lui. Bill ira loin dans la vie.

— Je l'espère. Michael a été si dur avec lui !

Partout où ils allaient, on les prenait pour un père et son fils, tant ils se ressemblaient. Cela les amusait tous les deux.

Le soir du 10 octobre, alors qu'ils dînaient tous ensemble dans la cuisine spacieuse de Peter, celui-ci aperçut la date par hasard en jetant un coup d'œil à sa montre.

— Il y a un an jour pour jour, je perdais tout, fit-il remarquer. Je me faisais virer, la Bourse était au fond du trou, et ma vie aussi, même si je ne le savais pas encore.

Alana appartenait aujourd'hui au passé, il ne s'imaginait plus partager sa vie avec elle. Ryan et Ben étaient ce qu'ils avaient fait de mieux ensemble – le reste ne lui manquait pas. Elle s'apprêtait de son côté à épouser un autre homme, mais cela n'empêchait pas Peter d'être heureux. La vie réservait parfois de drôles de surprises…

— Tu as survécu, commenta Maggie. Ça se fête, non ?

— Absolument, répondit Peter en lui servant un verre de vin.

Bill avait déjà pris une bière dans le réfrigérateur. Il connaissait bien l'appartement, avait même passé plusieurs nuits dans la chambre d'amis après des soirées un peu animées.

Une fois le dîner terminé, lui et sa sœur s'éclipsèrent pour regarder la télévision pendant que Peter et Maggie débarrassaient. Ce n'était jamais très long, puisque Peter ne cuisinait pas.

— Ça te dirait d'aller voir un spectacle, un soir ? proposa-t-il tandis qu'ils mettaient les assiettes dans le lave-vaisselle. Je peux avoir des places intéressantes grâce à mon boulot. Ballets, pièces de théâtre, tout ce qu'on veut.

— Ça me plairait beaucoup, répondit Maggie, enchantée.

— Je regarderai ça.

Ils allèrent s'installer au salon.

— J'étais sérieux, tout à l'heure, reprit Peter. C'est assez incroyable : il y a un an, mon monde s'écroulait, et je croyais que je ne m'en relèverais pas. Il faut dire que je dégringolais de haut… Quand Alana est partie avec les enfants à Los Angeles, ça a été le coup de grâce. Mais aujourd'hui, pour être honnête, je m'éclate.

Peter se sentait libre comme l'air, et il aimait cela. De son côté, Maggie vivait sensiblement la même expérience. N'étant plus prisonnière de sa santé, elle pouvait faire ce que bon lui semblait. Tous deux avaient enduré de terribles épreuves dont ils étaient finalement sortis gagnants. Mais pour Maggie, le supplice n'était pas encore terminé ; quatre mois seulement s'étaient écoulés depuis que les desseins de Michael avaient été révélés au grand jour. Néanmoins, elle avait déjà fait de grandes avancées – en s'installant en Angleterre, par exemple. Tout avait fini par s'arranger.

Une chance que Peter ait accepté de passer cet entretien à Londres… Sinon, il n'aurait jamais rencontré Bill, celui-ci ne lui aurait pas envoyé le mail au sujet du désherbant, et Michael serait encore en train de l'empoisonner. Il l'aurait peut-être même déjà tuée… Une pensée glaçante, qui donnait à réfléchir sur la force de l'esprit humain.

Le jeudi suivant, Peter appela Maggie : fidèle à sa promesse, il s'était procuré deux places pour la première d'une pièce de théâtre. Maggie se faisait une joie d'y assister, elle qui n'avait pas mis les pieds dans une salle de spectacle depuis plus de deux décennies. Jeune fille, elle y allait souvent avec ses parents, à New York, mais dès lors qu'elle avait épousé Michael, il l'avait gardée cloîtrée à la maison, prétextant qu'elle était trop malade pour sortir.

Comme la pièce commençait à dix-neuf heures trente, Peter réserva une table pour vingt-deux heures au Harry's Bar, un prestigieux club privé dont il était devenu membre grâce à son travail. Il passa chercher sa belle-sœur dans une des voitures avec chauffeur fournies par la banque ; Maggie se sentait comme une reine tandis qu'ils roulaient en direction du quartier de West End.

En prévision de cette soirée, elle s'était acheté une petite robe noire qui lui avait valu un regard soupçonneux de sa fille.

— Tu as un rendez-vous galant ? l'avait-elle questionnée.

— Non, je sors avec Peter. On va au théâtre.

Lisa avait acquiescé sans plus de commentaires.

Peter constata combien Maggie était ravissante lorsqu'elle retira son manteau au Harry's Bar. Pour compléter sa tenue, elle avait enfilé des ballerines très chics – avec sa jambe raide, elle ne pouvait pas porter de talons. Elle boitait toutefois de moins en moins depuis qu'elle s'était remise à marcher. Elle continuait sa rééducation avec un kinésithérapeute et prenait même des cours de yoga.

La pièce de théâtre s'était révélée excellente, et le dîner fut délicieux. Peter alla jusqu'à commander du champagne pour célébrer leur nouveau départ.

— À notre renaissance, déclara Maggie en levant sa coupe.

— C'est une jolie façon de voir les choses, répondit Peter avec un sourire. Je n'y avais pas pensé comme ça, mais c'est vrai : je suis heureux, ici, et j'apprécie plus que jamais de travailler. J'ai vraiment eu de la chance de trouver ce job. Et puis, je t'ai retrouvée, toi.

C'était en grande partie grâce à Peter que Maggie avait pu être sauvée – même si pour cela elle devait surtout remercier Bill et son acharnement à réunir des preuves contre son père…

Au cours du dîner, Peter eut une idée. Il avait envie d'explorer l'Europe. De Londres, tout était si près !

— Ça te dirait d'aller à Paris, un week-end ? On pourrait emmener Bill et Lisa.

— Ce serait super, répondit-elle avec enthousiasme.

Décidément, sa nouvelle vie ne manquait pas de piquant. La seule chose qui l'attristait, parfois, c'était de penser à Michael. Elle avait l'impression d'être en deuil – et, d'une certaine façon, son mari était bel et bien mort à ses yeux. Voyant le regard de Maggie s'assombrir, Peter posa une main sur la sienne pour la ramener dans le présent, là où elle devait à tout prix rester. Le passé était trop dangereux, pour elle comme pour lui ; c'était un champ de mines dans lequel ils avaient tout intérêt à ne pas s'aventurer.

— Donne-moi une date, et je nous arrange ça, dit-il.

Peter avait une secrétaire formidable, qui semblait capable d'organiser n'importe quoi.

— Quand tu veux, répondit Maggie. Lisa va être aux anges. Paris est une si belle ville !

Elle n'était pas certaine en revanche que sa fille se réjouirait de passer deux jours avec Peter. Mais, après tout, il faisait partie de la famille, et cela leur ferait du bien à tous.

— Pourquoi pas dans deux semaines ? suggéra-t-il. Le week-end qui vient, j'ai déjà promis à Bill de l'emmener voir un match. Si j'annule, il va me tuer.

Maggie éclata de rire. Pour son fils, même un voyage à Paris serait moins alléchant que le foot.

Peter leur présenta le programme parisien lorsqu'ils se retrouvèrent chez Maggie le dimanche soir : ils prendraient l'Eurostar, lequel les déposerait en plein Paris ; dormiraient dans un charmant hôtel de la Rive gauche qui servait des croissants et du café au lait au petit déjeuner ; dîneraient dans des bistrots ; feraient ce qu'il fallait de shopping pour satisfaire ces dames ; puis rentreraient à Londres le dimanche soir. Maggie et Lisa affichèrent un large sourire. Pour Bill en revanche, écumer les magasins avec sa mère et sa sœur correspondait peu ou prou à l'idée qu'il se faisait de l'enfer. Mais Peter lui promit de trouver des activités plus viriles pour eux, et Bill accepta de venir.

C'est ainsi que, le week-end suivant, ils partirent tous les quatre pour Paris. L'hôtel que Peter avait dégoté dans le sixième arrondissement fit l'unanimité, de même que les restaurants qu'il avait sélectionnés. L'après-midi du samedi, il emmena Bill à un match de football pendant que Maggie et Lisa flânaient dans les boutiques. Peter se révéla un très bon guide. Ils se baladèrent tous ensemble place Vendôme et rue du Faubourg-Saint-Honoré, avant de dîner au Market. Peter et Maggie finirent tranquillement la soirée au Ritz, dans l'élégance feutrée de l'Hemingway Bar. La journée avait été bien remplie.

— Alana doit être folle, observa Maggie en sirotant son champagne.

— Non, elle est juste gâtée. Pourquoi ?

— Parce que je n'ai jamais connu d'homme aussi attentionné que toi ! Tu as pensé à tout dans les moindres détails. Tu as fait en sorte que chacun de nous passe du bon temps. Comment a-t-elle pu te quitter ?

— Je n'ai pas dit qu'elle était intelligente, répliqua Peter en riant. Je plaisante… C'est juste qu'elle préfère vivre à Los Angeles, près de son père. Le strass et les paillettes, c'est ce qu'il lui faut. Et n'oublie pas que j'ai perdu mon boulot et tout notre argent... Ça ne faisait pas partie de son plan, ça. Mais un jour, je remonterai la pente, ajouta-t-il, soudain sérieux.

Peter était très bien payé dans son nouveau travail, et on lui promettait une place d'associé d'ici à deux ans, peut-être même plus tôt. Il savait néanmoins qu'il avait un long chemin à parcourir avant de retrouver son ancien niveau de vie – s'il y parvenait. Ce n'était pas aussi facile à son âge qu'à vingt ou trente ans, et les temps avaient changé. L'argent ne coulait plus à flots.

— Je ne suis pas sûr d'y attacher autant d'importance qu'avant, confia-t-il avec honnêteté. De toute façon, même si je n'avais pas tout perdu, rien ne dit que mon mariage aurait tenu. Avec le recul, je me demande si on avait tant de choses que ça en commun, Alana et moi. Je n'ai jamais pris le temps d'y réfléchir. J'étais trop absorbé par mon boulot.

— Et moi, j'ai perdu vingt-trois ans de ma vie à être malade, répliqua tristement Maggie.

— Tu n'y es pour rien. C'est lui qui t'a rendue malade, ou qui t'a fait croire que tu l'étais. Il y a un passage dans la Bible qui parle des années que la sauterelle a dévorées et qui seront remplacées. C'est ce qui s'est passé pour nous deux : on a perdu beaucoup, mais regarde ce que l'on a, maintenant.

Plus que jamais, ils profitaient de la vie, et ils n'étaient pas seuls même s'ils ne vivaient plus avec leur conjoint. Quand elle était à ce point agréable, l'amitié était amplement suffisante. Ni Peter ni Maggie n'avaient besoin de plus pour l'instant.

Ils rentrèrent à l'hôtel en taxi à deux heures du matin. Peter embrassa Maggie sur la joue, et elle le remercia encore, avant de se retirer dans la chambre qu'elle partageait avec sa fille. À sa grande surprise, celle-ci l'attendait. On eût dit que les rôles étaient inversés…

— Il t'a embrassée ? demanda Lisa.

— Ne dis pas de bêtises ! Pourquoi m'embrasserait-il ? On est amis, et en plus, c'est mon beau-frère.

— Et alors ? Il est divorcé, et toi…

Lisa n'avait pas besoin de préciser que sa mère était libre, même si, légalement, Maggie était encore mariée.

— Tu n'as pas remarqué qu'il t'aimait bien ? poursuivit la jeune fille. Pourquoi il nous a emmenés à Paris, à ton avis ?

— Pour qu'on passe du bon temps. Certainement pas pour m'embrasser, andouille ! répliqua Maggie en lui ébouriffant les cheveux.

Elle se déshabilla, tout en notant que Lisa avait encore l'air préoccupée.

— Tu étais très jolie ce soir, maman.

Maggie avait acheté trois nouvelles robes et une paire de chaussures neuves pour ce voyage.

— Merci, ma puce. Mais ne t'inquiète pas. Je te promets que Peter et moi sommes juste amis.

— Tu devrais peut-être l'embrasser, continua Lisa pensivement. De toute façon, j'imagine que papa ne reviendra pas.

— Non, ma chérie. Ton père ne reviendra pas.

Maggie passa un bras autour des épaules de sa fille.

— Mais, tu sais, je ne suis pas encore prête à embrasser qui que ce soit, et le moment venu, ce ne sera probablement pas Peter, affirma-t-elle.

— Pourquoi ?

— Parce que parfois, c'est mieux d'être amis. Je n'ai pas envie de gâcher ça.

Lisa acquiesça, rassurée.

Une fois couchée, Maggie ne put s'empêcher de penser à tout ça. Elle n'avait pas menti à sa fille : à ses yeux, l'amitié valait parfois mieux que l'amour. Sa nouvelle vie lui plaisait ainsi, et elle se sentait extrêmement reconnaissante d'avoir eu droit à une seconde chance. Paris n'était que la cerise sur le gâteau.

21

Lorsque le train s'arrêta en gare de Saint-Pancras à Londres le dimanche soir, le petit groupe avait passé deux jours fabuleux grâce aux attentions et à la générosité de Peter. Ayant dîné en route, ils rentrèrent directement chez eux à bord d'un même taxi. Peter déclara qu'ils devraient renouveler l'expérience tous les week-ends dans une ville différente. Ils s'étaient tellement amusés ! Ils avaient passé l'après-midi à explorer le Marais, tant et si bien qu'ils avaient failli rater leur train. Pendant le trajet, ils avaient enchaîné les parties de cartes endiablées. Maggie n'avait pas autant ri depuis des années. Elle avait oublié ce que c'était d'être insouciante.

À peine Peter poussa-t-il la porte de son appartement qu'il reçut un appel de sa belle-sœur.

— Je ne sais pas comment te remercier, dit-elle. On a adoré ce week-end.

— Moi aussi. Tes enfants sont super.

— Je pourrais te retourner le compliment.

Maggie aimait beaucoup les fils de Peter. Ils étaient si gentils ! Comme leur père, en vérité.

— On est tous des gens formidables, alors, plaisanta-t-il. Sans rire, je suis content que ça t'ait plu. Il faut qu'on remette ça… Au fait, j'essaie d'organiser un séjour au ski pour Ben et Ryan pendant les vacances de Noël. Vous pourriez peut-être venir avec nous, tous les trois ? Des vacances en famille, ce serait sympa.

Et cela leur ferait le plus grand bien, juste avant le procès.

— Je ne skie pas, prévint Maggie, penaude.

— Moi non plus. Je me suis bousillé les genoux en faisant du football à la fac, alors je suis plutôt du genre à rester au coin du feu avec un bon grog. On n'aura qu'à jouer aux cartes.

Maggie trouvait l'idée très séduisante.

— Je te tiendrai au courant, promit Peter. Je pense louer quelque chose en Suisse ou en France.

— Bill serait fou. C'est un bon skieur.

— Les garçons aussi. Je vais nous organiser quelque chose. On en reparlera au moment de Thanksgiving, quand Ben et Ryan seront là. À ce propos, vous voulez vous joindre à nous ? Les Anglais ne marquent pas cette fête, alors il faudra improviser.

Peter et Maggie ne s'étaient pas encore fait d'amis à Londres. Seule Lisa fréquentait des Américains au lycée.

— Figure-toi que j'y avais pensé, répondit-elle. On pourrait faire ça chez moi… On sait cuisiner, avec Lisa.

— Tant mieux, parce qu'avec moi on aurait mangé chinois !

— On s'en occupe, alors, conclut joyeusement Maggie. Et merci encore pour Paris.

Le lendemain, elle lui fit livrer deux bonnes bouteilles de bordeaux. Peter l'appela pour la gronder :

— Tu n'étais pas obligée. On est une famille.

— Tu as vu comme tu nous as gâtés ? On a passé un week-end fantastique ! Tu es trop bon avec nous, Peter.

— On se fait du bien mutuellement, Maggie, répliqua-t-il d'une voix douce. Ça sert à ça, les amis.

Tous les deux avaient été meurtris par le passé et avaient besoin de soutien.

Le week-end suivant, Peter invita Maggie au cinéma, puis dans un petit restaurant indien. Le dimanche soir, ils se retrouvèrent en famille chez lui, un rituel qu'ils appréciaient tous les quatre. Lisa était plus à l'aise avec son oncle depuis leur séjour à Paris. Peut-être avait-elle été rassurée par sa conversation avec sa mère, ou bien s'habituait-elle tout simplement à lui.

Quand Ben et Ryan arrivèrent à Londres pour Thanksgiving, ce fut une vraie fête. Les cousins se livrèrent à des batailles d'oreillers et à des parties de cartes débridées, jouèrent au Monopoly en trichant de manière éhontée, et sortirent au cinéma. Maggie et Lisa préparèrent un fabuleux dîner, à la fin duquel personne ne put se lever. Le lendemain, ils allèrent se dégourdir les jambes à la campagne.

— Qu'est-ce qui se passe entre ta mère et mon père ? demanda Ryan à Lisa tandis qu'ils se promenaient dans la forêt.

Leurs parents traînaient en arrière, prenant plaisir à les observer en bavardant.

— Rien. Pourquoi ? s'enquit Lisa.

Son cousin en savait-il plus qu'elle ?

— En fait, j'aimerais bien qu'il se passe quelque chose. Ils vont super bien ensemble ! Et je serais dégoûté que mon père se trouve une fille qu'on n'aime pas. Ça gâcherait tout.

— Sans doute, répondit Lisa pensivement. Ma mère dit qu'ils sont juste amis.

— Ouais… Ils sont surtout débiles. Ce serait cool qu'on soit frère et sœur au lieu d'être cousins.

Lisa sourit.

— Peut-être.

— S'ils continuent comme ça, ta mère finira avec un pauvre mec que vous détesterez, et mon père avec je ne sais quelle bimbo. Et on l'aura dans l'os.

Lisa éclata de rire.

— D'après ma mère, c'est mieux qu'ils restent amis.

— Ah ! tu vois : on l'a dans l'os, lâcha Ryan tristement. Tu crois qu'ils voient d'autres gens en dehors ?

— Pas ma mère, en tout cas. Elle est encore mariée à mon père.

Ryan acquiesça.

— Mais j'imagine que le divorce est pour bientôt, ajouta Lisa.

Ils furent tous bien tristes de voir le week-end s'achever et les garçons repartir pour Los Angeles. Heureusement, ils revenaient trois semaines plus tard pour Noël, juste après le mariage de leur mère – un événement qui ne semblait pas les réjouir. Visiblement, Bruce avait un peu perdu la cote. Peter, quant à lui, était devenu indifférent. Il souhaitait à Alana d'être heureuse. Et puis, sa vie à Londres, avec Maggie et ses enfants, lui plaisait. Cela lui suffisait pour l'instant. Il y avait bien une jolie femme au bureau, mais Peter n'avait pas eu le temps de l'inviter à dîner – et il avait appris récemment qu'elle était fiancée. Il en avait vu une autre deux ou trois fois, mais s'était vite lassé. Il préférait la compagnie de Maggie.

Peu avant Noël, Londres était sous la neige et plongée dans un froid polaire. Ils avaient tous hâte de partir à Courchevel. Sur les photos, le chalet paraissait fantastique. Peter avait acheté un sapin, que Maggie l'aida à décorer pendant que Bill et Lisa regardaient la télévision dans la pièce d'à côté. Les deux adultes bavardaient à bâtons rompus. Accrocher les boules et les guirlandes – ou regarder quelqu'un le faire, comme cela avait été le cas pour elle pendant longtemps – rappelait toujours à Maggie des souvenirs de son enfance. À Peter aussi, bien que les siens fussent moins plaisants.

— Une année, mon frère a fait tomber le sapin, confia-t-il. Évidemment, il m'a accusé, et j'ai été puni parce que je ne voulais pas reconnaître ma faute. Je devais avoir sept ans. Michael était spécialiste pour les coups de ce genre.

— Oui, il ne supporte pas d'être en tort, confirma Maggie.

Percevant son malaise, Peter s'empressa de changer de sujet.

— Tu te souviens quand on sortait ensemble et qu'on a attaché le cochon de Mme McElroy à une luge ?

Maggie se mit à rire, au point d'en avoir les larmes aux yeux.

— Ah ça ! Je n'avais jamais rien vu d'aussi drôle.

— Mon père m'a passé un beau savon, mais ça en valait la peine, pouffa Peter. Il disait que le cochon aurait pu se faire mal.

Ils s'amusaient bien, à l'époque… C'était avant que les choses se compliquent. Avant l'accident de Maggie et tout ce qui s'en était suivi. Soudain, Peter repensa au jour où il l'avait embrassée, sur le ponton du lac. Elle, si belle, et tous les deux si jeunes… Quinze et dix-sept ans exactement. La vie ne faisait que commencer.

— À quoi penses-tu ? lui demanda Maggie en le voyant si rêveur.

— Tu rigolerais si je te le disais.

— Essaye toujours.

— Je repensais à la fois où je t'ai embrassée, au lac, avoua-t-il d'un air gêné.

Un voile de nostalgie passa sur le visage de Maggie.

— La vie était simple à l'époque, murmura-t-elle. Tout était léger et joyeux. Et tu embrassais bien, en plus.

— Comment peux-tu le savoir ? Tu n'avais que quinze ans. Et puis, comment peux-tu te rappeler ?

— Je m'en souviens très bien, au contraire, répliqua-t-elle avec un regard espiègle.

Peter se pencha vers elle, soudain tenté de lui rafraîchir la mémoire. Mais à cet instant, Bill apparut dans la pièce et lui demanda s'il voulait une bière.

— Non, merci, répondit Peter d'un ton faussement décontracté.

Et il se détourna pour accrocher une guirlande au sapin. Le charme était rompu ; la conversation dériva sur d'autres sujets. Cependant, l'espace d'un instant, un courant électrique les avait traversés comme la foudre. C'était la première fois depuis longtemps que Maggie éprouvait une telle sensation. Ce soir-là, avant de partir, elle embrassa Peter sur la joue.

— Je me souviens parfaitement bien du ponton, lui chuchota-t-elle.

Il sourit jusqu'aux oreilles.

22

Ce Noël à Londres fut magique. Vitrines scintillantes, sapins décorés à tous les coins de rue, guirlandes lumineuses accrochées aux maisons… Il neigea sans discontinuer, tandis que des groupes déguisés déambulaient dans la ville en entonnant des chants de Noël. Rien ne manquait au tableau.

Ben et Ryan arrivèrent de Los Angeles immédiatement après le mariage de leur mère. Lisa interrogea son cousin dès qu'ils se retrouvèrent pour le traditionnel dîner du dimanche soir.

— Alors, c'était comment ? demanda-t-elle.

Ryan eut un haussement d'épaules typique de son âge.

— Nul. Trop de bouffe, trop de monde, et une musique super ringarde.

— Ça se passait où ? Au Rose Bowl, je te parie…

Lisa était plus âgée que Ryan, mais le fait qu'il habite à Los Angeles l'impressionnait. Jusque très récemment, elle avait toujours vécu dans une petite ville, et la vie de son cousin lui paraissait très glamour.

— Non, c'était dans la maison de mon grand-père. Ils avaient mis des gardénias partout, j'ai toussé toute la nuit. Je déteste ces fleurs.

— Un mariage typiquement hollywoodien, alors, commenta Lisa en riant.

— Peut-être. C'était mon premier.

— Ta mère était en blanc ?

La jeune fille était avide de détails.

— Non, en rose. Mais elle était plutôt jolie. Alors, ils en sont où ? murmura-t-il en désignant d'un coup de menton leurs parents, en pleine conversation à côté du sapin.

— Toujours amis. Ils s'entendent vraiment bien.

Lisa s'était habituée à Peter. Il ne s'imposait jamais, ne cherchait pas non plus à la séparer de sa mère, et se révélait d'une compagnie agréable. Quant à Bill, il adorait son oncle. Il avait trouvé en lui la figure paternelle qu'il cherchait depuis longtemps.

— Ils sont irrécupérables, soupira Ryan.

Ils fêtèrent le réveillon de Noël ensemble, puis assistèrent à la messe de minuit. Le 25, Peter les invita au Claridge pour épargner les préparatifs du repas à Maggie. Ils s'échangèrent des cadeaux qu'ils avaient choisis avec soin : Maggie offrit à Peter une belle écharpe en cachemire et des gants de cuir ; de son côté, il lui avait trouvé une étole et un cache-oreilles en vison dont elle tomba aussitôt amoureuse. De retour du Claridge, ils regardèrent des films et jouèrent à des jeux chez Peter. Ce dernier affirma qu'il s'agissait du plus beau Noël qu'il ait passé depuis longtemps – bien plus beau en tout cas que celui de l'année précédente à Los Angeles, lorsque son mariage avec Alana battait déjà de l'aile.

Deux jours plus tard, ils prirent l'avion jusqu'à Genève. Là, ils louèrent un minivan pour rejoindre le petit village de Courchevel, niché entre trois vallées des Alpes françaises. À leur arrivée, il neigeait à gros flocons. Le chalet leur sembla tout droit sorti d'un conte de fées. Bien qu'il y eût six chambres, ils avaient prévu de n'en utiliser que cinq : Ben n'aimait pas dormir seul et préférait partager la même chambre que son frère.

Tous les matins, Peter accompagna les enfants au remonte-pente, où des moniteurs privés prenaient en charge le petit groupe. Avec les trois vallées et plusieurs montagnes à portée de main, ils pouvaient skier toute la journée. Pendant ce temps, Peter et Maggie étaient libres de se détendre au coin du feu – elle avait apporté son tricot – ou de partir pour de longues balades.

Ils exploraient les boutiques du village, dont certaines étaient luxueuses et d'autres plus pittoresques. À midi, ils déjeunaient dehors, sous le soleil d'hiver ; puis Maggie glissait une main sous le bras de Peter et ils reprenaient leur promenade, jusqu'à ce que, fatigués, ils regagnent le chalet et sa cheminée.

— Si seulement on pouvait arrêter le temps et rester ici pour l'éternité ! confia Maggie avec mélancolie.

Elle appréhendait de rentrer à Ware. Le procès de Michael devait se tenir dans deux semaines. Ils avaient beau ne pas en parler, ils y pensaient constamment. Peter avait reçu plusieurs mails du procureur : pour leur plus grand soulagement, Michael avait fait valoir son droit à un procès rapide, plutôt que de chercher à en reporter la date.

Un après-midi, Peter lisait, confortablement installé dans un fauteuil, les jambes allongées vers le feu, quand Maggie lui apporta une tasse de chocolat chaud.

— C'est gentil de nous faire profiter de tes vacances, dit-elle.

— On s'amuserait beaucoup moins sans vous, répliqua-t-il en souriant.

Et c'était vrai : où qu'il se trouve, Peter appréciait grandement la compagnie de Maggie.

La jeune femme eut un léger mouvement de surprise lorsqu'il lui effleura la main en prenant la tasse. Elle s'assit près de lui sur le tapis.

— Mes enfants adorent passer du temps avec toi, murmura-t-elle.

— Et moi, j'adore être avec toi, Maggie. Tu ne te demandes jamais à quoi aurait pu ressembler notre vie si on était restés ensemble ?

— Je n'étais pas assez glamour pour toi, répondit-elle en riant. Tu étais destiné à une brillante carrière à New York. Moi, je n'étais qu'une fille de la campagne.

Peter avala une gorgée du chocolat fumant.

— Je te rappelle que c'est toi qui m'as plaqué pour un joueur de football. Le capitaine de l'équipe, si je me souviens bien.

— Il jouait au basket, le corrigea Maggie avec un sourire.

— Qu'est-ce qu'il avait de si sexy, alors ?

— Je ne sais plus. Tu sais, j'étais bête à l'époque – et c'était avant que je me cogne la tête.

— Tu n'as jamais été bête, protesta Peter en lui caressant la joue. Tu étais déjà bien plus intelligente que moi.

— Si ça peut te consoler, j'ai regretté de t'avoir quitté. Au bout de deux semaines, j'ai rompu avec mon basketteur. C'était un sale type. Au ciné, il a pratiquement déchiré mon pull.

— Charmant. On était tellement raffinés, à l'époque…

— Il faut dire que j'étais assez coincée, répliqua Maggie en riant.

— Oui, c'est vrai, tu étais un peu coincée… Voire beaucoup.

— À la réflexion, c'est peut-être pour ça que je t'ai largué. Tu voulais aller plus loin que moi.

— J'avais deux ans de plus. Ça fait une grosse différence, à cet âge.

Maggie acquiesça.

— Et ensuite, tu es parti à l'université, après ce fameux été pendant lequel tu m'as embrassée.

— J'aurais dû t'emmener avec moi.

Leurs regards se croisèrent. Maggie posa une main sur le genou de Peter ; il la prit dans la sienne.

— Qu'est-ce que tu penses de nous, maintenant ? demanda-t-il.

Voilà des mois que cette question lui brûlait les lèvres... Maggie eut l'air étonnée.

— Comment ça ?

— Ça t'arrive de nous imaginer ensemble ?

— On *est* ensemble.

— Tu sais bien ce que je veux dire...

Maggie baissa les yeux. Oui, elle y avait songé.

— Je ne sais pas. Je n'ai pas envie de tout gâcher.

— Je ne pense pas qu'on gâcherait quoi que ce soit. Mais je ne veux pas t'effrayer, Maggie.

— Tu ne m'effraies pas. Tu en es bien incapable.

Michael ne lui avait pas fait peur non plus : il l'avait tout bonnement étouffée. Mais Peter n'était pas comme son frère. Avec lui, Maggie se savait en sécurité. C'était important, pour elle.

— Doit-on soumettre la question au vote familial ? la taquina-t-il. Je crois savoir ce que mes gamins répondraient. Ils t'adorent.

— Les miens aussi t'adorent.

Elle leva les yeux vers lui en souriant. Puis elle ajouta tristement :

— On devrait peut-être attendre la fin du procès avant d'envisager la suite. Ça va être tellement dur...

Peter acquiesça et serra sa main dans la sienne.

Maggie allait revoir Michael, pour la première fois depuis bientôt huit mois.

— Je serai là, lui assura-t-il. Et je te promets qu'il ne t'arrivera rien.

Peter était prêt à tout pour la protéger. Il l'avait déjà montré.

— J'aime être avec toi, murmura-t-elle.

Alors, pour qu'elle n'oublie pas leurs projets, Peter l'embrassa. Et Maggie lui rendit son baiser... Ce fut comme s'ils revenaient trente ans en arrière, sur le ponton de leur jeunesse. Maggie souriait lorsqu'ils reprirent leur souffle.

— Je le savais bien... que tu embrassais bien.

Peter captura de nouveau ses lèvres. C'était tellement agréable qu'il eut envie de plus... Pendant un an, il n'avait rien ressenti, et subitement un flot de sensations le submergeait.

Lorsque les enfants rentrèrent du ski, Peter et Maggie bavardaient paisiblement, assis l'un près de l'autre à côté du feu. Ryan lança un regard lourd de sous-entendus à sa cousine.

— Je te parie qu'il l'a embrassée, lui chuchota-t-il alors qu'ils montaient à l'étage pour enlever leur combinaison.

— Qu'est-ce qui te fait dire ça ?

— Ça se voit. Ils ont l'air de partager un secret.

Lisa se mit à glousser.

— Tu délires. Ils sont heureux, tout simplement.

— Ouais... C'est à voir.

Quand ils redescendirent, Maggie préparait le dîner dans la cuisine en fredonnant, tandis que Peter contemplait le feu, un grand sourire aux lèvres. Il repensait à leur baiser sur le ponton. Et à l'autre, plus récent. À présent, il avait matière à comparaison.

23

Maggie, Bill et Peter quittèrent Londres ensemble pour se rendre au procès. Peter s'était arrangé pour qu'une voiture les récupère à l'aéroport de Boston. Ne voulant pas faire les trajets chaque jour entre le tribunal et le lac Wickaboag, il avait prévu de dormir chez Maggie, à Ware. Elle et son fils lui étaient reconnaissants de son soutien. Quant à Lisa, une camarade de classe l'hébergeait à Londres. Elle ne lui avait rien dit sur la raison du voyage de sa mère. C'était trop douloureux.

À leur arrivée, après avoir dîné au restaurant de Vi, Maggie eut un frisson en pénétrant chez elle ; pour elle comme pour Bill, c'était difficile de revoir la maison. Elle dut se forcer pour aller dans cette chambre où elle était restée alitée pendant tant d'années. Mais elle n'avait nul autre part où dormir, Peter ayant pris la chambre de Lisa, et Bill occupant la sienne. Cette maison était devenue un cimetière à ses yeux. Dès que le procès serait terminé, elle la mettrait en vente et demanderait le divorce.

Le procureur devait venir les voir ce soir-là pour peaufiner avec eux leurs témoignages et les préparer au contre-interrogatoire de l'avocat de Michael. Maggie s'étonnait que son mari ait insisté pour être jugé par un jury populaire, alors que sa culpabilité faisait si peu de doute. Peut-être espérait-il être acquitté... Il continuait de plaider non coupable. Lorsque Jack Nelson avait tenté de l'en dissuader, Michael lui avait ri au nez.

Toute la ville parlait du procès. Au restaurant, Maggie et Peter avaient été chaleureusement accueillis. La question ne se posait plus de savoir lequel des deux frères était mauvais.

Le procureur resta jusqu'à plus de minuit. Il avait décidé de faire passer Maggie en dernier, estimant que son témoignage serait celui qui aurait le plus d'impact sur le jury. Peter devait être appelé à la barre juste avant elle et juste après le passage de Bill. Quant aux familles des personnes âgées que Michael avait tuées, elles seraient les premières à comparaître. Émotion garantie pour l'ouverture du procès : la plupart des proches des victimes étaient bouleversés, à l'image de l'homme qui avait rendu visite à Peter au lac. Le procureur prévoyait également de faire venir des experts en poisons et médicaments.

Il leur expliqua que la sélection des jurés commencerait le lendemain matin et prendrait à peu près deux jours. Leur présence n'était pas nécessaire pour cette formalité. Le procès en lui-même durerait environ deux semaines, à l'issue desquelles le jury mettrait plus ou moins de temps à rendre son verdict. S'il ne parvenait pas à atteindre l'unanimité, le procès se verrait ajourné, et tout serait à recommencer. Maggie tremblait à cette pensée.

Après le départ du procureur, elle mit des heures à trouver le sommeil. Les propos de l'homme de loi tournaient en boucle dans sa tête. Durant le procès, Bill, Peter et elle seraient isolés dans une pièce, à l'abri de la presse et des regards indiscrets, tout en restant disponibles si l'on avait besoin d'eux. L'attente serait longue jusqu'à leurs témoignages…

Le lendemain matin, ils mangèrent du bout des lèvres ce qu'ils avaient acheté la veille pour le petit déjeuner. Vi leur avait donné un sac de brioches à la cannelle, mais ils n'avaient pas assez d'appétit pour y faire honneur.

À huit heures trente, ils partirent pour Northampton à bord d'une voiture de police envoyée par Jack Nelson. Alors qu'ils avaient pris soin d'éviter l'entrée principale du tribunal, ils furent accueillis à l'arrière du bâtiment par une horde de journalistes qui avaient anticipé leur manœuvre. Aidé de deux policiers, Peter escorta rapidement Maggie à l'intérieur. Lorsqu'ils eurent refermé la porte de la salle qui leur avait été réservée, Maggie s'assit sur une chaise, pâle et effrayée.

— Ça va ? lui demanda Peter.

Elle hocha la tête. Mais il voyait bien qu'elle tremblait, que ses mains étaient crispées sur ses genoux. Maggie n'avait aucune envie de revivre ses années de mariage à la barre des témoins.

Comme l'avait prédit le procureur, il fallut deux jours pour sélectionner les membres du jury. Ils étaient huit hommes et six femmes, dont deux suppléantes. Le procureur s'était attendu à ce que l'avocat de Michael requière un changement de lieu pour la tenue du procès, mais il n'en avait rien fait. En réalité, c'est Michael qui avait insisté pour être jugé dans sa ville natale. Il pensait sans doute que sa réputation de saint homme jouerait en sa faveur…

Le troisième jour, le procès commença. De la petite pièce où elle se tenait, Maggie entendait la voix forte et sévère du juge, qui présentait l'affaire aux jurés et leur rappelait leur devoir. Le ministère public et la défense firent ensuite leurs déclarations initiales devant le jury. Le procureur décrivit les crimes odieux de Michael, qui avait non seulement assassiné onze personnes – dont ses propres parents – après les avoir délestées de leur argent, mais aussi empoisonné sa femme vingt-trois ans durant dans le dessein de la tuer.

Michael faisait face à onze chefs d'accusation pour meurtre et à un douzième pour tentative de meurtre ; dans chaque cas, la préméditation était retenue. Pour les premiers, il encourait une peine de réclusion à perpétuité sans possibilité de libération conditionnelle – la peine de mort n'était plus pratiquée dans l'État du Massachusetts. Pour avoir tenté de tuer Maggie, il risquait vingt ans.

L'avocat de Michael s'avança à pas lents vers le banc des jurés, qu'il regarda tour à tour droit dans les yeux. Il déclara qu'il avait conscience, tout comme le prévenu, de la gravité des faits qui étaient reprochés à ce dernier, mais rappela que son client ne pouvait être condamné qu'en l'absence de tout doute raisonnable. Selon lui, les témoins experts ne manqueraient pas d'expliquer que le produit prétendument utilisé par Michael pour assassiner onze personnes avait peut-être simplement servi à soulager leurs souffrances. En effet, tous ces patients étaient mourants ; contrairement à ce que le procureur cherchait à prouver, Michael McDowell ne les avait pas tués, il avait seulement rendu leurs derniers instants plus supportables. Certes, l'anesthésiant en question avait été retrouvé dans les placards de son cabinet, mais était-ce vraiment étonnant qu'un médecin généraliste possède ce genre de médicaments ? Michael McDowell n'était pas un meurtrier, insista l'avocat. C'était un docteur dévoué et respecté, qui s'évertuait à prolonger la vie de ses patients gériatriques. Et si, dans leurs dernières volontés, ils décidaient de lui laisser de l'argent en marque de gratitude, il n'y avait là rien de répréhensible. Ce n'était pas un crime d'être désigné dans un testament, souligna l'avocat. Michael n'avait pas extorqué ces sommes : elles lui avaient été léguées par des patients aimants et reconnaissants. Le Dr McDowell était considéré comme un saint dans son village, et les saints ne tuent pas leurs adorateurs.

Pour ce qui concernait l'épouse de Michael, poursuivit l'avocat de la défense, il fallait savoir que Mme McDowell était mentalement et physiquement diminuée, et qu'elle l'avait été toute sa vie d'adulte. Là encore, Michael l'avait maintenue en vie alors qu'elle était condamnée. Quant à la substance toxique retrouvée dans son organisme huit mois plus tôt, elle était couramment utilisée dans les suicides. L'avocat avait l'intention de prouver au jury que Maggie McDowell avait tenté de mettre fin à ses jours alors que son mari luttait pour la sauver. Si les bouteilles de désherbant portaient les empreintes de l'accusé, c'était uniquement parce qu'il s'occupait du jardin. Sa femme pouvait très bien avoir manipulé les flacons avec des gants. À aucun moment Michael McDowell ne l'avait empoisonnée. L'avocat était certain que les jurés finiraient par acquitter son client, car celui-ci était innocent. Sur ces mots, il les remercia et regagna sa place.

C'était là une plaidoirie typique, avec tout ce qu'il fallait d'emphase et de belles paroles pour nier des actes terribles. Les preuves incriminant Michael, l'avocat se devait d'embrouiller les faits pour faire émerger un « doute raisonnable » dans l'esprit des jurés. C'était sa seule ligne de défense possible.

Jack Nelson était soulagé que Maggie n'ait pas pu entendre ce que l'on venait de dire sur elle. Rien de surprenant de la part d'un avocat expérimenté, mais Jack n'en avait pas moins eu la nausée en l'écoutant.

Le ministère public avait ensuite la charge d'exposer ses arguments. Comme premier témoin, le procureur appela à la barre un expert d'un laboratoire toxicologique de Boston, qui présenta les différents médicaments couramment utilisés en anesthésiologie. La succinylcholine en faisait partie et avait pu selon lui être administrée aux patients âgés. Anesthésiste de formation, Michael McDowell savait assurément comment utiliser ce produit, qui, à trop forte dose, se révélait mortel. Pendant deux heures, l'expert expliqua dans les moindres détails les effets de diverses substances chimiques. En résumé, il était d'accord avec les conclusions du coroner : les victimes étaient décédées suite à l'injection d'une quantité mortelle de succinylcholine, ce même médicament qui avait été retrouvé dans l'armoire à pharmacie du cabinet du Dr McDowell. À la fin de sa déposition, l'audience fut suspendue le temps du déjeuner.

L'après-midi entier fut consacré au témoignage d'un autre expert venu du centre antipoison de Boston. Il décrivit aux jurés les propriétés du paraquat, désherbant dont le prévenu s'était indéniablement servi pour tenter d'empoisonner son épouse, puisqu'elle avait présenté des signes d'exposition prolongée à cette substance.

Les deux témoins furent soumis au contre-interrogatoire de l'avocat de Michael. Celui-ci demanda à l'expert de Boston si le paraquat était fréquemment utilisé dans les tentatives de suicide. L'homme répondit que c'était effectivement le cas, mais seulement dans les pays sous-développés, à cause du faible coût de ce produit. L'avocat se rassit. Toute l'assemblée somnolait après ces longs discours. Le juge suspendit la séance jusqu'au lendemain, non sans avoir interdit aux jurés de discuter de l'affaire avec qui que ce soit, sous peine de les isoler pour toute la durée du procès. Ils acquiescèrent, puis quittèrent sagement la salle d'audience. Le procureur alla retrouver Maggie, Peter et Bill pour leur résumer la journée. La procédure leur paraissait bien fastidieuse, mais elle était nécessaire pour établir la culpabilité de Michael.

Le reste de la semaine vit défiler les proches des neuf patients gériatriques que Michael était accusé d'avoir tués. Lorsque viendrait son tour, Peter n'aurait pas d'autre choix que d'évoquer ce qu'il avait lu dans les carnets de sa mère. Michael avait nié avoir euthanasié leur père, mais les analyses pratiquées à la suite de l'exhumation de leurs parents ne laissaient plus aucun doute.

Il y eut des larmes et des accusations de la part des familles des victimes. Tout au long de ces témoignages, Michael resta impassible. À la fin de chaque journée, après le départ des jurés, on le faisait sortir de la salle d'audience, menotté et les fers aux pieds. Il avait une allure impeccable – costume, chemise blanche et cravate – et paraissait parfaitement calme. Il était l'image même de l'homme innocent. Ou de l'homme sans conscience.

Au terme de la première semaine, Maggie et Peter étaient épuisés. Bill s'était occupé en écrivant des textos, notamment à Lisa – qui allait bien, d'après lui. Il avait également apporté de la lecture pour s'avancer dans ses devoirs. Mais sa mère et son oncle semblaient nettement plus à cran, eux qui passaient leurs journées assis, à attendre sans rien faire.

Le week-end venu, Maggie et Peter partirent se promener autour du lac Wickaboag. À la vue du ponton, ils sourirent tous les deux, mais Peter se retint d'embrasser la jeune femme. Le moment était mal choisi pour se laisser aller à des pensées romantiques. Ils s'assirent côte à côte, en silence, le regard perdu sur le lac et l'esprit occupé par le procès.

Après avoir vérifié que tout était en ordre dans la maison de Peter, ils rentrèrent chez Maggie et essayèrent de tuer le temps. Difficile de sortir, avec les reporters et les équipes de télévision qui attendaient dehors dans l'espoir de les apercevoir. Mieux valait rester à l'intérieur, les stores baissés. Vi leur apporta de quoi manger et refusa qu'ils la remboursent.

Le lundi matin, ils défilèrent devant les journalistes sans faire le moindre commentaire. D'autres témoignages d'experts étaient prévus ce jour-là. Finalement, au septième jour du procès, Bill fut appelé à la barre. Le procureur lui fit décrire ses recherches sur Internet pour trouver le poison qui correspondait aux symptômes de sa mère, et l'appel désespéré qu'il avait ensuite passé à son oncle pour le convaincre de se rendre au laboratoire. On lui demanda d'identifier le rapport d'analyses toxicologiques devant la cour.

— Pourquoi pensiez-vous que votre père empoisonnait votre mère ? le questionna le procureur.

Tout en parlant, l'homme s'était placé entre Bill et l'accusé pour éviter qu'ils ne se voient. Ainsi, Bill serait moins intimidé.

— Parce que mon père est un menteur pathologique et un dangereux psychopathe, répondit Bill.

Il tremblait de tout son corps.

L'avocat de la défense voulut savoir s'il était psychiatre, ou s'il avait des diplômes en psychologie. Bill répondit par la négative.

— Dans ce cas, sur quelles qualifications basez-vous votre diagnostic ? demanda l'homme de loi avec un sourire méprisant.

— J'ai grandi sous le même toit. J'ai vu ce qu'il a fait à ma mère, répondit Bill d'une voix étranglée par l'émotion.

Dans la salle, on aurait entendu une mouche voler. Bill fut remercié, puis ce fut au tour de son oncle de témoigner.

Peter décrivit le coup de téléphone de son neveu, les trois cheveux qu'il avait prélevés sur la tête de Maggie, le voyage à Boston pour faire pratiquer les analyses et l'état de santé de sa belle-sœur à l'hôpital.

— Avez-vous eu un flirt avec Margaret McDowell quand vous étiez adolescent ? lui demanda brusquement l'avocat de la défense. Je crois que son nom de jeune fille était Higgins.

— Oui, répondit Peter sans la moindre gêne.

— Quel âge avait-elle à l'époque ?

— Quinze ans.

— Et vous ?

— Dix-sept.

— Avez-vous eu des rapports sexuels avec elle ?

— Non, affirma Peter calmement.

— Avez-vous eu une liaison avec elle plus tard, alors qu'elle était mariée au prévenu ?

— Non.

— William McDowell est-il votre fils illégitime ?

Là, Peter ne put s'empêcher de sursauter.

— Non, pas du tout !

— Vous avez pourtant dû remarquer qu'il vous ressemble beaucoup…

— Je suis vraiment désolé, ce n'est pas de chance pour lui.

Une vague de rires parcourut l'assemblée, atténuant un instant la tension ambiante.

— Avez-vous déjà été jaloux de votre frère ?

— Ça m'est arrivé, répondit Peter honnêtement.

— Le détestez-vous ?

— Je l'ai détesté autrefois.

— Suffisamment pour vouloir l'envoyer en prison et refaire votre vie avec Mme McDowell ?

— Bien sûr que non, protesta Peter, les sourcils froncés.

— Avez-vous eu une liaison avec elle l'an dernier, lorsque vous êtes revenu à Ware ?

— Non.

— Si vous aviez pu écarter votre frère, auriez-vous fait des avances à sa femme ?

— Cette idée ne m'a jamais traversé l'esprit. Ils étaient mariés, et je pensais qu'ils s'aimaient.

— Qu'est-ce qui vous a fait changer d'avis sur ce dernier point ? Vous a-t-elle confié qu'elle était malheureuse avec votre frère ?

— Jamais. Comme n'importe quel être sensé, j'ai compris qu'il ne l'aimait pas quand j'ai découvert qu'il essayait de la tuer depuis des années, affirma Peter en fixant sur l'avocat un regard glacial.

— Le témoin peut disposer, déclara ce dernier tout aussi froidement.

Il avait tenté de le déstabiliser, sans succès ; sa stratégie s'était retournée contre lui. Peter et le procureur pouvaient être satisfaits.

Maggie, qui devait témoigner le lendemain, ne ferma pas l'œil de la nuit. Elle détestait cette maison. Elle détestait ce lit et cette chambre, qui avait constitué son seul univers pendant deux décennies, qui avait été sa prison. Aujourd'hui, cette pièce la rendait claustrophobe.

On l'appela à la barre des témoins dès la première heure de la journée. Bill et Peter étaient présents dans la salle d'audience. Maggie s'avança en boitant légèrement, s'assit et prêta serment. Elle était passée devant le banc des accusés sans regarder Michael, mais elle percevait sa silhouette du coin de l'œil et sentait son regard rivé sur elle. Pour ne pas voir son visage, elle se concentra sur le procureur qui se tenait devant elle.

Il la fit parler de son accident, de son mariage avec Michael, des maladies dont elle avait souffert pendant des années, et des raisons que son mari invoquait pour les expliquer. Puis il lui posa des questions sur l'amélioration régulière de son état de santé depuis que Michael avait été placé en détention et qu'il ne lui administrait plus de poison. Tout le monde dans la salle pouvait constater qu'elle était en forme. Son témoignage dura trois heures, à l'issue desquelles l'audience fut suspendue.

Après le déjeuner, Maggie retourna à la barre pour le contre-interrogatoire. Le juge lui rappela qu'elle était toujours sous serment, ce à quoi elle acquiesça.

— À la suite de votre accident et de votre coma, avez-vous souffert de migraines ? commença l'avocat de la défense.

— Oui, répondit Maggie d'une voix claire. Pendant un an environ.

— Avez-vous eu des problèmes psychiatriques ? Des angoisses ? Des hallucinations ? Des insomnies ?

— Je me sentais parfois angoissée, et j'avais du mal à dormir.

— Avez-vous continué à souffrir de ces maux après avoir épousé Michael ?

— Oui, de temps en temps.

— Comment y faisiez-vous face ?

— Il me donnait des médicaments.

— Sur votre demande ?

— Jamais. C'est lui qui insistait pour que je les prenne. Il me disait que ça me ferait du bien, et que ce serait dangereux de m'en passer.

Dans le public, des gens remuèrent sur leurs sièges.

— Ces remèdes étaient-ils efficaces ?

— Ils me faisaient dormir, mais je me réveillais affaiblie et la tête embrumée. Ils me rendaient léthargique, me provoquaient des vertiges.

— Savez-vous quels médicaments il vous donnait ?

— Il ne voulait pas me le dire.

— Pourquoi les preniez-vous ? Vous êtes intelligente. Il ne vous forçait tout de même pas à les avaler...

— Il me disait qu'il fallait les prendre, et il s'énervait si je n'obéissais pas. C'était mon mari et mon médecin. Je lui faisais confiance. Et je ne voulais pas qu'il soit en colère contre moi.

L'avocat changea de tactique.

— Parlez-moi de Peter McDowell. Avez-vous couché avec lui quand vous aviez quinze ans ?

— Non.

— Pourquoi ?

— Parce que j'étais vierge et que je n'en avais pas envie.

— Étiez-vous toujours vierge lorsque vous avez eu votre premier rapport sexuel avec Michael ? Et s'il vous plaît, madame McDowell, souvenez-vous que vous avez prêté serment.

Son commentaire se voulait blessant, mais Maggie ne se laissa pas démonter.

— Oui, j'étais vierge quand j'ai épousé Michael.

— Ce n'est pas ce qu'il dit.

— Alors il ment, répliqua-t-elle froidement.

— Avez-vous eu une liaison avec votre beau-frère quand il est revenu dans la région, l'an dernier ?

L'avocat voulait-il faire croire à l'existence d'un triangle amoureux ? Laissait-il entendre que Peter et Maggie avaient tenté de se débarrasser de Michael ?

— Non, je n'ai pas eu de liaison avec Peter.

— Pourquoi ?

— Parce que j'aimais mon mari. Je lui étais fidèle.

— Avez-vous déjà eu envie de vous suicider ?

— Non.

— Avez-vous déjà pris des produits susceptibles d'entraîner la mort ?

— Si je l'ai fait, ce n'est pas volontairement : c'est Michael qui me prescrivait mes médicaments.

— Et vous n'avez aucune idée de ce qu'il vous donnait ?

— C'est exact.

— Votre mari prenait-il soin de vous ?

— J'en étais persuadée, jusqu'à ce que je découvre qu'il m'empoisonnait.

L'assistance retint son souffle. Maggie était calme, et crédible qui plus est.

— Lui en avez-vous parlé ? s'enquit l'avocat avec arrogance. Lui avez-vous demandé des explications ?

— J'ai essayé. Je lui ai écrit plusieurs lettres quand il était en prison. Je l'ai supplié de m'appeler, de m'écrire ou d'accepter que je vienne le voir.

— Et que vous a-t-il dit ?

— Rien. Il ne m'a jamais répondu. Je n'ai eu aucun contact avec lui depuis son arrestation. Il n'a plus voulu me voir ni m'adresser la parole. C'est comme ça que j'ai compris qu'il ne m'aimait pas et qu'il m'avait réellement empoisonnée. Jusque-là, je n'y croyais pas.

L'avocat lança un coup d'œil à son client, qui resta impassible. De toute évidence, la réponse de Maggie avait surpris le défenseur.

— Souffrez-vous aujourd'hui de l'un ou l'autre des maux qui vous affectaient lorsque vous viviez avec Michael ?

Il tentait sa chance… En vain.

— Non, aucun. Mes divers symptômes ont tous disparu en quelques jours, semaines ou mois. Je vais bien maintenant, en dehors du fait que je boite encore un peu. Michael prétendait que j'avais la maladie de Parkinson et que j'en mourrais. C'était faux. Les symptômes étaient provoqués par le poison qu'il me donnait. Il me droguait en permanence. J'étais un vrai zombie.

— Le témoin peut disposer, déclara l'avocat avant de se rasseoir à côté de son client.

Michael lui avait décrit sa femme comme un paquet de nerfs qui craquerait rapidement à la barre, mais elle s'était montrée forte, intelligente et tout à fait cohérente. Maggie avait sapé leurs arguments plus qu'aucun autre témoin – le procureur contenait difficilement sa joie. Alors qu'elle retournait à sa place, elle ne put s'empêcher d'observer Michael. Son regard terrifiant, fixé sur elle, sembla la traverser sans la voir… Comme un souffle glacé sur son visage. Le masque était tombé. Bill et Peter avaient eu raison depuis le début.

Lors du dernier jour consacré aux témoignages, l'avocat de la défense convoqua Michael à la barre. Avec ses manières douces et plaisantes, ce dernier prêta serment, avant de s'asseoir. Il incarnait son personnage de médecin, celui qui lui avait valu une réputation de saint homme pendant vingt ans et à travers trois comtés.

Son avocat lui fit décrire ses études, sa carrière, ses débuts en tant qu'anesthésiste à Boston – une voie qu'il avait abandonnée pour rejoindre le cabinet de son père. Puis il lui posa des questions sur son mariage, sur l'accident de Maggie avant cela, et sur les problèmes de santé qu'elle avait connus par la suite. Enfin, il l'interrogea sur la relation qu'elle avait eue selon lui avec Peter.

— Elle a couché avec mon frère quand elle avait quinze ans, affirma Michael.

— Comment le savez-vous ?

— C'est lui qui me l'a dit. À l'époque, on en a ri. C'était la salope du lycée.

Dans la salle d'audience, un silence gêné accueillit ces propos. Assise entre Bill et Peter, Maggie sentit son estomac se soulever. De toute évidence, Michael avait décidé de salir sa réputation pour la punir d'avoir témoigné contre lui.

— Ont-ils eu une autre liaison alors que vous étiez mariés ?

— Oui. Je pense même que notre fils aîné est de lui, répondit Michael d'un air blessé.

— Vous l'a-t-elle confirmé ?

— Non. Et je n'avais pas envie de le savoir.

Le procureur se leva pour émettre une objection :

— Votre honneur, sommes-nous vraiment obligés de revenir sur les histoires d'amour que Mme McDowell a eues à quinze ans ?

— Il est question de la crédibilité du témoin, insista l'avocat de la défense.

— Objection accordée, trancha le juge, agacé. Poursuivez, maître. Nous avons mieux à faire que de savoir avec qui Mme McDowell a couché ou non dans sa jeunesse.

L'avocat demanda alors à son client de leur lister les médicaments qu'il avait administrés à Maggie et de leur expliquer pourquoi il lui avait prescrit des calmants et des somnifères pendant tant d'années.

— Je n'avais pas le choix, répondit Michael. Elle souffrait de sérieux troubles psychiatriques, et ce avant même que je la rencontre. La plupart du temps, elle avait trop peur de quitter notre chambre, et elle était sujette à des accès de violence. J'étais obligé de la mettre sous calmants. Je n'avais pas envie de la faire interner.

Maggie se mit à trembler de rage. Peter lui lança un regard apaisant. Il imaginait sans peine ce qu'elle ressentait. Michael avait là une opportunité de la faire souffrir, et il s'en donnait à cœur joie. Oui, mais... et si le jury tombait dans le piège ? Voilà ce qui inquiétait Maggie.

— Avez-vous introduit du désherbant dans la nourriture de votre épouse ou dans toute autre chose qu'elle aurait pu ingérer ?

— Bien sûr que non. Je suis médecin, j'ai juré de respecter la vie humaine, dit Michael.

On eût dit la vertu et la bienveillance incarnées.

— Votre femme vous a-t-elle contacté après votre arrestation ? Vous a-t-elle écrit, a-t-elle demandé à vous voir ?

Michael jeta un regard innocent en direction des jurés.

— Jamais. J'ai essayé de l'appeler plusieurs fois, en vain. J'aurais voulu lui expliquer que j'avais été accusé injustement, qu'il ne s'agissait que d'odieux mensonges.

— Savez-vous pourquoi elle a refusé de vous parler ? demanda l'avocat, comme s'il ne pouvait pas imaginer une seule raison valable.

— Elle couchait avec mon frère depuis un moment déjà.

— En êtes-vous sûr ?

— Plusieurs personnes me l'ont dit, y compris mes enfants. Mon frère a tout perdu lors du krach boursier, et je crois qu'il est revenu à Ware pour mettre la main sur l'argent de ma femme. Elle a toujours été folle de lui, il le sait très bien. Il a profité d'elle. Je pense qu'il les a convaincus, elle et mon fils, de monter ce coup contre moi.

— Avez-vous des preuves de ce que vous avancez, monsieur McDowell ?

— Aucune, mais je la connais bien. C'est une femme faible, angoissée et perturbée. Une proie facile pour un homme tel que mon frère.

— Et pour vous ?

— Elle n'a jamais été une proie pour moi. Je l'aimais, affirma Michael noblement.

Le procureur procéda alors au contre-interrogatoire. Il s'employa à torpiller la crédibilité de presque tous les propos de Michael. Maggie n'en avait pas moins l'impression d'avoir été traînée dans la boue. La défense posa quelques questions à l'accusé au sujet de ses patients gériatriques et de ses propres parents, après quoi les deux parties prononcèrent d'éloquentes déclarations de clôture. Enfin, le juge donna ses instructions aux jurés, lesquels furent conduits hors de la salle pour entamer leurs délibérations.

Alors que Michael allait être raccompagné dans sa cellule, il se tourna brusquement vers Maggie.

— Tu n'étais rien ! hurla-t-il. Tu n'as jamais compté pour moi. J'ai eu pitié de toi, c'est tout !

Puis sa fureur se déversa sur Peter.

— Et toi qui menais une vie de prince à Wall Street pendant que je croupissais dans ce trou paumé avec nos parents... Moi aussi, j'aurais aimé partir d'ici et devenir quelqu'un, moi aussi je méritais cette vie ! Mais je suis resté pour m'occuper d'eux. Toi, tu n'as pas pris cette peine !

C'étaient donc la jalousie, l'amertume et l'appât du gain qui avaient motivé Michael... Il continua de hurler, traîné de force par les policiers. Maggie tremblait lorsque Jack Nelson l'escorta jusqu'à la petite salle qui leur avait été attribuée.

— Écoute-moi, Maggie, dit Peter d'un ton ferme en lui prenant le bras. Michael est un malade, un meurtrier. Ce qu'il dit n'a aucune importance. Il ment comme un arracheur de dents.

Maggie acquiesça et s'assit sur une chaise en s'efforçant de retenir ses larmes. Elle avait gâché vingt-trois ans de sa vie avec cet homme qui avait failli la tuer. Et il venait de lui avouer qu'il ne l'avait jamais aimée. Il ne s'agissait même pas d'un crime passionnel, mais d'une vulgaire tentative d'assassinat commise de sang-froid...

Lorsque Jack Nelson quitta la pièce, Maggie, Bill et Peter restèrent silencieux un long moment. Puis Bill se tourna vers son oncle.

— Je peux te poser une question ?

— Bien sûr.

Peter avait deviné la suite.

— Est-ce que je suis ton fils ?

Bill regarda tour à tour son oncle et sa mère. Tous deux secouèrent la tête.

— Malheureusement non, répondit Peter gentiment. Si j'étais ton père, j'en serais fier. Je ne m'en cacherais pas.

— Merde..., lâcha Bill avec une véhémence qui les fit rire tous les trois. Ç'aurait été la seule bonne nouvelle de l'année.

— Tu sais, tu peux m'appeler papa quand tu veux. À ce propos, ajouta Peter en se tournant vers Maggie, quand je pense au nombre de fois où on est censés avoir couché ensemble, je suis bien dégoûté d'avoir raté ça.

Un sourire se dessina sur les lèvres de Maggie. Puis elle se mit à rire franchement.

— Je dois dire que j'ai adoré me faire traiter de « salope du lycée ».

— Il ne faut pas l'écouter. Il voulait juste te faire du mal.

Maggie glissa une main dans celle de Peter. Michael avait menti à tout le monde, y compris à son avocat. Et celui-ci l'avait cru.

Une heure plus tard, le procureur vint leur annoncer qu'ils pouvaient rentrer chez eux. Les délibérations du jury risquaient de prendre plusieurs jours ; on les préviendrait pour la lecture du verdict.

Jack Nelson les escorta à travers la foule des journalistes jusqu'à la voiture de patrouille qui les reconduirait chez Maggie, comme chaque jour depuis le début du procès. Tandis qu'elle s'installait, Jack lui tapota gentiment l'épaule. Il regrettait qu'elle ait dû subir tant de revers. Lui aussi s'était laissé berner par Michael.

Une fois à la maison, Maggie s'allongea sur le canapé pendant que Bill et Peter regardaient un match de basket à la télévision. Bill avait appelé sa sœur pour lui résumer la journée, prenant soin de lui épargner les détails sordides. Elle n'avait que seize ans. Après tout, Michael était son père, et elle l'avait aimé.

Tandis qu'il contemplait Maggie endormie, Peter pria pour que le jury rende rapidement son verdict. Pour eux tous, il était temps de tourner la page. Il échangea avec Bill un long regard fatigué.

24

Les jurés délibérèrent pendant trois jours. Ils étudièrent avec soin les rapports toxicologiques et les fiches descriptives de différents poisons et médicaments – en particulier celles du paraquat et de la succinylcholine. Enfin, ils votèrent à l'unanimité.

Jack envoya un agent chercher Maggie, Bill et Peter pour les conduire au tribunal. Les jurés entrèrent en file dans la salle d'audience, où Michael attendait sur le banc des accusés. Le juge le pria de se lever.

Il s'adressa ensuite au président du jury pour lui demander s'ils étaient parvenus à un verdict. S'exprimant d'une voix claire et forte au nom de ses pairs, l'homme répondit par l'affirmative.

— Coupable, votre honneur, annonça-t-il après chaque chef d'inculpation prononcé par le juge. Nous déclarons le prévenu coupable de onze meurtres avec préméditation.

— Et pour l'accusation de tentative d'assassinat sur la personne de Margaret Higgins McDowell ?

— Coupable, votre honneur.

Des cris s'élevèrent dans la salle. Le juge abattit son marteau pour ramener le calme. Il remercia les jurés, qui se retirèrent, puis annonça que la peine serait prononcée dans trente jours. Maggie savait que sa présence n'était pas requise pour cette ultime étape.

Michael n'avait pas bronché pendant la lecture du verdict, mais elle n'avait pas eu le courage de le regarder. Quand il sortit de la salle, flanqué de deux policiers, elle n'éprouva absolument aucune émotion. Son mari était devenu un étranger. Quant à Peter, il ne ressentait pas plus de compassion pour son frère jumeau.

De retour à la maison, Maggie, Peter et Bill restèrent assis un long moment dans la cuisine, à se regarder sans rien dire. Maggie se sentait vidée, de corps et d'esprit ; elle n'avait aucune envie de manger. Vingt-quatre ans de sa vie venaient de prendre fin. Elle y avait gagné deux enfants merveilleux, mais elle savait à présent que son mariage n'avait jamais rien signifié. Bill et Lisa, eux, avaient perdu leur père. Maggie n'avait plus qu'un seul désir : faire ses valises et partir. Ne plus jamais revoir cette maison, ni rien qui puisse lui rappeler la vie qu'elle y avait vécue.

Elle monta dans sa chambre pour rassembler ses affaires, pendant que Peter réservait un vol à destination de Londres pour le lendemain.

Avant leur départ, Peter se rendit au cimetière sur la tombe de ses parents. Sachant qu'il ne reviendrait pas, il tenait à leur dire au revoir, mais aussi à s'excuser d'avoir été un mauvais fils et de n'avoir pas su les protéger de Michael. Il espérait qu'ils comprendraient et qu'ils lui pardonneraient.

Peter redescendit la colline en direction de la voiture de police dans laquelle l'attendaient Bill et Maggie. Jack Nelson avait tenu à les accompagner à Boston, en signe de soutien. Le trajet se fit dans le silence. Il n'y avait plus rien à dire. Justice avait été faite.

À l'aéroport de Logan, les trois voyageurs se présentèrent à l'enregistrement ; ils avaient deux heures d'attente avant de s'envoler pour Londres.

Ils s'achetèrent des magazines, puis s'installèrent à une table pour manger. Bill écrivit un texto à sa sœur pour la prévenir qu'ils décollaient bientôt de Boston. La veille, ils avaient discuté du verdict jusque tard dans la nuit. Ne croyant plus en l'innocence de Michael, Lisa n'avait pas été choquée par la décision du jury. C'était pour elle une bien triste façon d'entrer dans l'âge adulte… Mais elle avait beau avoir perdu son père, elle était soulagée que tout soit fini.

Quand Bill s'éloigna pour commander un autre café, Peter observa Maggie, assise en face de lui. Elle semblait abattue depuis la veille. Ce qui était arrivé était tellement moche…

— Je veux te dire une chose, Maggie, même si ce n'est peut-être pas le meilleur moment, déclara-t-il d'une voix douce. Je t'aime. Je veux passer le reste de ma vie à te faire oublier ce que tu as traversé. Mon frère est un monstre, tu ne méritais pas ce qu'il t'a fait subir. Et si tu n'étais rien pour lui, tu es tout pour moi.

Dans l'intensité de son regard, Maggie vit qu'il était sincère.

— Je t'aime aussi, Peter. Cette affaire nous a tous atteints, et j'en suis navrée.

Ils devaient cependant rejoindre la porte d'embarquement. Peter se leva, la prit dans ses bras et l'embrassa. Leur cauchemar était terminé. Michael ne pouvait plus leur nuire.

Bill les aperçut de loin et ne put s'empêcher de sourire. Un peu à l'écart, il envoya un SMS à Lisa, comme il lui avait promis de le faire s'il se passait quoi que soit pendant leur séjour. Ryan et elle attendaient ce moment depuis leurs vacances à Courchevel. « Mission accomplie », écrivit-il avec joie.

En lisant ces mots, Lisa eut un grand sourire et réexpédia aussitôt le message à Ryan, à Los Angeles. Ben et lui étaient en train de prendre leur petit déjeuner. Ryan éclata de rire et lut le texto à son frère.

— Qu'est-ce que ça veut dire ? demanda Ben, perplexe. Quelle mission ?

— Je crois que papa vient d'embrasser Maggie.

— Waouh ! Trop bien !

De Boston à Los Angeles en passant par Londres, la nouvelle ne faisait que des heureux.

Bill les rejoignit et leur tapota l'épaule.

— Allez, vous deux. Vous aurez tout le temps de faire ça dans l'avion. À condition de ne pas le rater…

Maggie rayonnait. Tous les trois, ils traversèrent le terminal bras dessus, bras dessous. Ils avaient survécu. Et après tout ce qu'ils avaient perdu, le bonheur leur souriait enfin.

Composition et mise en pages
Nord Compo à Villeneuve-d'Ascq

Cet ouvrage a été imprimé au Canada par

MARQUIS

Québec, Canada

en août 2016

Dépôt légal : septembre 2016